D0305376

El hombre del corazón negro

Ángela Vallvey

Ediciones Destino
Colección Áncora y Delfín
Volumen 1191

© Ángela Vallvey, 2011

© Ediciones Destino, S. A., 2011
   Diagonal, 662-664. 08034 Barcelona
   www.edestino.es

Primera edición: febrero de 2011

ISBN: 978-84-233-4313-3
Depósito legal: B. 5.407-2011
Impreso por Industria Gráfica Cayfosa, S.A.
Impreso en España-Printed in Spain

El papel utilizado para la impresión de este libro es cien por cien libre de cloro
y está calificado como papel ecológico.

«Ha sufrido una victoria.»

Un ciudadano ruso anónimo al traducir un artículo deportivo, que versaba sobre un equipo de fútbol, del idioma ruso al español.

«Las impotentes lágrimas de la esclavitud...»

PUSHKIN

Esta novela es para J. B., con admiración y amistad.

En memoria de los *liquidadores* de Chernóbil; sus rostros sin nombre encarnan lo más noble y heroico del ser humano.

Para las Polinas y Feruzas que arrastran su pena por los burdeles, las cocinas y las calles del mundo.

Agradezco a Guillermo, que, como buen policía, me pusiera tras una valiosa pista.

A mis editores, Pilar Lucas, Silvia Sesé y Emili Rosales, por conocer bien su noble oficio y estar siempre de mi lado.

Y a mis agentes, Txell Torrent, Concha Alonso y Mónica Martín, por el imprescindible apoyo y el entusiasmo.

Dramatis personae
(Personajes principales)

Sigrid Azadoras: 35 años, oficial de policía, experta en artes marciales.

Comisario Férriz: jefe de Sigrid Azadoras.

Marcos Drabina Flox: juez de la Audiencia Nacional.

Doña Luisa Flox: madre de Marcos.

Ernesto Molina Saz: fiscal de la Audiencia Nacional.

Doña María Jesús Hergueta: viuda, vecina y amiga de doña Luisa.

Mariya: rusa blanca de 71 años, compañera y talismán de:

Misha, alias de Iván Astrov: *Vor v Zakone*, ladrón de ley. Mafioso ruso de 63 años. Dirige muchos negocios legales a través de los cuales blanquea dinero sucio. Vecino de la viuda Hergueta.

Kakus: ruso blanco de unos cuarenta años. Con una importante *carrera* delictiva a sus espaldas. Traficó con mujeres esclavas. Guardaespaldas y aprendiz de *vor* (ladrón de ley).

Barbala: joven criminal ruso. Melómano. Drogadicto.

Polina: 26 años, de origen moldavo. A los quince cayó en las redes de unos traficantes de esclavos que la prostituyeron.

Feruza: mujer ucraniana de mediana edad; se dedica al servicio doméstico en la urbanización Arroyo del Tranco, en la población del mismo nombre situada al norte de Madrid, en la provincia de Guadalajara. Empleada de Mariya, a cuya casa acude regularmente a limpiar.

Víktor: inmigrante polaco-ucraniano.

Shúrik Gorilla: procedente de los servicios secretos; se le conoce como *El Tatuador de Lápidas*.

Vladímir Rókotov: mafioso georgiano. Protector de Polina. Casado con una viuda madre de tres hijos.

Valentina: esposa de Vladímir.

La viuda Hergueta

Todo empezó con la desaparición de cinco gatos: *Conde*, *Fígaro*, *Ariana*, *Catilina* y *Malory*. Se habían esfumado de la faz de la Tierra, por lo visto. Una de las gatitas, completamente blanca, *Ariana*, tenía heterocromía: un ojo de cada color, verde y azul, y aún era muy joven e inexperta. Además, estaba sorda. Pese a que corre la especie de que los gatos tienen siete vidas, la dueña de estos cinco no le daba mucho crédito a tamaña afirmación. Doña María Jesús Hergueta, una viuda de edad imprecisa y vivos ojos de tonos canela, hacía más de una semana que sentía una opresión en el pecho y una voz interior que le susurraba con acento rudo y cruel que algo malo les había ocurrido a sus mininos.

—Tienes que encontrar a esos pobres animalitos —le dijo doña Luisa a su hijo, y Marcos Drabina Flox, todo un señor juez de la Audiencia Nacional, titular del Juzgado número 1, la contempló con ojos resignados de felino cuarentón. Su madre pretendía seguir mangoneándolo como si fuese un niño de doce años—. O al menos averiguar qué ha pasado con ellos.

No eran gatos de raza. Habían sido adoptados

por doña María Jesús en la Protectora de Animales, salvados así de ser sacrificados. Cinco pequeños mamíferos carnívoros que eran la alegría de la viuda Hergueta.

—Los gatos llevan más de nueve mil años acompañando a los seres humanos —doña Luisa asintió gravemente, como dando a entender que ella se ocupaba cada minuto de llevar la cuenta—. Por supuesto, María Jesús está desolada. Mírala.

Marcos miró a la viuda, vecina y amiga de su madre. Pensó que daba la impresión de haber sido instruida siguiendo el *Tratado de la educación de las muchachas*, de Fenelón. Con ideas osadas para su época, y una encantadora influencia de la antigüedad griega en las maneras de vestir.

La viuda mantenía una mano sobre su agitado pecho, como tratando de sostenerlo en su sitio.

—Han sido esos rusos, serbios... ¡Lo que sean! —siseó la mujer con rabia apasionada—. No hay quien me lo quite de la cabeza. Han sido ellos. Estoy segura.

—¿Serbios? —Marcos arrugó el ceño, sin comprender.

Su madre meneó la cabeza.

—Viven dos calles más arriba. Y son vecinos de María Jesús. Tienen una valla común.

—¿Serbios de... Serbia?

—O de Rusia, o de Yugoslavia, ¡qué más da! —suspiró, llorosa, la viuda—. Quizás sean rusos *rusos*, de los de Rusia... No entiendo mucho de esto, la verdad.

—Bueno, fundamentalmente son rusos, aunque

ya sabes, querido, que todo es un poco confuso por allá arriba, en el bloque del Este. Le llaman *bloque*, como a los bloques de apartamentos. Todos esos países forman una especie de mecano, es verdad... Una construcción hecha trizas, ciertamente —aclaró doña Luisa. Se inclinó hacia su hijo con aires intrigantes—. Que ganen en Eurovisión cada vez con más frecuencia no quiere decir que para ellos todo sea coser y cantar. ¡Si mi pobre suegro, que era polaco y al que yo quería como un padre, levantara la cabeza!...

Marcos enarcó las cejas, lo hacía cada vez que oía a su madre expresarse así.

—¡Mis pobres gatitos! —lloriqueó la viuda, y el juez se sintió profundamente incómodo. Tenía asuntos más importantes en los que pensar que la desaparición de unos gatos—. Todos estaban esterilizados... —examinó la reacción de Marcos, con prudencia—. Dicen que eso les alarga la vida. No me preguntes por qué.

—Vaya. No tenía ni idea.

Probablemente, pensó el hombre, de esa manera los gatos tendrían una vida más larga, pero también más triste. «Es como eliminar el conflicto de una historia: lo que queda resulta tan insípido que no merece la pena ser contado», especuló distraídamente, mirando a la pared. El sexo siempre resultaba conflictivo. Se le ocurrió que, a lo mejor, los gatos de la viuda Hergueta, liberados de sus cadenas carnales, probablemente habrían muerto de aburrimiento en algún *cul de sac* de la urbanización.

Marcos calló sus pensamientos, prudentemente, y los guardó para sí mismo.

—Sí. No salían mucho de casa. Porque no salir mucho también les alarga la vida. Así no se pelean con nadie, y no atrapan enfermedades por ahí. Pero, claro, era inevitable que alguna que otra vez se colaran en el jardín de los rusos... —Doña María Jesús compuso un sutil puchero, digno de la reina de Inglaterra, que Marcos apenas advirtió; no quería derrumbarse y se notaba que la mujer realizaba verdaderos esfuerzos para lograrlo—. A esa gente no le hacía ninguna gracia que mis gatos saltaran a su jardín. Lo sé porque oía gritar de cuando en cuando a la madre del jefe, espantándolos con una escoba. En serbio, o yo qué sé. En ruso, quizás... A veces me parecía ruso, pero es que yo no tengo oído para los idiomas, apenas si distingo el español del francés. La señora gritaba cuando veía a los gatos. Maldiciones y todo eso, creo yo. Es una mujer poco... refinada. Yo diría, en realidad, que está como una regadera. En su descargo he de reconocer que tampoco me extraña, viniendo de donde supongo que viene. Esta urbanización está llena de gentes cuyas costumbres me son ajenas. La verdad, Luisa, no sé qué hago yo aquí. Ni qué haces tú. ¿Por qué seguimos viviendo en este sitio? La vida ha cambiado, y nosotras dos deberíamos buscar un lugar más apropiado para dos reliquias del siglo XX, un rincón donde no se noten tanto las novedades. Tú y yo, querida, somos de otra época. Dos trastos viejos que no pegan con la nueva decoración del mundo. Deberíamos emigrar a alguna tranquila capital de provincias donde vivir el tiempo que nos queda rodeadas de las cosas que reconocemos y que amamos.

—Deberíamos hacer justicia. —Doña Luisa asintió enérgicamente, como apoyándose a sí misma. Marcos pensó que a las dos mujeres se les empezaba a poner cara de juezas. Mucho más creíbles bajo una toga que la suya propia—. Cinco pobres gatitos desaparecidos... Tal vez apaleados y tirados por ahí. ¿Es que este país se ha vuelto loco, o qué?

Los tres estaban sentados en el salón de la casa que doña Luisa compartía con su hijo Marcos. Soltero a su edad —se acercaba peligrosamente a la cincuentena—, como no se cansaba de hacer notar la madre. Bueno, en realidad divorciado, pero de aquello hacía mucho tiempo. Él era joven entonces, ella no; el asunto ya estaba olvidado. Se encontraban en la urbanización Arroyo del Tranco, en la frontera de la provincia de Guadalajara con Madrid. Las paredes recibían la luz tamizada y espectral que la tarde de otoño filtraba obstinadamente a través de los visillos blancos, calados de filigranas. Un té verde y espeso —«como la sangre del señor Spock», pensó Marcos, divertido por un momento— se enfriaba en las tazas de porcelana de Sèvres, que doña Luisa había decidido lucir para su amiga y que aún conservaba impecables, de su dote.

Marcos tenía muchos asuntos de trabajo pendientes y se sentía culpable de abandonarlos para estar charlando de lo que se le antojaban pequeñas manías sin importancia de un par de señoras mayores a las que, sin duda, la edad volvía asustadizas y paranoicas.

Para rusos, los que se paseaban por una montaña de expedientes allá en su despacho de la Audiencia, se dijo arrugando el ceño con una ligera irritación. Sintió que se le cortaba la respiración por un instante, al repasar superficialmente, y en silencio, toda la faena por hacer. Tuvo la impresión de que todo aquello que los rodeaba era verde, y que la espalda de la viuda no hacía nada por disimular que su destino era encorvarse cada día un poco más.

Pensó en que se hacía mayor, también él. Tuvo un momento de debilidad sentimental y se sorprendió al reparar en lo maravilloso que sería estar enamorado, tener a alguien de quien preocuparse íntimamente en momentos como aquél, de absoluto fastidio doméstico, alguien con quien compartir la dicha, y también el malestar.

A su pesar, le dio un sorbo a la macilenta bebida y rezongó de disgusto.

—Creo que me haré un café —dijo, e hizo ademán de levantarse.

—Entonces... —la viuda Hergueta lo contempló con ansiosos y arrugados ojitos suplicantes—, ¿crees que podrás investigar un poco? Siempre que tus obligaciones te lo permitan, que yo no quiero molestar...

—Veré lo que puedo hacer —murmuró Marcos—. Sí, no veo por qué no —sonrió forzadamente.

«Con la de cosas que tengo pendientes, por todos los cielos... —pensó mientras se ponía en pie—, estas dos me toman por un niñato ocioso.»

Sin embargo, les siguió la corriente con una sonrisa. No quería disgustar a su madre, que tenía una salud más delicada de lo que ella misma suponía.

—Sí, bueno... Pero la vida está mal. La economía

y todo eso —la viuda Hergueta bajó los ojos, interesada repentinamente por una esquina de la alfombra manufacturada en la India —. Si encuentras a mis gatitos, te pagaré.

Doña Luisa meneó la cabeza, avergonzada.

—¿Pagar? ¡Pero qué estás diciendo, María Jesús! Eso son tonterías. Marcos no necesita tu dinero. Es un juez muy importante. ¿Te he dicho que ha salido un par de veces por televisión en los últimos dos meses? No hablaba, claro, pero se le veía perfectamente saliendo de la Audiencia. Ya sabes que tiene allí su despacho, en Madrid —aclaró con un gesto, en dirección a su amiga, bajando la voz—. Sacará tiempo para resolver tu problema, o al menos para intentarlo, ¿verdad, hijo?

Marcos examinó, asombrado, a su madre. Pero ¿dónde vivía aquella mujer?, ¿en el Tercer Cielo donde san Pablo se entretuvo con su éxtasis, si había que creer a los corintios?...

—Haré todo lo que esté en mi mano —Marcos meneó la cabeza con desazón—. A pesar de que no estoy muy seguro de ser la persona más apropiada para este tipo de... investigación. Y de que ando un poco escaso de tiempo.

Doña Luisa, su madre, hizo un gesto adusto con la mano.

—Bah, ¿cómo no vas a tener tiempo para echar un vistazo por el barrio o para informarte sobre las actividades de esos rusos? ¡Precisamente tú, que diriges una investigación tan importante sobre las mafias!...

—Madre, no deberías hablar de...

—Seguro que no hay nadie en todo el país que tenga más posibilidades que tú de averiguar cosas sobre este tema, excepto ese amigo tuyo fiscal... ¿Molina se llama?, el que trabaja contigo. Ese calvito con cara de triste. Tú eres juez, hijo, ¡de la Audiencia Nacional!, a veces creo que no tienes ni idea del lugar que ocupas en el mundo. Ahí tienes a tus colegas de la Audiencia, que son famosos y se pasean por el mundo como personalidades influyentes, mientras que tú sigues creyendo que eres un simple funcionario. ¡Date un poco más de aires, como ellos!... Bastará con que hagas un par de llamadas a la policía y te enterarás de la vida y milagros de los vecinos de María Jesús. Todo el mundo respeta a los jueces. Y tú tienes muchos contactos. Y digo más, ¡pero si sacas tiempo para todas esas actividades que haces como escritor!, ¿cómo no vas a encontrar unos minutos para solucionar el problema de mi amiga?... María Jesús, ¿te he dicho que mi Marcos es escritor? Hace un año publicó un libro, basado en su tesis doctoral, y ahora lo llaman de todas partes para dar conferencias, charlas, lecturas...

Su hijo bajó la cabeza, ruborizado.

—Madre, publiqué un libro sobre la influencia del Derecho en la literatura del siglo XIX. No sé si eso me convierte en escritor, exactamente —aclaró el hombre, con un carraspeo.

—Bueno, qué más da —resolvió su madre, desestimando las quejas de Marcos—. Has publicado un libro, ¿no? Pues, entonces, eres escritor.

Marcos suspiró con resignación y no dijo nada. Desde hacía años, desde que su madre se quedó viuda, le daba la razón en todo. De ese modo tan sencillo había descubierto las delicias de la paz maternofilial.

Ciertamente, Marcos había ofrecido algunas conferencias a raíz de su libro. Pese a ser consciente de que lo solicitaban por el morbo que despertaba un juez de la Audiencia Nacional, más que por sus dotes ensayísticas, que él mismo reconocía nulas, no por ello dejaba de sentirse halagado cuando se encontraba ante un auditorio rebosante de un público entusiasmado que, cuando llegaba el turno de preguntas, jamás hacía referencia a su libro sino a su trabajo en la judicatura.

Por si fuera poco, las señoras de los clubes de lectura lo adoraban, dado que, además de un extraño atractivo físico del que él todavía no era consciente (a su edad), llevaba a rajatabla el principio de no meterse nunca en temas políticos. Se hacía el tonto, decía que sólo podía hablar, y no mucho, de la influencia del Derecho en la literatura decimonónica y luego sonreía con ese candor varonil que le otorgaba un singular e irresistible encanto mientras contemplaba a las damas desde la palestra del aula donde tuviese lugar su cháchara magramente remunerada. Las miraba una por una a los ojos igual que si se dispusiera a absolverlas de la acusación de algún crimen a la vez que se preguntaba si sería cierto, como afirmaban los antiguos, que la histeria se cura con humo de cabellos chamuscados.

Sí, a Marcos le gustaba su nueva faceta de conferenciante. Sin ir más lejos, dentro de poco tenía que dar una pequeña disertación en Madrid. Menos mal que se sabía el tema al dedillo y no necesitaba prepararlo mucho.

—Que conste que no tengo nada en contra de los rusos. No tengo nada en contra de los inmigrantes, en general. Cristóbal Colón también fue un inmigrante y, a mi entender, le hizo un gran servicio a nuestro país —se justificó la viuda sin que nadie se lo pidiera—. No es eso. Pero... deberías verlos, a esos rusos, o serbios o lo que quiera que sean. ¡Ya los verás! Creo que regentan varios negocios, tienen naves en el polígono industrial del pueblo. Me he informado. —Doña María Jesús, con una mueca intrigante, continuó con lo suyo.

Marcos asintió, dócilmente.

—Vamos a ver qué puedo hacer... Por lo pronto, me serviré un café con vuestro permiso.

«Gatos —pensó, disgustado, mientras se encaminaba a la cocina—, por el amor de Dios: ¡gatos!, ¡viudas! ¡y rusos!, como si no tuviera ya bastante con la investigación sobre mafias que me ha tocado en la Audiencia. Y cuyo maldito sumario terminará siendo público antes de tiempo si no logro controlar la locuacidad de mi madre...»

Luego completó los pasos que lo separaban de la cocina y se sirvió una copa de whisky.

«A la porra con el té», se dijo, resignado.

Cada año, cerca de 70.000 mujeres y niñas son engañadas en sus paíscs de origen para traerlas a Europa con el fin de explotarlas sexualmente. Este delito atrapa a unas 700.000 mujeres en todo el mundo anualmente, según un informe de la Oficina de la ONU contra la Droga y el Delito (UNODC). El mismo estudio indica que las mafias organizadas generan alrededor de 2.500 millones de euros al año con la explotación sexual (a la que someten al 84% de sus víctimas) y los trabajos forzados. El 8% de los actos de prostitución los llevan a cabo mujeres explotadas por las mafias, según dicho estudio.

Campaña «Corazón Azul». Las mafias sustraen de sus entornos a las mujeres y a las pequeñas para obligarlas, «con toda la violencia que sea necesaria», a ejercer la prostitución, que «no constituye el oficio más viejo del mundo, sino una de las formas de violencia más viejas del mundo», según la ministra de Igualdad, que presentó esta semana la campaña «Corazón Azul» contra la explotación sexual.

De las víctimas de explotación sexual que llegan a Europa, una tercera parte (32%) proviene de los Balcanes, el 19% llega desde la ex Unión Soviética, un 13% de Sudamérica, de Europa central un 7%, de

África el 5 y de Asia oriental un 3%. Según el estudio de UNODC, para trasladar a las víctimas se utiliza documentación falsa e, incluso, matrimonios ficticios. En general, la explotación sexual se lleva a cabo en lugares clandestinos, como residencias particulares y burdeles y, a menudo, en lugares públicos como salones de masajes o clubs de *striptease* que sirven de fachada para la explotación y la trata.

La mayoría de los traficantes son hombres, como los condenados por casi todos los demás delitos; sin embargo, el porcentaje de mujeres delincuentes es mayor en la trata de personas que en cualquier otro delito.

En los últimos años han aparecido en Europa, según UNODC, víctimas de nuevas nacionalidades. Aunque pequeña, la proporción de mujeres de China, Paraguay, Sierra Leona, Uzbekistán y Turkmenistán ha aumentado en los últimos años. Sobre todo se detectan cada vez más víctimas chinas en Europa.

La Organización de las Naciones Unidas (ONU) ha elaborado una campaña, denominada «Corazón Azul», para concienciar a la sociedad contra la trata de blancas. España ha sido el primer país europeo en adherirse y apoyar el proyecto.

La Razón

Polina

Polina había cumplido veintiséis años aunque todo el mundo creía que era más joven, que rondaba los veinte. Su pasaporte falso afirmaba que había nacido en diciembre de 1989, en Kazán, en lo que, en la actualidad, se denomina Federación Rusa. Por su aspecto, incluso se podría pensar que era de origen tártaro.

Quizás porque la vida no la había tratado tan mal en los últimos veinte meses aproximadamente, su cara había recuperado una suavidad perdida mucho tiempo antes. Ahora se podía atisbar a la niña, la adolescente que debió de haber sido y que sin embargo se perdió en algún lugar de su existencia, que desapareció de su piel como restos de un sueño después de lavarse la cara por la mañana.

La verdad era que Polina había nacido en 1983 como Olenka Rotaru en Corjova, municipio de Dubasari, en Moldavia (República de Moldova), aunque sus padres no tardaron en trasladarse a Chisinau buscando trabajo, oportunidades. Sus progenitores, como tantos moldavos, eran de origen rumano.

La vida nunca fue fácil en Moldavia, no al menos que Polina pudiera recordar. Su padre, Petru, murió de cáncer cuando ella era una niña, y su madre y ella sobrevivieron unos años con ayuda de los vecinos, de alguna ONG y de un tío, medio hermano de su padre, que vivía en Rumania y de vez en cuando les hacía llegar un poco de dinero.

Cuando tenía quince años, Polina vio un aviso en *Makler*, un periódico de anuncios clasificados que la mayoría de los moldavos leía con auténtica desesperación; así fue como sintió nacer la esperanza con fuerza, con avidez, por primera y última vez en su vida. Al leerlo, notó cómo las palabras impresas en aquella página desbrozaban el seto asilvestrado que había crecido con el tiempo rodeando y oprimiendo su inexperto corazón.

Las oportunidades las señalaba *Makler*; aquel periodicucho era como una señal de tráfico en la carretera de los sueños. Moldavia era un prado oscuro que cualquiera en su sano juicio habría preferido dejar atrás buscando la luz a lo lejos, por muy lejos que fuera. La subsistencia en Chisinau era una larga carrera contra un vendaval de aires sucios, cargados de broza y desechos. *Makler* decía que había ocasiones por doquier, que el mundo era ancho, que sólo hacía falta saber mirar y andar hacia el objetivo con la embriagadora sensación de que no faltaba mucho para poder formar parte del mundo. La cercana Rumania parecía un paraíso comparada con Moldavia, ¡hasta logró entrar en la Unión Europea!, y ahora un pasaporte rumano equivalía a ser libre, a poder rebasar las fronteras de toda Europa, y de buena parte del planeta, sin miedo.

Años después de la historia que comenzó con

aquel anuncio, Polina, al igual que un millón de moldavos más, aún fantaseaba en alguna ocasión —pero muy débilmente, como si ya no tuviese fuerzas para soñar— con solicitar la nacionalidad rumana, que podía conseguirse con facilidad, dado que el gobierno rumano era generoso con los moldavos, a los que consideraba sus hijos, y entregaba los pasaportes sin muchas preguntas.

Pero Polina guardaba un pasaporte falso escondido entre sus pocas cosas de valor, un documento ruso *auténtico*; ni siquiera sabía si alguna vez podría recuperar su verdadera identidad, la de Olenka Rotaru, y mucho menos solicitar la nacionalidad rumana.

Tampoco pensaba mucho en ello; prefería no hacerlo. La vida le había enseñado que es mejor no pensar, y hacer.

Polina hablaba ruso, moldavo y rumano, y unas palabras en algún otro lenguaje. Turco, español. Si bien tampoco conversaba demasiado en ningún idioma. Sólo lo suficiente para hacerse entender con los problemas cotidianos. No le gustaba hablar. No le encontraba sentido a hacerlo. No creía que hablar fuese a solucionar nada. Además, desde hacía algunos años, en su cabeza nada era como antes. Su mente discurría a otro ritmo.

A ella no le importaba.

Pocas cosas le importaban ya, a decir verdad.

Sin embargo, entonces, cuando era una adolescente, casi una niña... Entonces las cosas, la vida, todavía contaban para Polina. Contaban mucho cuando tenía quince años y un mundo por conquistar.

El anuncio del *Makler* aseguraba que estaba disponible un trabajo de niñera en la ciudad de Estambul, Turquía. Probablemente con una familia adinerada, pues el sueldo era de mil quinientos dólares al mes. La joven había oído que en aquella ciudad vivían personas importantes, empleados de grandes empresas. Extranjeros, no solamente turcos. Quizás norteamericanos, suecos, suizos. Gente desplazada por su compañía que necesitaba empleados para atender a sus ricas y acomodadas familias.

Polina era menor de edad, y por un instante sintió que la rabia se la comía. Quizás la rechazarían por eso. Aunque también podría falsificar sus documentos. Siempre se podría encontrar una solución, pensó con optimismo, levantando la cabeza hacia el cielo polvoriento que cubría la ciudad como una gigantesca tapadera.

Estaba tan nerviosa pensando que alguien podría quitarle el puesto, que a punto estuvo de caerse y romperse los dientes. Era invierno, y Polina corría como una loca por el parque central Stefan cel Mare —el parque Mare—; los árboles a su alrededor se le antojaban fantasmas gigantes que quisieran atraparla entre sus ramas e impedirle llegar a su destino. Apretaba contra su pecho el periódico, que había rescatado del suelo, aunque no era viejo, no se trataba de una marchita publicación atrasada. La fecha estaba bien clara: acababa de salir a la calle. No podía creerse que hubiese tenido la fortuna de ser ella la primera en encontrarlo. Ni siquiera había necesitado comprarlo. Si conseguía el trabajo, aquél podría llamarse el mejor día de suerte de toda su existencia.

Tendría que llamar por teléfono y preguntar por el trabajo. Preguntar, como si tal cosa, si había un límite de edad —por arriba, pero sobre todo por abajo— para solicitar la vacante. No tenía dinero para hacer la llamada, ni un solo *leu* en el bolsillo, pero lo pediría por las calles.

Estaba todavía en la escuela, su madre se empeñaba en que fuese al colegio, pese a que ella no le veía mucho sentido a seguir estudiando. ¿Para qué?, ¿adónde podría llegar con estudios que no pudiese llegar sin ellos? No había ningún futuro en Moldavia, de cualquier modo.

Ella deseaba trabajar, conseguir algún dinero.

Pronto, lo necesitaba pronto.

Sus brazos, largos y delgados, bajo la chaqueta rozada que no lograba protegerla del frío, se apretaron contra el periódico, rodeándolo con una ternura de joven amante. Tenía la frente ancha, y el pelo negro y lacio le caía sin gracia en un lado de la cara. Sus ojos azules carecían de la viveza que se le supondría a una adolescente. La nariz, ancha y respingona, comenzaba a helársele.

Mendigó durante horas a lo largo de la calle 31 de agosto de 1989. Pedía dinero en moldavo, en rumano y en ruso.

Presentía que se había vuelto un poco loca pero estaba tan excitada que apenas podía pararse a reflexionar sobre lo que estaba haciendo.

—*Da-mi niște bani pentru a mânca!* —le gritaba al primero que pasaba—, дать мне денег, чтобы поесть!...

«Dame dinero para comer»; sus ojos azules como

pequeños redondeles de agua helada se arrugaban con la urgencia de su ruego. Tiraba de la manga de los peatones, que ni siquiera la miraban. Hubiese deseado poder meter la mano en sus bolsillos y sacar las monedas que precisaba. Tampoco eran tantas. Sólo necesitaba hacer una llamada. No iban a ser más pobres por un *leu* más o menos.

«Malditos bastardos egoístas», pensaba mirando furiosamente a todo el que pasaba y la ignoraba.

Cuando estaba a punto de darse por vencida, su esfuerzo obtuvo recompensa. Un extranjero, un hombre de unos cuarenta años de mirada asombrada y tan abierta que era como si le hubiesen pegado los párpados a las cuencas de los ojos, le dio un puñado de monedas, finalmente. Muchas más de las que ella tenía previsto gastar en teléfono. Obsequió al hombre con su mejor sonrisa, pero el tipo pareció asustarse de repente y echó a andar con paso rápido, sin mirar atrás, como si tuviese mucha prisa por llegar a alguna parte y acabara de recordarlo.

Una vez que tuvo el dinero en sus manos, lo guardó con mimo en el bolsillo de su chaquetón y se permitió respirar un poco más despacio, dejando que el aire llegara hasta el fondo de sus pulmones y los confortara con algo de oxígeno. Tenía la sensación de que llevaba horas sin respirar correctamente; sospechó que, sin darse cuenta, había estado a punto de ahogarse.

La mujer que la atendió por teléfono cuando ella llamó, desde una cabina cercana a un Andy's Pizza, al número que indicaba el anuncio del periódico, fue encantadora, amable de verdad. Se llamaba Liliana y, cuando Polina —claro que entonces usaba su verdadero nombre: Olenka— le preguntó si era posible para una menor de edad conseguir el puesto de niñera, la señora se mostró comprensiva y simpática.

—Por supuesto. En teoría necesitaríamos también una autorización de tus padres, pero podemos arreglarlo sin molestarlos demasiado, siempre que tú estés de acuerdo, siempre que estés convencida de verdad de que quieres dar este gran paso hacia un futuro mejor —respondió con aquella voz agradable y profunda de matrona que produjo un efecto balsámico en el ánimo de Polina—. Para ser niñera no se necesitan grandes estudios ni experiencia. Basta con que te gusten los niños. Te gustan los niños, ¿verdad?

Polina ni siquiera se fijaba en los niños, si no eran de su edad y, al ser hija única, no poseía la más mínima práctica con posibles hermanos, al contrario que su amiga Svetlana, que tenía cuatro más pequeños que ella y siempre debía estar vigilándolos porque su madre nunca andaba por casa y su padre había desaparecido después del nacimiento del último de sus vástagos.

—¡Me encantan los niños! —mintió, y luego soltó una risa cantarina, alegre, casi histérica.

—Ven a vernos mañana por la mañana —le indicó la mujer con su cautivadora entonación que transmitía seguridad, cobijo, posibilidades, grandes expectativas—. Aunque, al ser menor de edad, tu sueldo debería ser un poco más bajo. Algo menos del que habíamos anunciado.

—¿Cuánto menos? —Un eco de infantil desilusión en la voz—. ¿Cuánto menos?...

—Rondaría los mil dólares al mes.

«¡Mil dólares!» El corazón de Polina, que se había parado durante un segundo, volvió a ponerse en marcha con la fuerza del de un cachorro de tigre.

Tomó nota de la dirección en una esquina del periódico con un lápiz mordisqueado del colegio, y se despidió hasta el día siguiente dándole a la mujer las gracias una docena de veces.

Aquella noche no pudo pegar ojo.

Por fin, el futuro había llamado a su puerta.

Se iba a comer el mundo bocado a bocado.

Marcos y Ernesto Molina Saz

En la primera hora de la jornada laboral, sentado en su despacho de la Audiencia Nacional, el juez Marcos Drabina echó un vistazo alrededor y lo invadió el desánimo. Los papeles se amontonaban en inestables torretas por todos lados llegando a cobijarlo bajo su sombra en verano, cuando el sol penetraba a chorros a través del amplio ventanal.

«Ninguno de los profetas apocalípticos de la Era Electrónica que anuncian la inminente desaparición del papel, y en concreto del papel impreso, ha visitado jamás mis aposentos judiciales...», pensó dejándose llevar por un instante por esa incómoda ansiedad que lo asaltaba cada mañana ante la visión del trabajo pendiente. Invariablemente, la justicia cabalgaba al rebufo de la injusticia, que tenía los pies mucho más ligeros.

Dentro de poco menos de veinte minutos, esperaba la visita del fiscal Ernesto Molina Saz. Mientras manoseaba unos legajos con la mano derecha, se dio un masaje con la izquierda en la base del cuello, con la inútil esperanza de que ello estimulase su tálamo, tan necesitado de aliento como cada día.

Molina Saz gozaba de su total confianza. Era uno

de los pocos fiscales contra la corrupción y el crimen organizado, entre los muchos que conocía, que trataba directamente con la policía. Y no solamente con los mandos, sino con los oficiales de a pie. Se había graduado en Derecho en la Universidad Complutense de Madrid en el año 1976, y concluyó un doctorado en la misma tres años después con una tesis sobre la «culpa civil». En su currículum, uno de los más brillantes del Ministerio Público, constaban sus años como Abogado Fiscal en la Audiencia Provincial de Barcelona y en la de Santander. La relación de sus publicaciones no era muy extensa, pero sus estudios servían de textos en la mayoría de las facultades de Derecho del país. Como profesor no numerario de Derecho Penal, había impartido docencia en cuatro universidades, incluida la prestigiosa Harvard Law School de Cambridge, Massachusetts, a la que todavía viajaba durante tres meses al año para impartir, esta vez, enseñanzas de Derecho Procesal. Su monografía sobre «La pena de muerte en los países occidentales de la era contemporánea» había alcanzado por méritos propios la categoría de canónica.

El juez Drabina sentía por Molina Saz un gran respeto, no sólo por su méritos profesionales. Quince años antes, cuando había rebasado la barrera de los cuarenta, el fiscal conoció a una joven camarera, una inmigrante rusa ucraniana, de la que se enamoró locamente y con la que contrajo matrimonio enseguida. Él era dieciocho años mayor que ella. La suya fue una historia hermosa y apasionada, pero trágica. Tuvieron un hijo poco después que nació con el síndrome de Down. La opinión más difundida decía que su esposa, quizás porque era demasiado joven para asumir con serenidad la noticia, cayó en una profunda depresión que la condujo al suicidio. Otros chismorreaban por lo bajo contando que ella se sentía culpable y echaba la culpa a la tragedia de Chernóbil de la malformación de su hijo. El caso es que el bebé tenía dos años y medio cuando perdió a su madre, que dejó su último aliento dentro de un bote de barbitúricos que los médicos que la atendieron, ya cadáver, encontraron vacío bajo la cuna del niño. Desde entonces, Molina Saz se había convertido en el padre y la madre del chico, y sobrellevaba la tarea con una fortaleza digna de admiración. Sus cargas familiares nunca le impidieron cumplir con sus obligaciones laborales y el niño, que ya era un adolescente, se transformó en el orgullo personal del fiscal.

Los últimos doce años habían dejado una intensa huella en el rostro de Molina Saz. Marcos lo observó entrar en el despacho, precedido por su secretaria, y reconoció en cada arruga de la cara del fiscal el esfuerzo, las sombras y los riesgos que el hombre soportaba cada día.

Se estrecharon las manos e intercambiaron los saludos de rigor. El juez le preguntó por su hijo y a Molina Saz se le iluminaron los ojos un instante, como ocurría siempre que el muchacho salía a relucir en una conversación pese a que él se mostraba muy reservado con su vida familiar.

Molina Saz no se anduvo con rodeos para iniciar la conversación que les había reunido.

—Llevo quince interminables años encima de este asunto —aseguró con voz suave y tranquila mientras colocaba su cartera en un hueco, cerca de la pata de la mesa, milagrosamente libre de expedientes—. Estoy convencido, sin ningún género de dudas, de que Rusia es un estado mafioso. Y lo mismo puede decirse de otras repúblicas ex soviéticas que menciono en mi informe. Bielorrusia, Chechenia...; Ucrania va camino de serlo de pleno derecho, y permíteme la ironía... —soltó con esa escalofriante serenidad de la que sólo él era capaz—. Las relaciones del crimen y la política están más que demostradas. Si Europa y Estados Unidos miran hacia otro lado en este tema, será por motivos geopolíticos, no porque no lo sepan tan bien como lo sé yo.

Marcos lo miró fijamente, procurando poner la cara de palo que adoptaba durante los juicios.

—Cuánto me alegra que esta investigación esté bajo secreto de sumario. No me gustaría oírte decir algo así ante la prensa, o delante de según quién —carraspeó el juez—. Hemos de ser prudentes, no voy a recordarte algo así a ti. A ti, menos que a ningún otro.

—La estrategia de Moscú es utilizar el crimen organizado para hacer todo aquello que no se puede permitir hacer como estado a cara descubierta. Y, hasta ahora, le está yendo de maravilla. Piensa en los sectores estratégicos de la economía rusa, en la exportación de hidrocarburos, la construcción de centrales nucleares, la industria aeronáutica, en las ramas empresariales donde compiten con intereses norteamericanos o europeos. Ahí hay tanta mierda metida que...

—Ernesto...

—Escúchame, juez, sólo en Cataluña se están blanqueando capitales a lo bestia. Ni te imaginas las cifras que mueve la mafia —Molina Saz se tocó el estómago mientras componía una ligera y casi imperceptible mueca de malestar. Marcos estaba al tanto de que el estómago era su punto débil, que lo llevaba por la calle de la amargura—. Hasta qué punto ese dinero procedente de las cloacas del mundo está afectando a la economía, que hace aguas por todos lados en Europa, es algo que me gustaría preguntarle a un economista serio. Yo no tengo ni idea de economía, pero te aseguro que intuyo claramente que el efecto no puede ser demasiado bueno. Por no hablar de que la competencia feroz de los productos chinos y su producción mediante métodos de pura y dura esclavitud nos está segando los pies. Dentro de un par de décadas, como mucho, Europa se verá arrasada hasta los cimientos. Y nosotros, mientras tanto, aquí estamos, cruzados de brazos, viéndolas venir.

—Hum. La situación económica del país es de absoluta emergencia. Eso no es un secreto. Mira las cifras del paro —asintió Marcos—. Buena parte de Europa aguanta mejor que nosotros, desde luego, pero está claro que el edificio europeo se tambalea. Quién sabe cómo terminará esto. Supongo que el *todo* es el *producto* de la confluencia de muchos factores, no de uno solo.

—Tengo un contacto en la embajada rusa, a través de mi mujer...

Marcos se preguntó si era bueno que Molina Saz hablara todavía de su mujer como si estuviera viva. Pero no dijo nada.

—Y otro en la embajada norteamericana, que surgió por un conocido de la universidad —sin duda se refería a Harvard, pero Molina Saz no lo aclaró—. Según mis contactos, la cámara baja del Parlamento ruso, la Duma, es un hervidero de *vory*, de ladrones en la ley, o de *ladrones de ley* como gusta denominarlos la prensa española, en una traducción errónea del término, según me ha explicado una amiga rusa, profesora de la universidad. La misma mujer con la que te aconsejé que te entrevistaras, ¿te acuerdas?

—Sí, sí. Un día de estos concertaré una cita con ella.

—Por no hablar de los oscuros negocios del propio presidente ruso.

—Eso son palabras mayores, amigo mío.

—Ya lo sé. Muchos de los detenidos en anteriores operaciones de esta misma casa contra las mafias del Este tienen contactos delicadamente estrechos con las autoridades rusas. Y ¿recuerdas el asesinato del ex agente del FSB, Alexander Litvinenko? El hombre sostenía que los servicios secretos rusos estaban empapados de mafia. Escribió un libro que desapareció pronto de la circulación, un espectacular fracaso editorial, por cierto. Yo tengo un ejemplar. Te lo puedo prestar si quieres, juez. El tipo pagó con su vida el atrevimiento de decir la verdad.

—Pero las autoridades rusas han colaborado en algunas ocasiones con nosotros...

—¡Venga ya! ¿De qué colaboración hablamos? De vez en cuando se prestan a extraditar a algún pringado para conformarnos, sabiendo además que el criminal estará mucho mejor en nuestras cárceles que en las suyas —Molina Saz se rebulló en su asiento—. Y luego está el tema de Bulgaria. Otro país que tal baila. Comunitario, por si no te acuerdas. Rusia ocupa un papel decisivo en la economía búlgara. Petróleo crudo, combustible nuclear, gas natural... Y ahí está Bulgaria, en la Unión Europea desde el año 2007... Esto es de risa si no fuera porque es para gritar de espanto. Me pregunto cuánto tardará la mafia en calar dentro de la política española. Si no lo ha hecho ya, porque según mis informaciones hay un partido político en Cataluña, minoritario todavía pero pujante, que...

—No es muy correcto hablar así, Molina.

—¡Al carajo tu corrección, juez! —Molina Saz sonrió torcidamente con un sarcasmo agrio que le curvó las comisuras de la boca hacia abajo—. Si dejamos que los grupos criminales controlen los sectores claves de la economía, estaremos muertos. Tú lo sabes. Occidente volverá a una edad oscura de la que hace siglos que no teníamos noticia. Piensa en el futuro. Piensa...

«En nuestros hijos», estuvo quizás a punto de decir.

—Ya.

—Te digo más. Llevan tiempo, más del que tú te crees, tratando de sobornar a la Justicia española. Yo mismo he sido tanteado.

—¿De qué me estás hablando? —Marcos se puso en pie y se apoyó sobre un borde de la mesa, con cuidado de no tirar ninguno de los montículos de papel que la colmaban.

—De repente te ofrecen un regalo. Al contado,

ya sabes. Alguien se pone en contacto contigo a través de alguien que conoce a alguien que te conoce... Hay un famoso y reputado bufete de abogados en Marbella, está en mi informe como podrás ver cuando lo leas, especializado en llevar casos de mafiosos del Este. Su actividad es pública y notoria, pero que lo sea no significa que se le dé la importancia que el hecho requiere. No he descubierto nada nuevo, desde ese punto de vista. Con mucho tacto, con una delicadeza exquisita, te sondean para ver hasta dónde eres íntegro y en qué cifra empiezan a cojear tus principios morales, cuál es el nivel de desazón de tu *animus lucrandi*. Dan ganas de vomitar —Molina Saz se masajeó de nuevo el estómago con disimulo—. Los demandaría hoy mismo si no fuera porque hasta un estudiante de primero de Derecho se daría cuenta de que no tengo en qué sustentar un posible requerimiento. Son demasiado listos para dejarse pillar con algo así. Cuentan con una pequeña tropa de abogados malévolos pero excelentes. No podría establecer la conexión entre la persona que me contactó y ellos, pero estoy seguro de que andan detrás, cuidando los intereses de sus poderosos y temibles clientes.

—Sé a qué bufete te refieres. Hemos tratado a menudo con ellos. —Marcos no ocultó su repugnancia, mezclada con cierta inconfesable admiración por el dominio del oficio que demostraban sus letrados.

—Llevo varios años reuniéndome con expertos de Estados Unidos. Coinciden conmigo en que las autocracias corruptas del Este practican con impunidad la *silovki,* el uso de la ley contra sus enemigos, y que están convirtiendo los juzgados en armas. Lo que no me extraña nada. La mayoría de sus miembros tienen una larga y provechosa experiencia como traficantes de armas. El soborno es un sistema bien establecido que funciona mejor que los ministerios de finanzas y permite el enriquecimiento de policías, jueces, funcionarios y miembros de los servicios secretos. El día que logren implantarlo en nuestro país... Bueno, no quiero ni pensarlo.

—A veces me pregunto cuántas personas honradas quedarán en este convulso mundo que vivimos.

—Más de las que sospechas, pero pocas cuentan para algo.

Doña María Jesús Hergueta

Era noche cerrada cuando doña María Jesús salió al jardín de su casa, un chalet de doscientos cincuenta metros cuadrados, incluido el garaje, construido sobre una parcela de ochocientos metros, en ladrillo visto de tonos cobrizos, sobre el que no pesaba hipoteca alguna (estaría bueno, a su edad).

Ah, sí, la casa le parecía demasiado grande para ella, su única habitante. Lo era, siempre lo había sido, pero solamente ahora se daba cuenta; nunca antes había imaginado que tendría que estar sola algún día, vagando por sus desiertos y largos pasillos...

La señora Hergueta había estado casada durante cuarenta y cinco años con un catedrático de Griego, de enseñanza media, fallecido hacía cinco años. Un hombre serio, grueso y con una calvicie que le dejó la cabeza como podada a rodales, y de la que el difunto culpaba a su abuelo materno, probablemente con razón. Justino, que así se llamaba el catedrático interfecto, era un hombre severo, y su mujer creía que —moral, más que gramaticalmente— sólo se expresaba bien en acusativo.

No habían tenido hijos, y doña María Jesús nunca supo de quién fue la falta. Les ocurrió en una época en que esas cosas solían aceptarse con naturalidad y mucha resignación. Durante un tiempo valoraron la posibilidad de adoptar una niña, pero Justino no veía la idea con demasiado entusiasmo, y ella optó por olvidar el asunto poco a poco.

Ahora, en ocasiones como aquélla, sí echaba de menos la compañía de un vástago; no le habría importado ni una pizca que fuese adoptado. Doña María Jesús creía en la adopción como una forma usual y corriente de paternidad, igual de buena o mala que la biológica. Tenía lugar incluso en el reino animal, como demostraban las costumbres de algunos pájaros; ¿por qué no habría podido adoptar ella?

Se imaginaba llamando a su hija, que a esas alturas ya estaría casada y le habría dado nietos, por las noches, antes de sentarse a ver un rato la televisión, a leer o a hacer punto. Compartiendo con ella insignificantes episodios domésticos. Sonriendo ante sus torpezas en la cocina, o apoyándola si no había más remedio frente a un divorcio difícil.

Sin embargo, lo cierto era que no existía ninguna hija a la que poder acudir, y que Justino se había marchado para siempre cuando ella empezaba a verle ciertas ventajas al matrimonio.

La vida era un rompecabezas irónico, pensó Doña María Jesús. Cuando una al fin conseguía reunir todas las piezas, el tiempo le daba una patada en el trasero y terminaba con el juego de un puñetazo.

La viuda Hergueta respiró con placer los aromas de otoño que despedía el jardín, su gran tesoro hogareño, junto con sus amados gatos perdidos. Le pareció oler a mirra y a timiama, y un perfume como de rosas estrujadas le acarició los labios resecos. Se ajustó la rebeca sobre el pecho. Estaban a finales de septiembre y aún no había comenzado a refrescar, pero a cierta edad la oscuridad misma daba escalofríos.

No había encendido las farolas del jardín, y las luces de la calle se filtraban con un caudal de sombras vertiginosas, diluidas en finos hilos de luz dorada que biselaban las hojas de los árboles con un tibio esplendor.

Echaba mucho de menos a sus gatitos. ¿Dónde estarían? ¿Se encontrarían bien de salud? *Ariana* era débil, no sobreviviría por su cuenta sin los debidos cuidados. Podía atropellarla un coche, estaba sorda del todo. No se daba cuenta absolutamente de nada hasta que no tenía el peligro encima. Ésa no era una buena condición para un gato. Ni para nadie, se dijo a sí misma meneando la cabeza con contrariedad.

Una profunda tristeza le aleteó en el pecho.

Respiró hondo y trató de recuperarse. No dejaría que la adversidad la venciera. Una prima suya hacía años que se había quedado viuda, y al poco un accidente de coche se llevó por delante la vida de su único hijo, de su nuera y de sus dos nietos. Su prima se dejó arrastrar por la depresión, y la depresión la ahogó en sus sucias aguas como si se tratara de un río turbulento. Una mañana de diciembre, a punto de llegar la Navidad, uno de sus vecinos la había encontrado muerta en el sofá, con una fotografía manoseada entre las manos inertes, deformadas por la artritis. Hacía casi dos semanas que había expirado de un infarto, según certificó el forense.

Ella no dejaría que le ocurriese eso, ni nada semejante. Tenía cierto anticuado sentido de las buenas maneras que le impedía dejarse llevar por la depresión, y un viejo pero tenaz instinto de supervivencia.

Miró con el ceño fruncido hacia la casa de los rusos, que se traslucía al otro lado del seto. No veía luces en las ventanas. Siempre tenían las persianas bajadas. Como si estuviesen preparados para un asalto. Nunca se distinguían bombillas encendidas, ni de día ni de noche. Una calma velada envolvía la propiedad y sus muros cerúleos, que al amanecer despedían los brillos inesperados de un cristal de marcasita. Sólo los gritos de la vieja rusa acababan con la aparente armonía de vez en cuando. La viuda Hergueta creía que había una chica con ellos, viviendo en la casa, pero se la veía poco y parecía muda. Quizás tan sólo los visitaba ocasionalmente.

—Sí, ellos deben de estar por ahí dentro, en sus cosas. O asaltando chalets en la urbanización vecina. Vete tú a saber. Me gustan más los cristianos que estos ateos del Este. Y, dentro de los cristianos, prefiero a los puritanos, que ni siquiera usan cortinas en las ventanas para que todo el mundo vea que no tienen nada que esconder... Sin embargo, éstos... Míralos. Todo cerrado a cal y canto —pensó, furiosa e impotente—. Me pregunto qué hacen aquí, por qué no se habrán ido a vivir a Benidorm, o a Marbella, como hace todo el que tiene dos dedos de frente.

Se acercó hasta la valla y escarbó entre las hojas de los amarillentos y viejos calocedros que servían de pantalla y separaban visualmente los dos jardines. Atisbó la puerta del garaje, que estaba abierta.

—Se han dejado abierta la puerta del garaje...

—susurró para sí, excitada. No era algo que ocurriera de manera frecuente.

En ese momento, un cálido viento otoñal le acarició los tobillos y sintió un temblor. Tuvo la sensación de que uno de sus gatos se restregaba contra ella. Quizás *Fígaro*. O *Malory*. Los dos eran muy cariñosos. Machos, pero mimosos como ellos solos. Examinó la oscuridad del suelo, que era la única compañía enredada entre sus piernas a aquellas horas de la noche, y suspiró de malestar y disgusto.

Pensándolo mejor, decidió salir a la calle y llamar a la puerta de los rusos. Ya se le ocurriría alguna excusa. Le pediría sal a la mujer mayor. O les preguntaría directamente si habían visto a sus gatos. Sí. Eso es. Tal vez eso sería lo mejor. Hablar francamente. Salir de dudas. Al fin y al cabo, ella, doña María Jesús Hergueta, no tenía nada que ocultar; ¿tenían ellos algo que esconder, por su parte?... ¿A qué tantos rodeos, pues? Con la verdad se iba a cualquier lado. ¿No eran vecinos?, ¿por qué no iban a responder amablemente a su pregunta de si por casualidad habían visto a sus mininos merodeando por el jardín?...

A doña María Jesús la habían educado en la humildad y la abnegación. Pero eran otros tiempos, sin duda. Ahora los valores eran distintos. Tan diferentes que ni siquiera podían denominarse *valores* propiamente dichos. Hoy día, pensó la viuda con tristeza, no valen los valores, sino el valor. O sea: lo que las cosas *valen*. Y, a veces, ni siquiera eso. A veces, simplemente lo que *cuestan*.

Hacía poco más de un año que los rusos habían ocupado la casa vecina a la suya. Anteriormente vivía un joven matrimonio sin hijos. Pero ella murió de un paro cardiorrespiratorio, a pesar de no tener mucho más de treinta años, mientras hacía deporte. Y el marido, sin el sueldo de la mujer, fue incapaz de seguir pagando la hipoteca de la casa, de modo que tuvo que renunciar a ella. Lo perdió todo de un día para otro. Una historia trágica. El joven desapareció —no tendría muchos menos años que Marcos, el juez hijo de su amiga Luisa—, se fue sin despedirse de doña María Jesús ni de ningún otro vecino. Enterró a su esposa y se esfumó. Quizás por vergüenza, o tal vez porque no tenía fuerzas para nada más. El banco se hizo cargo de la casa, la sacó a subasta y, en poco tiempo, aparecieron los rusos. Estuvieron varios meses de obras, reformando, cavando y efectuando extrañas prospecciones. Ninguno de los albañiles hablaba un idioma cristiano, según pudo comprobar ella.

El ruso, una señora de tamaño gigantesco que podía ser la criada, o la hermana, o la madre del ruso (tenía la misma cara dura que el hombre, aunque no se parecían ni en el blanco de los ojos, y debía de ser de la edad de doña María Jesús, o un poco mayor, de modo que quizás sería su hermana; en fin, lo cierto era que se sentía muy confundida respecto a todo lo que concernía a aquella gente). Y luego estaba esa jovencita de aires elegantes pero taimados y sospechosos, que la viuda Hergueta aún no sabía si vivía allí o venía de visita de cuando en cuando, además de otros varios energúmenos y de los dos esbirros que siempre rondaban por la casa, pese a que no dormían en ella salvo en ocasiones muy contadas. Dos tipos enormes, forzudos, y con cara de pocos amigos. Uno muy joven y el otro maduro, de unos cuarenta y cinco años. Con unos músculos que parecían hinchados con una bomba para ruedas de coche. No le caía nada bien ninguno de los dos.

Un día, el más viejo se tropezó con doña María Jesús en la calle y se dirigió a ella con un tono hipócrita de amabilidad de lo más turbio.

—Buenos días —dijo con ese acento eslavo que tenían todos en aquella casa. Y no es que hablaran mal. Pero tampoco hablaban bien.

—Buenos días —respondió doña María Jesús. No estaba dispuesta a añadir ni una palabra de más a cambio de las que él le dirigiese a ella.

—¿Usted sabe dónde está Correos?

Doña María Jesús señaló hacia el norte, hacia el pueblo, con un dedo firme.

—¿Cuánto se tarda en llegar? —insistió el fortachón.

—Unos diez minutos andando —respondió doña María Jesús, con el gesto grave de estar desvelando una información transcendental.

El ruso lucía un chándal; era evidente que había estado haciendo gimnasia, o que andaba en ello. O tronchando piernas, o algo semejante. Seguro.

—Y corriendo, ¿cuánto cree que se tarda?

—Media hora —respondió la viuda, adusta.

—¿Tardo diez minutos andando y media hora corriendo?... ¡Eso es cosa increíble! —el hombre la miró con escepticismo.

—Mire, joven, ¿qué quiere que le diga? A mi edad ya no corro muy rápido... —fue la seca respuesta de doña María Jesús, que se dio la vuelta y se dirigió vivazmente hasta la puerta de entrada del jardín de su casa, dejando al tipo pasmado encima de la acera.

Ni siquiera le dijo «adiós».

Ése había sido uno de los pocos encuentros verbales que había tenido con los rusos. Si bien es cierto que la viuda no había propiciado muchos más. En el fondo, ni siquiera estaba dispuesta a favorecer el muy desagradable, enojoso y humillante encontronazo que, sin ella sospecharlo, iba a tener lugar pocos minutos después de que se decidiera a llamar a la puerta de sus vecinos para preguntar por sus gatos perdidos.

Se estiró la falda plisada, se alisó el pelo y se dispuso a irrumpir en la entrada principal de la casa de al lado.

Les diría cuatro cosas.

Les preguntaría otras tres o cuatro.

Con mucha educación y tranquilidad, eso sí. Pero aquella gente se vería obligada a darle una respuesta. No tenía intención de irse de allí hasta que no le dijeran si sabían o no qué había pasado con sus gatos...

Sigrid

La oficial de policía Sigrid Azadoras llevaba conta-
dos cinco largos años de aburrimiento laboral, y de
tormento espiritual, con todas sus jornadas hábiles y
fiestas de guardar, con sus días fastos y con los nefas-
tos, que no eran parvos.

Venía ocurriendo así desde que mató a aquel
hombre.

Hacía poco había cumplido treinta y cinco años y
se sentía una mujer mayor, sin hijos, sin un marido
dócil a quien torturar y culpar lenta y dulcemente
por su falta de retoños, por su exceso de hastío, por el
paso carroñero del tiempo, y por el dolor de la pérdida de aquel chico.

Aquel chico...

Le dolía recordarlo.

Ratero, mala gente, asaltador, delincuente habitual. *Escoria del Este*. Una persona a quien Sigrid no
conoció en vida, pero a quien había dado muerte. Su
muerte continuaba lastimando a Sigrid como una
herida abierta. Para Sigrid, la vida era sagrada. Incluso la del randilla a quien mató.

Aquel chico no era más que un desperdicio humano. «No es como si hubieses quitado de en medio

a un premio Nobel de la Paz, Azadoras», le decía en broma —amarga broma— su compañero Martín para darle ánimos. Aunque tanto Martín como ella sabían que ésa era una burla estúpida. Amarga, incorrecta y estúpida.

Ella lo lloraba cada noche. Lo había matado, y ahora vivía con su atormentado recuerdo haciéndole compañía.

Aburrimiento.

El aburrimiento es el nombre común que se da a una existencia carente de horror que provoca atascos en la circulación de la sangre.

Se miró las muñecas.

No le faltaba el horror en su vida, pero aun así su sangre pedía a gritos un poco de actividad. Parecía formada por un aluvión de gotas de mercurio perezoso. Y todo por aquel pequeño maleante, que Dios guardara en su rincón celeste reservado a los memos.

Y sufrimiento.

El que sentía como una llaga viva por haberlo matado.

Cinco años antes, Sigrid llegó a su casa una noche borracha como una cuba. Había salido con los amigotes. Por entonces tenía la costumbre de beber una vez al mes. No más, o su *sensei*, su maestro de artes marciales, le habría echado una bronca de campeonato. De haberlo sabido, claro, pues eran muchas las cosas que ella no le contaba al *sensei*. Al pasar a su apartamento se dio un golpe contra la puerta de la entrada que le hizo desistir de localizar el dormitorio. Se desnudó y se tumbó en el sofá, pero no se descalzó; sentía frío en los pies. Llevaba, como acostumbraba a hacer siempre que planeaba ir a divertirse, unos bonitos zapatos de tacón de aguja con estampado animal, plataforma forrada y un lazo de satén rojo tan cursi como sexy.

Desnuda, y calzada con aquella preciosidad, simulaba ser una pantera beoda.

Un felino con una buena mona.

Se rio de su propio chiste, poco ingenioso. Y luego pensó que era una pena haber perdido para siempre aquel par de zapatos en los que gastó, en su momento, mucho más de lo que se podía permitir con su sueldo de funcionaria del estado mal pagada y peor considerada por la sociedad. ¿Qué tenía todo el mundo últimamente contra los funcionarios? Por Dios santo... Si no podían ofrecer más por menos.

¿Y cómo sucedió todo?

De nuevo, como cada día, volvió a recordar aquella infausta mañana.

Sigrid, tras la juerga, roncaba placenteramente, envuelta en un letargo de sake recalentado, cuando lo oyó entrar.

Los ruidos se filtraron como una suerte de pulsión irritante entre las voces de sus sueños cargados de alcohol, igual que los de una comedia televisiva que se mezclaran sin venir a cuento con los de un documental. Abrió con dificultad los párpados y se le antojó que la habitación daba vueltas sobre un eje imaginario en el sentido contrario a las agujas del reloj. Se adivinaba a sí misma en ese punto delicado en el que, hacía millones de años, un animal pasó a convertirse en ser humano. No le hizo gracia la impresión.

Lo oyó romper el cristal del balcón que daba a la calle. Unos golpeteos que en un primer momento no identificó y que pronto se fusionaron de nuevo con los sopores de su sueño, mezcla de plomo y azufre alcohólico. Bostezó y se acurrucó contra el sofá blanco de piel. Estaba sudando, a pesar de que la primavera no obsequiaba a Madrid con una temperatura tan cálida como a ella le hubiese gustado.

Miró la hora, con dificultad. Las siete y media de la mañana, tal vez. No estaba muy segura.

Supuso que las estridencias procedían de la obra del edificio contiguo. El centro de Madrid tenía los cimientos podridos. Demasiado viejo y decrépito. Su médula era tan débil como la capa de grasa de una arrugada bestia a punto de morir. Se rumoreaba que corrían ríos subterráneos bajo el asfalto, horadado de cuevas. Siempre había una empresa de construcción trajinando en los alrededores con una rehabilitación imposible que alargaba la vida de un inmueble decimonónico otros veinte años, con suerte. Quizás menos. Martilleos, bulla, polvo, suciedad. Alguien había decidido que la almendra central de Madrid debía detenerse en el siglo XIX y los modestos edificios que la abarrotaban —miserables, pobretones la mayoría de ellos— eran conservados con más celo que si se tratasen de las obras excelsas de un arquitecto genial de la época micénica.

Sigrid detestaba el centro de Madrid, pero no conocía otra cosa. Maldijo a los albañiles de cualquier nacionalidad y color que trabajasen en los alrededores, y se sintió idiota por no haber sido capaz, cuando llegó con una hermosa tajada a cuestas, de encontrar su dormitorio, que daba a un patio interior y era más tranquilo que el salón del apartamento, un primer piso que se asomaba a la calle De Amaniel, aunque tenía entrada por la calle De la Pera, la misma que hacía esquina con la de San Bernardo, muy cerca de la Gran Vía y a pocos minutos de Callao.

Intentó volver a dormir cuando, de repente, algo le hizo ponerse en guardia. El vello se le erizó en la piel desnuda y todos sus sentidos emergieron de su conciencia, alertas y en actitud de defensa. Era un olor a hongos de mar, a cáscara de fruta madura, a aliento caliente, sulfuroso. No lo sabía bien. La borrachera aún la mantenía bastante atontada.

«Mi pistola, ¿dónde puse ayer la pistola?», fue lo primero que pensó, pero no fue capaz de acordarse del sitio donde la había dejado.

Se contuvo e hizo un esfuerzo por mantener los ojos cerrados. Podía sentirlo respirar a su lado, a quienquiera que fuese. La suave penumbra del salón, con las cortinas echadas, tinturaba el ambiente con una perezosa neblina de vapores amoniacales, como el aguafuerte pintado por un miope.

Un escalofrío transitó por su columna vertebral a la velocidad de un rayo. Estaba completamente desnuda y había *alguien* o *algo* a su lado, respirando, observándola. Podía olerlo, sentir su respiración, su presencia inquietante. Su instinto animal la hizo ponerse en guardia. Fuese quien fuese, había entrado sin invitación a su casa. Era un intruso. Su visita no auguraba nada bueno.

«Un ladrón —pensó—, se me ha colado en casa un puñetero ladronzuelo»...

El miedo, lejos de enervar su sensibilidad, logró que se espabilase por completo. El principio de supervivencia espolea incluso a los beodos.

Era un intruso, no cabía ninguna duda.

En su casa. No se trataba de un albañil despistado procedente del edificio contiguo que hubiese entrado accidentalmente en su salón en penumbra.

Era un ladrón.

Una rapaz encaramada a su casa, su santuario, igual que un buitre en una roca.

El tipo permaneció un momento sin moverse. Sigrid notó que hacía esfuerzos por contener el resuello, algo agitado, producto seguramente de la escala del balcón desde la acera. ¿Creería que ella dormía profundamente, olería el tufo a alcohol flotando alrededor de su cuerpo?

Sigrid había estrechado un cojín contra su pecho pocos segundos antes de que él irrumpiese en el salón. Se alegró de tener cubierto eso, al menos.

Unos instantes después, el individuo abandonó la estancia y ella lo volvió a oír trasteando, ahora en su estudio. El apartamento contaba con dos dormitorios, y uno de ellos era lo que Sigrid llamaba pomposamente «el estudio». Un pequeño cuarto, con vistas al estrecho callejón, en el que cabía a duras penas una estantería que ocultaba en la parte baja una cama extensible para casos de emergencia. Aunque su madre casi nunca iba a verla, y si lo hacía jamás se dignaba a quedarse a dormir, por lo que Sigrid tenía pocas emergencias en ese sentido; tampoco esperaba otros visitantes aparte de su progenitora. El mueble también albergaba una buena cantidad de libros apilados en la zona superior. Básicamente novelas policíacas, libros sobre artes marciales, religiosos, de viajes y de historia universal. Varios diccionarios de japonés y algunas ediciones de autoayuda que le había recomendado una señora muy simpática y atenta con la que solía coincidir los primeros miércoles de cada mes en la peluquería: «Por qué y con quién estoy enfadado», «Aprenda a dominar su cólera», «El mundo está lleno de amigos»... etc., casi todos ellos firmados —cualquiera sabía si también escritos— por el gran chamán *new age*, de origen argentino, José Castro de Luz y que Sigrid durante dos años no había logrado hojear siquiera, aunque se sentía más tranquila sólo por el mero hecho de comprarlos. Sin embargo, un buen día los abrió, los leyó, los subrayó. Y eran alucinantes. Aún no sabía qué pensar al respecto.

El ladrón había encendido las luces y estaba en el estudio, zureando como un palomo gordo y ufano, cuando Sigrid se plantó a unos dos metros de sus espaldas. Menudo chapuzas. Ni siquiera la había oído llegar. Demasiado confiado en la borrachera de ella, o quizás inexperto. Si bien no parecía ya muy joven. Aunque a veces era difícil adivinar la edad de la gente del Este. Era eslavo, no cabía duda. Los pómulos y la configuración ósea lo delataban. Estaba sentado en el suelo, hurgando en su portafolios y había desperdigado varios objetos y libros por la tarima flotante, imitación de roble, y a lo largo y ancho de la alfombra pakistaní comprada cuatro años antes en las rebajas de LeRoy Merlin.

—¡Eh, tú! —le dijo Sigrid; notaba la lengua pastosa. Se había puesto la blusa y las bragas que recogió precipitada y sigilosamente del suelo, cerca del sofá. Se encontraba empinada sobre sus bonitos tacones de fulana con clase—. ¿Qué estás haciendo en mi casa, tú?...

El ratero levantó la cara y la miró con ojos como tinas preparadas para macerar hierbas aromáticas.

—Hola, Mónica... —contestó con una voz suave. Pero no sonreía. No había rastro de expresión en su mirada ni en su boca de labios finos, la madriguera de su lengua.

—¿Mónica? ¡¿Cómo que Mónica, cabrón?!...

A partir de ahí, todo sucedió muy rápido.

Sigrid se acercó de un salto hasta situarse frente al extraño, que ya se había puesto en pie. Supuso que se disponía a largarse por el hueco de la ventana por donde había entrado, pero el tipo levantó las manos. Sigrid adoptó una posición de defensa sospechando que quería agredirla y contraatacó con *Mawashi-Geri*. Le había costado mucho llegar a abrir la pierna en ese ángulo para ejecutar la técnica de *kumite* cuando comenzó, siendo adolescente, a practicar *karate-do*. Un buen día lo logró, y para ella fue una fiesta. No obstante, aquella mañana calculó mal la altura del pecho del individuo, tal vez porque aún estaba afectada por la excesiva ingestión de alcohol a la que había sometido a su cuerpo pocas horas antes. Y olvidó, además, que llevaba puestos unos elegantes zapatos de tacón de aguja. Su pierna derecha se estrelló como un tiro contra el torso del ladrón y el finísimo tacón entró limpiamente en su carne, atravesando un espacio intercostal y perforándola como si fuese mantequilla hasta encontrar el corazón. Allí, se detuvo.

El hombre se desplomó y arrastró a Sigrid consigo, enganchada aún a su zapato.

Cuando empezó a ser consciente de lo que había ocurrido, percibió la extraña inmovilidad del rufián debajo de sus piernas y sintió un chorro de sangre tibia recorriéndole el tobillo y abriéndose paso con calma hasta su muslo. Recibió de golpe el olor de la sangre y, al principio, curiosamente, tuvo ganas de estornudar, no de vomitar. Si bien, era desagradable en extremo. Olía a matadero y, al poco, llegaron las arcadas. Vació su estómago alterado sobre la alfombra. Un ron tan bueno, menuda lástima, por no hablar del sake de importación en su preciosa botella adornada con caracteres nipones de colores negros y oros... Y se dio cuenta, con infinita tristeza, de que si había ocurrido lo que ella sospechaba, y empezaba a albergar pocas dudas al respecto, nunca más podría calzarse zapatos de tacón. Ni los que llevaba puestos ni ningunos otros.

Mariya

Un año antes del terrible terremoto que asolaría la ciudad, Tashkent había alcanzado casi el millón de habitantes y era una urbe industrializada. Un orgullo, y una conquista para la Unión Soviética. Sus amplios canales se perdían hacia las profundidades del desierto como ejemplo de la imparable modernidad del país, a la que no detenían los obstáculos geográficos ni los rigores del clima. El canal de Ferghana, por ejemplo, había sido construido en el año 39 y contaba con 270 kilómetros de longitud, a menudo bordeados de álamos de Lombardía y moreras cuyas hojas se mecían al viento dejando escapar lo que parecía el dulce sonido de una flauta infantil. Serpenteando en el yermo con la majestad de un río, el canal arrastraba en sus aguas revueltas hielo y nieve, y proporcionaba fertilidad a la tierra inhóspita. Rodeado de huertas de albaricoqueros, melonares, viñas de uva moscatel y soberbios campos de algodón. Algodón por todas partes. Un orgullo asiático, soviético. Un milagro.

Cada año, los canales aumentaban en número, crecía la superficie de tierra conquistada a la nada. Hasta la Golódnaya, la Estepa Hambrienta, había comenzado a producir algodón. El hombre dominaba la naturaleza.

Los alrededores de Tashkent no eran muy agraciados. Los edificios de oficinas y viviendas de estilo soviético salpimentaban los suburbios formando una especie de fea costra, como arrugas sucias en un traje de baile. Poseía un toque persa inevitable. Y afgano, turcomano, tibetano, indio... En sus orígenes, la ciudad había sido un centro de guarnición; el imperio trató de impulsarla, y la Unión Soviética tomó el testigo en el empeño. No se apreciaba una gran influencia manchú o mongólica en Tashkent, pese a que el desierto la había hecho suya, acunándola de manera salvaje en su arisco corazón de arena. Aquélla era tierra de antiguos nómadas, pero el hombre moderno soviético había comenzado a arraigar en sus calles, dándole su impronta de arquitecto del mañana.

Aún quedaban restos de lo que fuera el barrio uzbeco. Algunos hombres se paseaban con una túnica blanca de escote profundo que les dejaba al aire el pecho abrasado por un sol furioso. Muchos se tocaban con el *tiubeteika*, el gorro nacional, con bordados de colores blancos y negros, y otros no dudaban en usar un turbante idéntico al de sus ancestros; por algo continuaban abiertas y funcionando a pleno rendimiento las madrasas, o colegios religiosos coránicos, de Barak-Jan y de Kukeldash.

Pocas mujeres utilizaban ya, por entonces, el *parandzhá* o *chachván*, un velo negro de pelo de caballo que las tapaba con la contundencia de una lápida que ocultase el rostro al universo, con el mismo celo que se pone en esconder una joya preciosa o un cadáver. Y hasta el *jalat*, una suerte de traje ricamente ornamentado, con aspiraciones de manto honorífico, desaparecía de las costumbres; no resultaba fácil ver a muchas mujeres, ni siquiera a hombres, luciendo aquella prenda relumbrante y llamativa.

Los mercados de Tashkent eran muy distintos a los del resto de la Unión Soviética. Un arrebato de colores detonantes y alegres. Las muchachas, con sus trenzas de pelo negro, reían entre los puestos tapándose la boca con timidez. Los *karakalpaks*, los *gorros negros* o *pastores negros*, como ellos mismos gustan denominarse, recios habitantes de las riberas orientales del mar de Aral, tierra de pastos pero sin árboles bajo cuyas sombras cobijarse, obedientes a sus *klochi*, a los hombres que forman su clero y presumen de descender directamente de Mahoma, fabricantes de balas de plomo y utensilios de hierro, recorrían llanuras y valles para vender sus mercancías en verano. En Tashkent se mezclaban con los uzbekos y con los que llegaban de Kirguisia o del Tayikistán, o procedentes de mucho más allá de las lindes soviéticas, del mismo centro del alma de Asia. Y organizaban mercados animados, festivos y pobres, con puestos a ras de suelo o improvisados tenderetes formados por viejas mesas cojas y bancos de madera torcidos.

Los kirguises, de espíritu nómada, nunca pusieron mucho interés en construir el futuro perfecto que trataba de imponerles el estado soviético. Preferían vagar con sus rebaños de acá para allá, vestidos con sus túnicas de cuadros y unos botines desgastados de piel de confección casera, cubriéndose del sol con sombreros de fieltro o apoyándose en el costado de sus camellos y caballos. Ansiaban aposentarse por unos días en un primoroso valle y construir sus *yurtas*, aquellas tiendas ligeras sobre un enrejado de madera que les permitían esperar el atardecer a cubierto mientras entrecerraban los ojos y oían a un viejo contar historias entre trago y trago de *koumiss*, la leche de yegua que los volvía locos.

No, ellos no eran carne de fábrica. Para eso ya estaban los rusos. Los traían a carretadas y los ponían a trabajar al día siguiente.

Los kirguises, por el contrario, escogían vivir a su manera, libres bajo las estrellas, extendiendo una alfombra dentro de la tienda y rodeándose de cuchillos, escopetas, cojines de vivos colores y una mujer bien alimentada que les calentase el lecho durante las madrugadas álgidas a la intemperie.

Los rusos decían que la vida nómada ya había sido «colectivizada», pero los kirguises ni siquiera parecían haberse dado cuenta.

Los tayikos, por su parte, de costumbres más sedentarias, eran una de las razas más antiguas de Asia Central, provenían de las montañas y hablaban un dialecto persa. Consideraban Tashkent su capital, al igual que los kirguises, y hacían sus pequeños negocios de compra, venta e intercambio en los mercados de la ciudad. Al unir los tres estados uzbecos, los rusos propiciaron que Tashkent se convirtiese en el centro neurálgico del Turquestán, y de casi toda Asia Central. La ciudad vibraba de vida, era una intersección de razas, lenguas y ropajes diferentes. El principal lugar de encuentro al que acudían, o en el que se mezclaban, tarde o temprano los diez millones de habitantes de la región. Un recipiente de humanidades, mentalidades y culturas donde se escenificaban pasajes del Antiguo Testamento mientras se construía la ciencia ficción soviética de un mañana ideal.

Cientos de muchachos, fundamentalmente asiáticos, eran llevados a Tashkent para estudiar astronomía, ingeniería, medicina, pintura, ballet...

En las fábricas de la ciudad trabajaban mujeres de distintas razas, que cada año producían casi trescientos millones de metros de algodón.

Una de aquellas mujeres era Mariya.

Feruza y Víktor

Feruza era una rusa blanca de Ucrania.

De cuarenta y dos años, cristiana ortodoxa, de carnes generosas.

Nunca llegaría a explicarse por qué, a cambio de todo el hambre que había pasado a lo largo de su vida, su cuerpo la obsequiaba ahora con esa gordura. Le resultaba un sarcasmo con el que tenía que vivir a diario. Incluso su morfología conspiraba contra ella, se decía a sí misma Feruza cada vez que se miraba al espejo, lo que tampoco hacía muy a menudo. Daba igual que se vistiera de colorines hasta el punto de parecer uno de esos *pysankys* de Volynia, un huevo de pascua ucraniano, o que se ataviara de negro riguroso como una viuda siciliana: continuaba aparentando ser una matrona entrada en carnes, sudorosa y agobiada. Le hubiese gustado ser como Yulia Timoshenko, la princesa ucraniana del gas, pero no se le parecía ni de lejos.

En su pequeña aldea cerca de Kajovka, en el óblast de Jerson, la hambruna que siguió a la posguerra mundial, en los años 46 y 47 sobre todo, se llevó a muchos por delante. No así a su abuela. Cierto que no había sido tan espantosa como la del Holodomor, de los años 32 y 33, pero el hambre nunca es buena. Feruza estaba convencida de que llevaba el gen del hambre inscrito en el ADN; se le notaba en sus kilos de más. Tenía buen apetito. Nunca había comido tanto como en los últimos doce años, desde que se decidió a emigrar. Probablemente, en esos doce años había comido más que en los otros treinta que completaban su vida. Le gustaba especialmente el requesón de suero de mantequilla, pero en España era arduo de conseguir, a menos que buscaras en el mercadillo de Aluche, y ella tenía pocas dotes culinarias para prepararlo por su cuenta. No había podido ensayar mucho en la cocina a lo largo de su existencia. Para compensar esa falta, en España descubrió el queso. Nunca lo había probado antes. De modo que ahora engullía todo el que le era posible.

Feruza era una de los casi siete millones de ucranianos que habían emigrado después de 1991.

Víktor era otro.

Feruza conoció a Víktor, un polaco de Ucrania, en su viaje de emigración a España, hacía casi doce años.

Bueno, no podría llamarlo el hombre más alegre del mundo pero, al menos, no era un tártaro borracho de Crimea. No, Víktor era solamente un polaco melancólico. También bebía mucho, y fumaba más, pero Feruza no se atrevería a calificarlo de borrachín. Se notaba que su tristeza requería un poco de combustible, nada más, algo que la sacara a flote y la dejase apartada de su corazón por unos momentos. Ella lo comprendía bien porque también fumaba mucho, y bebía alguna vez que otra hasta caer redonda.

Feruza estaba convencida de que el Telón de Acero lo había levantado el 26 de abril de 1986 el accidente de Chernóbil, no Gorbachov como solía creerse. La inoperancia, la negligencia, la desidia, el desprecio por la vida y la estupidez soviéticas provocaron aquello, aquel espanto inolvidable que durará milenios. El Estado fue el culpable, más que los irresponsables trabajadores de la central, que jugaron con el fuego del infierno y se quemaron entre grandes y merecidos tormentos, Feruza estaba segura de ello.

¡El Estado!; ella odiaba esa palabra, como buena ucraniana. Su madre era ucraniana y su padre ruso. Los ucranianos de verdad desconfiaban del Estado; tienen un viejo proverbio que reza: «Lo que pertenece a todos es del diablo». De ser cierto, Chernóbil era del diablo. Porque era de todos, del mundo entero. Feruza no tenía grandes estudios para poder explicarlo de una manera científica, pero lo intuía, lo sentía en lo más profundo de su corazón y de sus entrañas, allí donde no paraban de crecerle tumores después del *accidente*.

Ella no creía en los monumentos al soldado desconocido; sabía que todos los soldados eran conocidos, tenían rostros y ojos y padres y quizás hijos. Como los *liquidadores* de Chernóbil, que se dejaron la vida para construir un sarcófago en la central después del criminal percance y así evitar que el planeta entero reventara. Ellos sí eran soldados, murieron de manera espantosa para que otros vivieran, la mayoría era consciente de que se encaminaban hacia la muerte. Muchos lo sabían. No podían *no saberlo*.

«Y nadie los recuerda ya —pensaba Feruza, suspirando agitadamente—; el mundo olvida rápido.»

Al muro que separaba el mundo soviético del resto de Europa lo hizo volar por los aires la radiación de la central nuclear. Lo trituró con su viento radiactivo asesino. Gorbachov no podía hacer frente a la responsabilidad de *aquello* él solo, de modo que lo dejó para que el resto del globo tratara inútilmente de arreglarlo.

Eso creía Feruza.

La gente ucraniana salió huyendo de allí en cuanto le abrieron la puerta, en 1991. La nube radiactiva les hizo enfermar a todos. Llamaron a aquel lugar Chernóbil: hojas negras, pasto oscuro, hierba amarga. Ella todavía los podía sentir escociéndole en la garganta.

Feruza siempre estaba enferma.

A los médicos españoles les contaba que Chernóbil era el responsable de sus conjuntivitis recurrentes, que le hacían llorar sangre, de sus problemas menstruales antes de que apareciesen los tumores en su útero, que le había sido finalmente extirpado en un hospital público de Guadalajara. Feruza, siempre que podía, iba a Urgencias. Algunas enfermeras ya la conocían y la miraban mal. Pero a ella no le importaba. ¿Qué daño puede hacer una mirada? Los españoles eran tontos como niños pequeños tontos si creían que así iban a lograr reprenderla.

Un médico le había preguntado si ella vivía cerca de Chernóbil cuando tuvo lugar el desastre.

—¿Chernóbil? Claro que no —respondió Feruza.

El doctor la miró con incredulidad.

—¿Entonces?...

—Yo estaba lejos, y los trabajadores de la central nuclear de Forsmark estaban lejos, en Suecia, a más de mil kilómetros de Chernóbil. Estaban lejos. Pero el viento les llevó partículas radiactivas, la nube de muerte. La muerte que no se ve, ¿sabes? ¡Desastre, usted no sabe! No por vivir en Prípiat era malo. Podías vivir en cualquier sitio donde llegue el viento y era malo —aseveró Feruza con su español categórico, y luego se sonó ruidosamente ante la cara sorprendida del hombre—. Nadie sabe nada. No se enteran de nada. El mundo, la vida no se entera... Usted no sabe. ¿Quién sabe lo que allí pasó?

—De eso hace ya más de veinte años —observó el médico, aunque en su cara se dibujaba la duda en forma de invisible signo de interrogación entre las cejas; daba la impresión de estar pensando en algo que había tenido siempre delante de las narices y que nunca antes había visto.

—Más de veinte años, sí. Pero todavía falta mucho para que lleguemos a veinticuatro..., veinticuatro mil años.

Cada vez que iba al médico, Feruza lloraba a la salida recordando a su padre. Su padre. A Feruza, como a tantos ucranianos, la habían criado sus abuelos, pues muchos de ellos suelen hacerse cargo de la educación de los nietos. Si bien ella amaba a su padre, al que apenas había visto unas cuantas veces en su vida. Sus padres se separaron siendo Feruza muy pequeña. Su madre murió más tarde. El padre se fue lejos, al óblast de Kíev. Lo desplazaron porque se necesitaban brazos para construir presas en el valle del río Dniéper; había grandes zonas hundidas en la tierra que rellenaron con arena gracias a muchas manos fuertes, como las del padre de Feruza. Un hombre corpulento, simpático. Hijo de un campesino y una mujer analfabeta. Cuando ella era niña la subía en alto usando sólo dos dedos, por encima de sus hombros tan grandes como una montaña. Y se reía mientras la subía y bajaba, de las nubes al suelo. El único hombre que Feruza conocía que nunca tuvo miedo de sonreír sin motivo. Parecía salido de un cuadro de los Kukrynisky, o de la Ciudad de las Estrellas donde vivían los guapos astronautas: un trabajador socialista, fortachón, leal, a prueba de bombas.

«No. A prueba de bombas, no», reconoció Feruza.

Su padre nunca mentía. El Estado enseñaba que mentir era bueno. Al pueblo no se le decía la verdad con la excusa de que no estaba preparado para escucharla. Y el pueblo le mentía al Estado en justa correspondencia, y luego se mentía entre sí. Pero el padre de Feruza era como un niño que no entiende las argucias que exige la vida para salir adelante.

Cuando el reactor 4 de Chernóbil explotó, no supieron cómo volver a tapar la puerta que comunicaba con el infierno. Gorbachov no sabía qué hacer. Nadie tenía ni idea. Algo así jamás había ocurrido en el mundo. Nunca. Jamás. El infierno se abría paso a toda velocidad hacia la tierra, ¿quién podía detenerlo? Decidieron construir un sarcófago. Qué ironía. Para enterrar al diablo de la radiación. El diablo que es eterno, que no muere, que vive más de veinticuatro mil años. Para contener la radiación invisible que se escapaba del corazón negro de Chernóbil y quería devorar el planeta entero.

Aunque, de todo eso, Feruza se enteró mucho después. Sólo Dios habría sido capaz de construir algo así, pero Dios hacía mucho que había abandonado Ucrania, así que tuvieron que echar mano de los hombres. Fuertes, pero frágiles; humanos al fin y al cabo.

Los llamaron «liquidadores». Eran muy jóvenes, y menos jóvenes, como el padre de Feruza. Bomberos, soldados, trabajadores de las fábricas, campesinos, voluntarios...

Su padre fue uno de los voluntarios. Feruza soñaba con él a menudo, lo veía gritando: «*Poyéjali!*, ¡vámonos!», mientras palmeaba la espalda de algún compañero más reticente.

Nadie le dijo que podía morir, aunque Feruza estaba segura de que su padre era consciente de que se disponía a hacer un viaje al averno y que, una vez allí, debía intentar apagar su fuego eterno. Las llamas de la perdición teñidas con el color del abismo. Demasiado trabajo para unos simples hombres.

Ni siquiera las máquinas querían trabajar allí: los robots teledirigidos que usaron en un primer momento se volvían locos y se arrojaban a las entrañas de tizón violento de Chernóbil, se rendían a los pocos minutos de ponerse en marcha.

Pero los *liquidadores* no se rindieron. Ellos no eran robots. ¿O sí? Igualmente, casi todos murieron o sufrieron daños y enfermedades espantosas.

Fueron cientos de miles los hombres que, como su padre, estuvieron dispuestos a construir el sarcófago, y lo lograron. Provisionalmente, porque las ascuas diabólicas seguían encendidas bajo el débil manto del nicho, y así continuarían por toda la eternidad. Los «liquidadores» fueron seiscientos mil, según unos; novecientos mil, según otros. Feruza sólo sabía que murió uno: su padre.

A muchos les mintieron, aunque ellos, los que mandaban, se excusarían diciendo que únicamente los habían protegido de la verdad. Y tal vez los protegieron de la verdad, pero no protegieron sus cuerpos. Los mandaban al agujero del núcleo sin el equipo apropiado. A algunos les pusieron unas máscaras en la cara que se quedaron pegadas a la piel, derretidas, fundidas con la carne y los ojos.

A otros, les prometieron que, si trabajaban en aquel infierno, se librarían de hacer el servicio militar obligatorio de dos años en un Afganistán en guerra. No vivieron para reclamar el pago a su esfuerzo.

A otros, los vistieron con mandiles y petos de plomo de treinta kilos de peso que no servían de barrera ante el aliento invisible de la emisión radiactiva.

Los pilotos que sobrevolaron el núcleo arrojando materiales para detener el incendio, murieron pocos días después.

El padre de Feruza agonizó durante dos semanas. Murió solo, envuelto en plásticos transparentes, en una cama de hospital. Ni siquiera los médicos podían tocarlo.

Feruza no supo que había muerto hasta 1988, dos años después de la tragedia. Nadie le dijo tampoco qué había sido de sus restos, de su cuerpo fuerte y masculino, convertido en un elemento radiactivo más de Chernóbil. ¿Dónde lo habían metido?, ¿fue enterrado? ¿Quedó algo de él?, ¿tal vez su sonrisa casi tan bella como la de Yuri Gagarin? ¿O no subsistió nada, nada?... ¿Qué puede quedar del que ha mirado directamente a los ojos del espíritu de las tinieblas?

Siempre que iba al médico, Feruza se preguntaba si alguien podría haberlo salvado, si en el hospital hicieron todo lo posible por él, si lo habrían atendido mejor en España, en la Seguridad Social. Por eso lloraba con lágrimas secas, enojadas. Porque los hospitales le recordaban a su padre, y su padre le recordaba a su hijo y ella deseaba olvidarlos a los dos. Para siempre.

Sigrid

Esa misma mañana, la mañana del homicidio involuntario (así lo calificó el juez, que ratificó la alegación del abogado defensor de «defensa propia»), comenzó su interminable periodo de aburrimiento laboral y tormento espiritual.

Aún no comprendía por qué no la expulsaron del cuerpo de policía. Bueno, a decir verdad se hacía una ligera idea, pero así y todo... Quizás la *cuestión racial* había tenido algo que ver en ello. Se avergonzaban de expulsar a una mulata como Sigrid, tal vez temían que los acusaran de racismo, o de machismo, o de ambas cosas a la vez.

Siguiendo el Régimen Estatutario del Cuerpo, podrían haberla condenado a una larga temporada a la sombra, además de echarla. Pero eso no sucedió.

Cuando fue consciente de que acababa de matar a un hombre, llamó a su jefe.

Según su propio criterio, en realidad no actuó en defensa propia —el *chorizo* iba desarmado, como pudo comprobar ella misma, al registrarlo en cuan to fue capaz de desembarazarse del zapato—, y le debería haber caído una buena.

No la expulsaron del cuerpo de policía. No la condenaron a la cárcel. Quizás un privilegio de lo políticamente correcto por ser mujer, o por no pertenecer a la raza blanca, o por ambas cosas. Si bien, de alguna manera, la condenaron a otras cosas.

«Una condena dura de pelar la mayor parte de los días laborables», pensó Sigrid.

Cinco años. Cinco largos años sin sentir siquiera el horror. Salvo por las noches, cuando sus recuerdos devoraban sus sueños en una lucha encarnizada, a muerte.

Laboralmente aburrida, como un punto de tinta en medio de una mancha oscura, así se sentía Sigrid.

Y, de nuevo, la memoria le enseñó sus cartas marcadas...

Cuando se dio cuenta de lo que había ocurrido, el miedo la envolvió con su negrura, le cubrió la cabeza con la determinación con que se ajusta la capucha el verdugo.

Fue hacia el teléfono. La pierna dejó un rastro de sangre por el parquet. Sabía que la sangre no era suya, y aun así, o quizás por eso, sintió una profunda congoja que le recorrió los huesos. Un escalofrío, un rastro de invierno en los ganglios linfáticos. Algo muy parecido a la piedad y a la compasión. Y a la angustia, y a la locura.

Estuvo a punto se desmayarse, pero era una guerrera, se dijo a sí misma, no podía permitirse desfallecer. La visión de la sangre no conseguiría asustarla. Ni su olor. Porque lo peor era el olor...

Llamó al comisario Férriz. El hombre descolgó el teléfono al segundo timbrazo.

—¡Dígame! —rugió.

Sigrid lo imaginó durmiendo unos segundos antes, o despertando ya, a aquellas horas, al lado de la mesilla de noche donde reposaba el teléfono, en su apartamento de las Vistillas, con su tercera mujer arrebujada junto a él en la cama revuelta.

Su tercera mujer.

No se había casado con ninguna, en realidad.

—Perdone, jefe. Soy Azadoras —Sigrid seguía sintiendo náuseas. Encendió todos los interruptores de luz con los que se había tropezado. Pero las sombras se habían adueñado de su apartamento. «Tal vez nunca se vayan», recordaba Sigrid que pensó entonces.

—Tú... ¡Por Cristo bendito, eres una pelma!, ¿no te lo dicen a menudo? No me extraña que sigas soltera. ¡Mira qué horas son! Hoy es mi puto día de descanso, por si no lo sabías.

—Jefe, acabo de matar a un hombre.

—¿Qué estás diciendo, chica? ¿Un hombre? Azadoras, si esto es una bromita de las vuestras, te juro que...

—Bueno, no es muy mayor. No sé, unos treinta años, tal vez más, tal vez menos. Un chico, digamos. Cabello pajizo, aspecto de ser del Este, vestido de negro. Una especie de capa con muchos bolsillos sobre los tejanos y la camisa raída, todo del mismo color. Tela de mala calidad. Tiene un lunar en el cuello y nariz aguileña. Unos ciento setenta y cinco centímetros de estatura. Delgado. Piel clara. Ojos azules, de un azul mortecino. No lleva documentación, pero apuesto doble contra sencillo a que está fichado.

—¿Has matado a un pobre capullo del Este? ¿Del Este de Europa, o del Este de Asia?

—Sí, jefe, no respira. Del Este de Europa. Si es que Europa sigue estando donde estaba hasta ayer por la tarde.

—¿Y por qué no llamas a la policía?

—Es lo que estoy haciendo, jefe.

Oyó a Férriz rezongar al otro lado de la línea, y una voz de mujer enfurruñada, de un humor negro y bilioso, murmurando algo a la vez.

—¿Se puede saber dónde estás? ¿Desde dónde me llamas? ¿Desde la carretera? ¿Desde el jodido infierno? ¿Has tenido un accidente de tráfico, es eso?...

—No, jefe, estoy en mi casa.

—¿Ahora matas hombres en tu domicilio? Siempre supe que no eras de fiar, niña. ¡Dios bendito!, un hombre muerto... —Su voz pareció encogerse. Sigrid pensó que el jefe había encogido la voz igual que otros habrían encogido los hombros—. Estaré allí en veinte minutos, si el tráfico lo permite. —Férriz colgó y la línea comenzó a pitar con un sonido que a ella se le antojó horripilante.

Cuando llegó el comisario, Sigrid aún no había reunido valor para limpiarse la sangre de la pierna, que empezaba a secarse entre los dedos de su pie formando una costra terrosa. Tenía cerrada la puerta del estudio y, aunque la ventana estaba rota y entraría el aire a borbotones desde la calle —era una mañana ventosa y clara—, estaba segura de que la habitación olería a sangre, con un perfume más intenso que el de la hierba luisa, que el de la uva fermentada.

Tenía entre las manos un libro que siempre estaba al lado del teléfono, junto a la guía, tamaño *mini*, de las Páginas Amarillas. *Formación de la joven cristiana*, de un tal Padre Baeteman, misionero apostólico. Era una edición de los años sesenta que le había regalado su madre cuando Sigrid aún era niña. Nunca se desprendió de él. Continuaba leyéndolo al azar, casi a diario. Lo sostenía abierto entre los muslos y podía leer cosas como: «¿Quién eres?, esa misma pregunta le hicieron a Juan los enviados de los judíos. Y él contestó: *Soy la voz que clama en el desierto…*».

Sonó el timbre de la calle y Sigrid dio un respingo. Se acercó al interfono y le franqueó la entrada al comisario.

Esperó al otro lado de la puerta del apartamento, con la cadena puesta. Le temblaban las manos y sentía un dolor de cabeza que comenzaba a inquietarla, aunque no mucho más que la presencia de un cadáver ensangrentado en su casa.

Férriz subió las escaleras de dos en dos. La madera de los peldaños crujió bajo sus botas, como si se quejara, igual que un ser vivo al que estuvieran pellizcando sádicamente.

—¿De qué estamos hablando? —gruñó cuando se encontró frente a Sigrid—. Agradezco que me recibas en ropa interior, Azadoras, pero es demasiado temprano. Ponte algo encima, por favor. Soy un hombre mayor, ni mi próstata ni mi corazón aguantan ciertas cosas, y menos a estas horas.

Sigrid había olvidado que sólo llevaba una camisa que olía a humo de tabaco de la noche anterior y unas bragas de abuela color carne. Nunca había sabido elegir bien sus prendas íntimas, al contrario de lo que le ocurría con los zapatos. Quizás era el momento de invertir esa tendencia.

—Lo siento, jefe —se disculpó, y corrió al baño, se puso el albornoz encima y se ató el cinturón con el mismo nudo con que se cerraba el *karategui*.

El apartamento tenía unos ochenta y cinco metros cuadrados. Sigrid condujo al comisario hasta la puerta del estudio y la señaló con un dedo trémulo.

Férriz la abrió y se quedó mirando con ojos vacíos el cuerpo inerte del hombre con el zapato clavado en el corazón, igual que un anticuado abrigo que se hubiese caído al suelo junto con la percha.

—La madre que te parió... —musitó lentamente.

—No diga eso, jefe. Ya sabe que soy adoptada.

El comisario se agachó sobre el cadáver, sacudió las solapas de la chaqueta.

—He visto muchas cosas en mis cincuenta y siete años de dura y mala vida, pero esto, Azadoras, esto... Joder, es de película barata, de esas que hacen en Hong Kong —lanzó un suspiro y volvió a incorporarse—. Mala calidad, esta tela... Sí.

—Ya se lo he dicho. Si hubiese llevado una prenda de más abrigo, pues quizás yo no habría podido, no habría podido...

—Hay que joderse, ¿pero qué eres tú, Azadoras?, ¿un puto ninja? Cualquiera que te viese por la calle pensaría que no eres más que una dulce mulatita, a lo mejor una pilingui baratilla recién llegada a Barajas, y mira... ¡Joder!, que me cuelguen de los huevos si he visto algo parecido en toda mi puta vida.

—Yo, él... Verá, entró en mi casa a robar. Lo sorprendí robándome. Nunca quise... —se le escaparon unas lágrimas que le supieron a sal ácida cuando le entraron en la boca.

—¿Intentó atacarte con *algo*?

—Yo, no sé. No lo sé, yo... Estaba dormida. Anoche bebí más de la cuenta. Ya sabe que habitualmente no bebo, excepto una vez al mes. Anoche tocaba. Tengo resaca. Estaba frita cuando este tío se coló por el balcón. Rompió la ventana a patadas. Bueno, a golpes, no estoy segura... La rompió —Sigrid se lamió las lágrimas, que le atoraban la nariz y le resbalaban sobre los labios—. De pronto lo tenía encima y todo era confuso... No lo sé. Supongo que sí, que intentó atacarme con algo, aunque también supongo que no.

—Si hubiese sido en defensa propia... Pero este pobre cabrón sólo lleva una ganzúa. No podría ni abrir una lata de cerveza con ella. Aunque sí algunas puertas, claro.

—Dios mío, he matado a un hombre.

—A la vista está, chica. —Férriz suspiró ruidosamente. Daba la impresión de estar muy cansado, y eso que el día apenas si acababa de comenzar—. Hay que llamar a la madera.

—¿Qué cree que me puede ocurrir, qué...?

—Nada. —Férriz sacó una pistola que llevaba

colgando bajo la axila. Se palpó también el arma reglamentaria, en su sitio al lado de la cadera, y empuñó la otra. Sigrid retrocedió, asustada. Por un instante pensó que iba a ejecutarla allí mismo. Lo merecía, en realidad. Se había ganado a pulso un tiro en la cabeza por andar por ahí clavándole a la gente tacones en el corazón.

«El quinto mandamiento. Acabo de pecar contra el quinto mandamiento —se dijo con un escalofrío—, de todos los puñeteros mandamientos...»

Férriz agarró el arma por el cañón y apuntó a Sigrid con ella al revés.

—Mira, Azadoras. Una auténtica belleza suiza.

Sigrid lo observó confundida, como si el hombre hubiese perdido el juicio. O a lo mejor el juicio lo había perdido ella.

—No me refiero a ti, Azadoras, aunque tú tampoco estás mal. La pistola —la agitó en el aire—. Una Sig-Sauer de nueve milímetros. Se le puede cambiar el cañón. Y no tiene número de serie, no está registrada, ni siquiera a nosotros nos consta que exista. Se la confiscamos a unos chorizos ucranianos el año pasado. Mafia, chica, ya lo sabes. Me la guardé porque, para mí, era un recuerdo de lo más sentimental. Ahora me quedaré sin ella, y todo gracias a ti y a tus zapatos de tacón. Joder. Usa unas putas zapatillas de deporte de aquí en adelante. No sé dónde tienes el cerebro, Azadoras... Seguramente en los pies, visto lo visto.

Limpió el arma y la colocó en la mano derecha del fiambre ayudándose de un pañuelo que había conocido días mejores, como el difunto. La dejó a medio amartillar y apretó los dedos del muerto alrededor de la culata.

—Este hijoputa quería matarte. Qué malo, ¿eh?, fíjate en el pedazo de hierro con el que te había apuntado... Quería reventarte la pelota, Azadoras, y luego robarte el microondas. Qué tío más cabrón. Menos mal que tú sabes defenderte —Férriz se secó el sudor y le dio una palmada en la cara a Sigrid—. Venga ya, coño, llama a la pasma. ¡Muévete!, ¡ ya! Joder, lo dicho, esto es como una puta película asiática...

Misha

Nieve por todas partes. Blanca y marrón. Pura y sucia.

El joven Misha creía que el mundo entero estaba hecho de nieve, igual que su ciudad.

Se llamaba Iván, pero ese mismo día su nombre sería sustituido para siempre por un *klikuja*, un apodo *vory*, su nombre de ladrón. La palabra *Iván* dejaría de tener sentido para él a partir de entonces.

Moscú reposaba bajo un silencioso manto de hielo. El río Moscova se había tragado varios cuerpos delante de sus propios ojos en lo que llevaban de invierno. No podía ni imaginar la cantidad de personas que habría engullido mientras él no estaba mirando. Torpes, despistados, borrachos. Las aguas congeladas acogían el descanso eterno de almas que nunca hallaron reposo en vida.

Las calles tenían un metro de nieve y Misha se veía obligado a llevar un pequeño bastón para ir hincándolo por delante de sus pasos, clavándolo en el blanco polar de la nieve, otras veces en el más mugriento de los barros, en busca de charcos profundos que no debía pisar porque le congelarían los pies o —peor todavía— le arruinarían definitivamente sus rozadas y raídas botas.

Se miró las puntas de los pies.

Se sentía como si hubiese de caminar en un campo minado. El calzado le estaba pequeño y su dedo índice amenazaba con abrirse paso haciendo un agujero en el cuero ya endurecido como el cemento, pero también tan fino como una tajada de viento que se agrietase con sólo mirarla.

El barro estaba por todas partes. Se encaramaba por las perneras de los pantalones y llegaba hasta las cejas a nada que uno se descuidara. Dejaba un rastro marrón que cuando se secaba se convertía en polvo. Por eso él creía que el corazón del agua, del hielo, era oscuro y seco como el polvo.

Después de andar con dificultad durante lo que le parecieron días enteros, pero que no podría ser, en realidad, más de un cuarto de hora tras salir de la estación del metro, al final llegó a la calle Gorki, la Tverskaya, que se encontraba bastante despejada de nieve al tratarse de una gran avenida, muy transitada. Allí haría algunos negocios esa tarde, si todo transcurría como él deseaba.

A la Unión Soviética habían empezado a llegar, no hacía tanto, sobre mediados de los años cincuenta, turistas extranjeros. A Misha le gustaban sobre todo los japoneses, que lo miraban con una curiosidad disimulada tras sus ojos oblicuos de samuráis, impertérritos, mientras observaban a la vez cómo el tiempo se escapaba entre las inquietas manecillas de sus relojes Seiko. Sí, japoneses... O los montones de delegados comunistas de México, Perú, Uruguay, Chile..., que se alojaban en el Metropol y a quienes se podía timar fácilmente; con ellos había aprendido Misha a chapurrear un español lo bastante sólido como para servir a sus propósitos comerciales. O aquellos americanos simpatizantes del régimen que llegaron en el verano del 57, dispuestos a participar en un Festival de la Juventud en el que se suponía que iban a hablar sobre la paz y la amistad, aunque muchos terminaran borrachos, sucios de sangre y escupitajos, desplumados y apaleados sobre un cubo de basura en alguna callejuela estrecha. Al resto de sus compatriotas, más resabiados a pesar de su aire de idiotas, era difícil engañarlos con el cambio de divisa, por lo que Misha solía dejarlos en paz. Bah, americanos...

También andaban por allí montones de italianos dispuestos a comprar todo tipo de pieles rusas (adoraban las de nutria, y especialmente la marta cibelina) que luego revendían en Europa a precios abusivos. «¡*Russkaya Pushnina*, pieles rusas!», casi gritaban en cuanto se veían sueltos por las calles de Moscú en las que abundaba el mercado negro.

¡Turistas, vaya cosa!

Qué gente tan débil y tan extraña. Una variedad de sujetos inimaginables poco tiempo atrás que ofrecía muchas posibilidades para una vista atenta, como la de Misha, que les compraba cámaras Nikon a cambio de rublos soviéticos que obtenía en préstamo de un tártaro procedente de Crimea de quien nadie sabía su verdadero nombre —Misha estaba convencido de que ni los del gobierno de Nikita Jruschov habrían conseguido averiguarlo—, aunque todo el mundo lo llamaba Yuri.

Yuri cambiaba moneda en el mercado negro entre otras muchas cosas; sus negocios no se dejaban constreñir por la especialización. Se ocupaba de los suministros del gobierno que viajaban confiadamente desde los almacenes a las pocas tiendas que abastecían a la población moscovita. De vez en cuando, algunas cajas de vodka se perdían por el camino y eran consignadas como material deteriorado. Yuri las vendía por su cuenta a algunos compatriotas. Su negocio marchaba estupendamente, y el viejo siempre disponía de algún fajo con miles de rublos para prestar, a un elevadísimo interés, a quien tuviera necesidad de un poco de dinero para emprender negocios. Misha había recurrido a sus servicios con frecuencia en los últimos tres años. Pedía prestado a Yuri, compraba material a los turistas (cámaras fotográficas, libros, cigarrillos, chicles, lo que fuera), apreciaba sobre todo las prendas de vestir que llevaban una etiqueta donde pudiera leerse «*Made in*...», lo que indicaba sin lugar a dudas que la ropa había sido confeccionada en el extranjero: muy codiciada por los moscovitas que podían permitírsela, y a los que les importaba un rábano si era o no de segunda mano. Luego revendía la mercancía al propio Yuri. Así podía pagar el préstamo y los intereses y obtener algún beneficio.

A sus trece años, Misha era un próspero hombre de negocios. Uno de los más audaces *fartsovschiks* de su barrio, en el que abundaban los estraperlistas, por lo que la competencia no era fácil. Incluso contribuía a la caja común de los ladrones con algunos *kopeks* de cuando en cuando. Se le daba bien el ejercicio del sucio capitalismo socialista y cuando se miraba al espejo se sentía orgulloso de su incipiente y joven cara de chacal. Los ojos negros, intensos y arrugados como los de una rata, poseían una extravagante belleza. Las cejas, con la forma de dos suaves acentos circunflejos, le prestaban un aire inquisitivo, casi satírico, y acompañaban a sus ojos como la vaina al fruto de la legumbre. Los hombros comenzaban a ensancharse bajo su cuello igual que los de un hombretón. Había pasado mucha hambre a lo largo de su bisoña y dura vida, pero en los últimos años, desde que comenzó a ocuparse de sí mismo, masticaba más que una cabra, así que sus huesos, agradecidos, cada día estiraban un poco más su silueta. Le gustaría ser tan alto como para poder mirar al resto del mundo por encima del hombro, pero sabía que no crecería mucho más. Con suerte, llegaría al metro ochenta centímetros, dados sus antecedentes. Su madre medía menos de un metro sesenta, parecía que la hubiesen amamantado con aceite de ricino, en caso de haber podido disponer de él. No había conocido a su padre, pero su madre decía que era un hombre bajo. «Ese hombre fue un sótano para mí», solía comentar la mujer, misteriosamente, mientras se agarraba, si había suerte y Misha le había obsequiado con unos rublos, a su botella de *tvishi*. «El vino seco georgiano que volvía loco a Stalin. Y lo de volverlo loco es una manera de hablar, pequeño granuja», le decía la mujer con la lengua estropajosa y los ojos azules oscuros demasiado grandes para permanecer confinados en sus órbitas.

De su madre, Vadima, Misha sólo sabía que procedía de Stalingrado, escenario en el que habían luchado sangrientamente los bolcheviques y el Ejército Blanco, y luego Stalin contra Hitler. La evacuaron y perdió a sus padres muy pronto, tanto que apenas podía acordarse de sus nombres de pila. Vadima fue recogida en un centro del Estado y logró hacerse con el título de maestra. Era una hija del Estado. Hablaba cuatro idiomas: alemán, francés, inglés y ruso, y además chapurreaba el ucraniano. Misha no recordaba la última vez que la había visto sonreír sin que su alegría pudiese ser atribuida al vodka.

De su padre, Seriozha, tenía las vagas noticias de que había estado empleado como vendedor en un *mostorg* de Moscú. Un simple dependiente llegado de Bielorrusia. Un julai, seguramente. Carecía de estudios, al contrario que su madre, pero al parecer tuvo sus veleidades artísticas y le gustaba escribir a lápiz algunas ocurrencias que hacía circular de mano en mano como si fueran de autor anónimo; en resumen: *samizdat*, literatura prohibida que ni siquiera se dedicaba a hablar mal del régimen sino que, simplemente, no gustaba al *glavlit*, la oficina del censor soviético, a cuyas zarpas debieron de llegar de algún modo. Al menos una de sus patéticas obras literarias lo hizo, seguramente.

En cierta ocasión, cuando Misha aún era un bebé —eso tenía entendido porque así se lo había contado una vieja que vivía en su edificio comunal y que no estaba muy bien de la cabeza, aunque Misha, sin saber por qué, tuvo la impresión de que no mentía ni deliraba—, unos hombres lo abordaron cuando salía por la puerta, para encaminarse a su trabajo como cada día. Y Seriozha, su padre, nunca volvió a casa. Desde entonces, su madre renegaba de él con palabras que emergían de su boca como enormes rocas negras. Luego lloraba amargamente. Y también bebía, si disponía de bebida.

Después de la desaparición de su marido, Vadima se afilió al Partido. Asistía metódicamente a todas las reuniones del comité. No hacía preguntas. No requería nada, no solicitaba nada. Acudía a su trabajo en el colegio sin faltar nunca, incluso aquella vez que tuvo una pulmonía que a punto estuvo de matarla. Almorzaba en la cantina. Y consumía alcohol en su pequeño cuartucho, al que llamaban casa, en su alojamiento colectivo, noche tras noche, hasta caer inconsciente.

Entre ella y su hijo no existía un gran cariño. Eran dos conocidos que veían pasar la vida del otro a ratos perdidos, como si se pasearan con indolencia a lo largo de un sueño que no les pertenecía del todo.

Misha tenía dos amigos que también vivían en el centro de Moscú. Otar y Grigori. Otar era de su edad y sólo pensaba en el fútbol, de mayor quería ser delantero centro del Torpedo de Moscú, aunque Misha no sabía cómo iba a conseguir tal hazaña teniendo en cuenta que Otar estaba cojo, la polio lo había dejado imposibilitado, tuvo la mala suerte de enfermar en el año 1954, apenas unos meses antes de que se generalizasen los programas de vacuna. No lograría en toda su vida ni siquiera ser un poste de la portería del Dínamo de Tbilisi porque tampoco conseguía quedarse quieto mucho tiempo. Tenía algo metido dentro de su cuerpo, algo que lo obligaba a brincar todo el rato como si le hubiesen dado cuerda o estuviera endemoniado. A Misha le costaba mirarlo sin sentirse incómodo. A veces le daban ganas de apalear a su amigo y acabar con sus contrahechas trazas de una vez, de dejarlo inmóvil para siempre. Quizás le haría un favor. Pero Otar le resultaba de gran ayuda en sus negocios, así que no se planteaba seriamente lo de matarlo.

Hasta aquel día, Misha, que aún se llamaba Iván, tampoco había matado a nadie.

Lo llevaba a menudo con él, y el chico, Otar, que era un atontado tan fiel como un perro, seguía escrupulosamente sus instrucciones. Vigilaba para Misha, entregaba alguna mercancía en su nombre, hacía recados.

Grigori, por el contrario, era una mente avispada y astuta, siempre dispuesta al crimen. Se entregaba a la ilegalidad con una alegría desbordante manchando su cara de ave rapaz pelirroja como si fuese tiña. Llamaba fascistas a todos los extranjeros a los que robaba en la Plaza Roja, cerca del mausoleo de Lenin, o les cambiaba rublos, al doble de su precio oficial en el Banco Nacional, a lo largo de la calle Tverskaya-Yamskaya. Grigori creía en «la libre empresa comunista». Él sí era capaz de permanecer más inmóvil que la momia del padre Lenin si olfateaba en los alrededores a un oficial de la policía moscovita de los que se ocupaban del mercado negro. Cierto que la mayoría de ellos eran corruptos, pero sólo atendían a razones si antes los habías sobornado, y Grigori no disponía de bastantes rublos como para derrocharlos en pagar queso caliente y menudillos de pollo extra para adornar las mesas de aquellos perros. De modo que, en cuanto sentía la presencia de alguno, se disolvía en el aire y desaparecía de la vista como por ensalmo. Tenía dieciséis años, y a los catorce lo pilló la Escuadra de Operaciones Especiales, que en realidad no eran policías, sino mucho peores que los policías porque aún estaban entrenando y hacían méritos con la sangre del que agarraban entre sus manos: a más golpes, más posibilidades de ascenso profesional se abrían ante ellos.

Habían sorprendido a Grigori transportando dólares falsos para un jefecillo de la zona, en la estación del metro de Kúrskaya. El chico no era el objetivo de sus pesquisas, obviamente, pero debían llevar semanas siguiendo a Yan Yeremenko, el judío a quien el muchacho debía entregar un buen fajo de dinero resplandeciente y tan falso como un solo billete de cien rublos con la cara de Abraham Lincoln estampada a dos aguas. A los de la Escuadra les encantaba cazar judíos como si fuesen conejos.

Los fornidos componentes de la Escuadra le dieron una buena lección sobre los medios sociales de producción. Entre otras cosas, le reventaron la tripa a patadas, y de resultas de la paliza, el chaval también perdió un ojo, aunque afortunadamente Grigori nunca había dado muestras de echarlo de menos desde entonces. Lo pusieron pronto de patitas en la calle y no fue encerrado, si bien le recomendaron vivamente que, en adelante, se comportara como un verdadero marxista-leninista y dejara de mascar chicle vagando alrededor de los parques, los cafés y las estaciones de metro.

Pese a la insistencia que pusieron en ello los de la Escuadra, por supuesto, Grigori jamás tuvo la menor intención de seguir aquel consejo.

De sus dos amigos, Misha prefería a Grigori porque, aunque a su manera fuese también un incapacitado, jamás se quejaba de la falta de su ojo, que se llevó a casa envuelto en un calcetín sucio cuando salió por fin del cuartel, con la absurda esperanza de que su madre pudiera colocárselo de nuevo. Le costó llegar a su domicilio comunal, dando tumbos y con el ojo sano lleno de coágulos y chorreando sangre, pero lo logró. Cuando cicatrizó su cuenca, que se secó como un arroyuelo de la taiga después de pasar por el hospital, y en vista de que el Estado ni siquiera disponía de un ojo de cristal para ofrecérselo como compensación por haberle arrancado el suyo, él mismo intentó rellenar el agujero que le había quedado metiéndose un boliche de río que tardó semanas en encontrar, del tamaño y la textura que le parecieron más adecuados. Fracasó en su afán, y hubo de conformarse con un parche que fabricó su hermana pequeña con un trozo de suela procedente de un zapato viejo.

Grigori, meditó Misha mientras se encaminaba al encuentro de sus dos amigos, por lo menos tenía alma, había que reconocerlo. Era un verdadero ruso.

Polina

Liliana era una rusa de mediana edad con unas enormes bolsas bajo los ojos marrones pintados de sobra, como si el maquillaje se hubiese escurrido y amenazara con ocupar el resto de su cara, ajada y mortecina.

Prometió a Polina un salario fijo y le aseguró que se encargaría de todos los trámites, pasaporte y visado. Además, la agencia le costearía el viaje a cambio de una comisión que ella devolvería cuando cobrase su primer sueldo.

—Trabajarás en la casa de ese hombre, un ruso muy rico y su familia. No tendrás gastos. Te darán techo y comida —le informó con voz susurrante—. Será fácil para ti ahorrar dinero. Mucho dinero. Eres una joven con suerte.

Los ojos de Polina brillaron por primera vez en años. Aunque, bien visto, quizás nunca en su vida habían brillado hasta aquel día.

Polina no le contó a su madre que pensaba irse.

Intuía que quizás tratara de detenerla. Al fin y al cabo... ¡Estambul! Otro país. Otras costumbres. Su madre le diría que aún era muy joven y que esperase unos años. Pero Polina no deseaba esperar más. Estaba harta de la suciedad y el hambre. Quería comprar cosas bonitas. Ropa lujosa. Muñecos de peluche. Un teléfono móvil desde el que podría llamar a casa de unos vecinos y hablar con su madre para decirle que todo iba bien, perfectamente, que no tenía por qué preocuparse.

Cuando le enviase dinero por primera vez, su madre sonreiría. Polina nunca había visto sonreír a su madre. Entonces, ella la perdonaría, al fin y al cabo era su única hija. Todo quedaría olvidado. Polina volvería a casa en vacaciones y juntas se darían un atracón de buena y esponjosa *tochitura* y un montón de dulces. Beberían vino moldavo, el mejor del mundo. Quizás así su madre recuperase la sonrisa, si es que algún día la había tenido en propiedad. Cuando era pequeña Polina creía que los pobres sólo abrían la boca para comer, cuando podían hacerlo, y que luego la cerraban con fuerza para que no se les escapara la comida y que por eso su madre jamás sonreía y los pobres, por lo general, siempre estaban serios.

Liliana proveyó de documentos a Polina, tal como había prometido, pagando los trámites de su pasaporte y visados, y una mañana fría y de aire enrarecido la subió a un autobús, junto con otras siete jóvenes, camino de Estambul.

Atravesaron campos de maíz y trigo, salpicados de viñedos negros, dejando atrás pueblos que dormían entre valles profundos y fértiles pero tan desolados como el alma de las gentes que los habitaban. Cruzaron la frontera con Ucrania sin ningún problema, y Polina contempló subrepticiamente, entre asombrada e inquieta, las tierras sombrías y pantanosas del país vecino.

Cada minuto que pasaba sentía que la acercaba a su destino.

Sus compañeras de viaje apenas hablaban entre sí, no se conocían y parecían recelosas las unas de las otras, como si cada una de ellas temiera que las demás pudiesen quitarle algo.

Durante el viaje, el conductor y un acompañante que se sentaba a su lado —un hombre mayor, de aspecto abatido, que apenas había dicho un par de palabras durante las horas que duró el viaje— les suministraron agua y bocadillos y efectuaron algunas paradas para que las chicas estirasen las piernas e hicieran sus necesidades. Casi siempre en mitad de la carretera, en mitad de ninguna parte. Ellas saltaban la cuneta y se desperdigaban entre los matojos y, si los había, se acurrucaban detrás de un árbol mientras los dos hombres fumaban cigarrillos y miraban al cielo sin decir palabra, como personajes de una película muda.

Llegaron a Odessa finalmente, un puerto importante del mar Negro.

Lucía un sol espléndido, a pesar de ser un día de invierno, y Polina observó a través de la ventanilla del vehículo las calles de la ciudad, de nuevo casi sin aliento, conteniendo la emoción a duras penas.

La entrada al puerto mercantil se le antojó señorial, segura, recién salida del libro de cuentos de una princesita decimonónica rusa. De haber sido Odessa un hombre, en vez de una ciudad, seguramente habría sido un aristócrata apuesto, recién afeitado.

Las hicieron subir a un barco y allí tomaron el relevo del cuidado de las chicas otros dos hombres. Polina los escuchó hablar en ruso, murmurando sobre la conveniencia de haberlas enviado directamente en autobús hasta Estambul, como siempre habían hecho, en vez de gastar dinero en los pasajes del barco. La niña supuso que se referían a ellas.

No fueron amables, pero a Polina no le importó. Ella corría hacia el horizonte.

Se dirigieron a Estambul cruzando el mar Negro sobre el que Polina vio amanecer encima de unas aguas saladas y frías, de colores amarillos, que le recordaron a un gran tarro de mermelada de limón. Ella nunca había visto el mar y le pareció un misterio perfumado y ambicioso, una amenaza y a la vez un alivio para el alma. Lo contempló hechizada desde la borda del barco hasta que fue incapaz de soportar el frío y los ojos empezaron a dolerle.

El viento helado que le azotaba la cara estuvo a punto de entrarle hasta los huesos; durante unos segundos, antes de ponerse a cubierto junto a las demás, tuvo la sensación de que sus huesos se habían mojado, que no estaría de más secarlos con un trapo limpio y sentirse de nuevo caliente y segura.

Estambul, sembrada entre Oriente y Occidente, entre Asia y Europa, se dibujó en la lejanía como un collar de piedras preciosas que alumbrara con su encanto una buena parte del estrecho del Cuerno de Oro. Las torres de sus incontables mezquitas, sinagogas y palacios se iban perfilando como las tentadoras agujas de un extravagante reloj solar que marcara la hora y el lugar de la fortuna.

Estambul.

Tierra de oportunidades, de prosperidad, de libertad.

Polina pensó que tendría que ver toda esa belleza que se intuía casi al alcance de la mano, que lo haría con tranquilidad y esmero. Recorrería sus bulliciosas calles y visitaría los monumentos. Lo haría cada vez que le diesen una tarde libre en el trabajo. Se lo contaría a su madre por teléfono. Ella nunca había viajado. Polina le procuraría todos los detalles para que se hiciese una idea... ¡Estaba tan ilusionada!

Ni siquiera podía sospechar que jamás tendría ocasión de explorar las calles de Estambul, a pesar de que viviría durante dos largos años sepultada en un agujero dentro de aquella ciudad que llegó a considerar una prisión inexpugnable. O una jaula atestada de ratas. De ratas furiosas. Hambrientas.

Mariya

Tashkent, 1967

Mariya era rusa, tenía veintisiete años. Con aspecto de *niania*, de niñera campesina. Alta y corpulenta, muy alta, con cerca de un metro y noventa centímetros de estatura, miraba a casi todo el mundo por encima del hombro. Aunque su mirada no era arrogante, ni sucia, sino blanca y buena como el algodón. Supersticiosa, parlanchina, simple, adoraba contar y escuchar historias maravillosas protagonizadas por santos y brujas y seres extraordinarios que estaban por todas partes si uno los quería ver.

Su mente también tenía algo blanco, algo puro.

Mariya sólo vivía para trabajar.

A veces, tumbada en su camastro por las noches, durante las pocas horas de las que disponía para dormir, soñaba inocente y tibiamente con encontrar un hombre algún día. Un ruso bueno, que curiosamente tendría el mismo aspecto que Yuri Alekséyevich Gagarin, del que Mariya estaba secretamente enamorada, al igual que el noventa y nueve por ciento de las mujeres de la Unión Soviética.

Esos momentos en los que Mariya se acariciaba a sí misma la cara en la oscuridad, suspirando por el atractivo héroe ruso, eran los únicos en los que se permitía alguna distracción.

Mariya vivía por y para el trabajo.

La *rabota*, el trabajo, era bueno.

El suyo no requería pensar mucho. Y tampoco la cabeza le daba para tanto, como ella misma solía decir. Su carácter era simple. No tenía familia. Su padre murió unos meses antes de que ella naciera en las obras de uno de los canales, y su madre tuvo un parto difícil, no pudo soportarlo y expiró, aunque su criatura sobrevivió al complicado trabajo de venir al mundo. Era fuerte y dura desde el mismo momento en que vio la luz. Así que Mariya se convirtió en una *hija del Estado*. El Estado la había criado en un orfanato, y ahora exigía su parte. Mariya se la daba trabajando como una mula de sol a sol. Era corpulenta e imponente, y no se quejaba por el esfuerzo aunque se pasara el día gruñendo por todo lo demás. Por nimiedades, mojigaterías; sufría de muchos remilgos tontos. Si bien le bastaba con algo de comer de vez en cuando para sentirse razonablemente satisfecha. Aunque no siempre era posible complacer a su estómago, de un tamaño más grande que el de la mayoría.

No conocía otro lugar más que Tashkent, tan exótico y alejado de su verdadero origen, la madre Rusia que en realidad no había pisado jamás. Ni siquiera había viajado a la no tan lejana Samarcanda, o a Bujará, o tan sólo a la preciosa Almá-Atá con sus montañas nevadas y sus jugosas y apetecibles manzanas silvestres. Conocer mundo no entraba en los planes de Mariya. Ni siquiera se le había ocurrido que cupiera esa posibilidad. Mariya trabajaba y eso era todo.

Con la concentración y la insistencia irracional de un insecto en su colmena, Mariya producía en la fábrica de algodón.

El Estado se había obsesionado con el algodón y se llevaba por delante los huertos seculares que sombreaban, conservaban la sal de la tierra en unos límites razonables y llenaban de gracia la comarca. El Estado cogía el agua que bajaba por el Amu Daria hasta el mar de Aral y le pagaba al mar lo que le había robado con una cantidad igual de toneladas, pero de veneno y pesticidas. Quería más algodón. Y arroz, no había que olvidar el arroz. Estaba obsesionado con el regadío. Producir lo era todo, y utilizaba cualquier cosa que estuviese en sus manos para conseguirlo. Abonos, defoliantes, toxinas, fertilizantes, ponzoñas de todo tipo, con tal de que fuesen efectivas. Pantanos y embalses para sostener el inmenso volumen de riego.

La cosa funcionaba, porque las cosechas aumentaban sin cesar, Mariya se sentía orgullosa, como toda la Unión Soviética, por el increíble logro que el Estado llevaba a cabo; con sus manos contribuía a hacer posible el milagro. El crecimiento no era un objetivo sino una ley. Imperativa, inexcusable.

Mariya se mareaba si tenía que pensar en las cantidades de algodón que había visto desfilar ante sus ojos pasmados. Se sentía impresionada y todo le parecía bien, a pesar de que el trabajo fuese tan duro.

Jlópok, algodón, sí.

Un gran tesoro que antes no existía y que ahora el Estado había descubierto.

Mariya no tenía a nadie, salvo a su trabajo y al

Estado. No era propensa a sonreír. «Los rusos, en general, no gastan mucho esfuerzo en sonrisas —decía una de sus compañeras de fábrica con su malicioso rostro aceitunado y enigmático de asiática—. Reservan las energías para la risa, que es más auténtica y cuando llega lo hace con una fuerza incontenible. Y los rusos sí entienden las razones de la fuerza.»

¡Y lo decía aquella joven, que no solamente no sonreía, sino que tampoco reía jamás!

En la fábrica de algodón, trabajando junto a Mariya, había mujeres kazajas de hermoso rostro mongol, pocas de origen kirguís con sus rasgos de herencia turca y afgana, y muchas rusas como ella, además de otras asiáticas.

Pero, en fin... Mariya no le daba importancia a los irónicos reproches de sus compañeras asiáticas porque apenas comprendía tantas sutilezas. Pocas cosas eran importantes para Mariya salvo quizás comer y librar unas pocas horas en el trabajo, las suficientes para dormitar y reposar antes de ponerse en marcha de nuevo. Trabajaba desde los dieciséis años, pero no creía que eso fuese algo extraordinario: ¿no hacía todo el mundo lo mismo?

Sus compañeras rusas de la fábrica consideraban que Mariya poseía *yurodivstvo*, la inocencia de los antiguos santones, los *yurodivye* de cultura básica y espíritu sencillo —algunos malintencionados, de ánimo cruel, los llegaron a calificar de retrasados o locos—, por cuyas bocas se suponía que hablaba el Espíritu Santo. Aunque con los nuevos tiempos las viejas supersticiones se habían abandonado, junto a las credulidades que representaban las prácticas religiosas de antaño, aún pervivía cierto sentimiento que llevaba a algunos ciudadanos a mirar con respeto, a falta de la veneración que suscitaban en otros tiempos, a las personas como Mariya. Por eso, a Mariya, las rusas la consentían y escuchaban con amable interés. Ni su capataz le cerraba la boca cuando soltaba algo que, dicho por otra persona, se hubiese tomado como inconveniente.

Se decía que Iván *el Terrible*, un soberano despiadado e implacable, refrenaba su ira en muchas ocasiones gracias a los consejos de sus *yurodivye*, que se atrevían a dirigirse a él con palabras que nadie más osaría pronunciar.

De modo que Mariya pasaba su existencia sin sobresaltos en Tashkent, sin preocuparse por el futuro, de cuya realidad tampoco era muy consciente.

Hasta que el 26 de abril de 1966 la ciudad padeció un violento terremoto que la dejó arrasada. Mariya no sufrió ningún daño personal, pero observó la desolación a su alrededor y, por unas horas, sintió miedo. Creyó que quizás todo se había terminado.

No fue así. El mundo continuaba intacto más allá de Tashkent, y hubo que trabajar más todavía para reconstruir lo que la naturaleza había destruido. La misma naturaleza que comenzaba allí a ser domada de manera que algunos podían jurar que hasta el brillo del cielo se dejaba ajustar por la mano del hombre, se rebeló y lo arrasó todo.

Tashkent, que guardaba el corán Osmán escrito hacía trece siglos, y ochenta mil antiguos manuscritos árabes. Tashkent, el fruto exótico, el lugar de la seda cruda y el astracán gris, o marrón, o blanco. La de las uvas con nombres de poemas, como las llamadas «los dedos de mi prometida», *kelimbarat*. Una ciudad milenaria incontables veces conquistada y caída, puerto franco de la vieja ruta de la seda y del té, que corría invisible como un hilo de viento desde Damasco a Pekín, transformada por los nuevos tiempos en ciudad administrativa, *gubernátorski górod*, residencia de oficiales y burócratas y planificadores del mañana, se convirtió de pronto en un infierno, en un mundo «saturado de lágrimas desde la corteza hasta el fondo», como habría dicho Dostoyevski.

Una buena parte de la ciudad quedó hecha añicos, una montaña de escombros que dejó sin hogar a cientos de miles de personas. El número de víctimas mortales nunca fue hecho público por las autoridades soviéticas. Todas las repúblicas se esforzaron en la reconstrucción, los damnificados fueron alojados en ciudades satélite, e incluso una empresa francesa se instaló allí para desplegar su ciencia en la construcción de inmuebles antisísmicos. Pero Tashkent había sufrido una herida casi mortal; curarla fue arduo y llevó mucho tiempo.

Mariya participó en la restauración del desastre hasta que, un buen día, el Estado decidió desplazarla junto a otros cientos de compatriotas que repartió aquí y allá según sus habituales criterios secretos e inescrutables.

A ella la enviaron a Moscú. Tal vez, como sospechó más tarde Misha, debido a algún error burocrático. Tal vez no. Nadie comprendía bien cómo se tomaban esas decisiones ni quién lo hacía. El caso es que Mariya era *grazhdanka*, una simple ciudadana que no pertenecía al Partido, como la inmensa mayoría de los ciudadanos soviéticos, de modo que era extraño que fuese obsequiada por las autoridades con aquel privilegio: establecerse en Moscú, la capital de la Unión. Seguramente se trató de un equívoco. Tal vez no. Quién sabía...

El caso es que, por primera vez en su vida, Mariya se preparaba para avistar tierra rusa, donde tendría residencia legal. El futuro, esa palabra que antes carecía de sentido para Mariya, se formó en su mente como una posibilidad nueva, un reclamo deslumbrante, y sin que sirviese de precedente, la misma noche del día que le comunicaron su traslado, acostada ya y apretándose contra el pecho el viejo chaquetón con el que dormía, sonrió igual que un niño que espera un regalo.

En Moscú, pensó, sería más fácil encontrarse con Yuri Gagarin por la calle.

Feruza

Feruza había elegido España como destino de su emigración porque fue el lugar que, según se supo después del 86, se había librado de la nube, junto a Portugal, porque se le antojó lo más lejano posible de la nube radiactiva, del cáncer de tiroides, de los bosques *rojos* llenos de animales muertos, sacrificados a tiros o contaminados, de los corzos enfermos, de los renos podridos de Finlandia, de los peces con las entrañas corrompidas en ríos de media Europa.

A veces pensaba en el río Dniéper, espléndido y grandioso como una sucesión de lagos conquistando la estepa negra, el hermoso Dniéper alimentándose de las aguas radiactivas del río Prípiat y vertiendo sus heces dotadas con miles de años de vida en el mar Negro, cerca de donde ella vivía. Un gran río, el Dniéper, el río eslavo, el *var* de los hunos, ahora con peces monstruosos que se asomaban a la superficie con sus ojos rojos y malignos y pedían pan con la mirada al que los contemplaba estupefacto desde la orilla. ¿Qué guardará en su alma el río?, pensaba Feruza, y lloraba sus lágrimas de sangre al recordarlo.

En cuanto pudo, Feruza pidió un préstamo para

hacer el viaje a España. Madrid era el destino más fácil de alcanzar.

Tenía un hijo que, en 1998, cuando ella abandonó Ucrania, había cumplido diez años. Hacía tres que no lo veía, desde que lo subió a un tren para ir a visitar a su padre, que trabajaba en Bakú, Azerbaiyán, en la industria del petróleo, en ese sitio extraño que era el Cáucaso. Feruza había hablado con él por teléfono hacía aproximadamente un año. Tuvo que dejarlo atrás, lo dejó sin volver la cabeza. No había manera de ponerse a buscarlo entonces, cuando pudo confirmar su partida, y, además, seguro que estaba bien. Los hijos nacían y se iban, tarde o temprano. Y, de cualquier modo, los padres perdían a los hijos y los hijos a los padres y eso era algo que sucedía a diario. Algún día, si es que lograba reunir fuerzas y billetes verdes para volver a Ucrania, o para ir al lugar donde se suponía que trabajaba el padre del niño, intentaría encontrarlo. Lo pensaba de verdad. De veras que ésa era su intención.

Así que partió.

A sus espaldas quedaban su hijo y su antigua tierra, Ucrania, de sequías terribles y dañinos vientos cálidos, de lluvias escasas y cortas y llanuras asoladas por el frío. Sólo aspiraba a pensar en el futuro, sin volver la vista atrás, nada más le importaba que mirar hacia delante.

El préstamo con el que sufragó su emigración era muy elevado. Debería trabajar de firme para poder devolverlo. Feruza contaba con poco más de treinta años y confiaba en que no le faltasen las fuerzas.

Atravesó Europa, desde Kíev, en un autobús des

tartalado que logró completar el trayecto sin una mala avería, por fortuna. Ahí mismo conoció a Víktor, otro pasajero en el viaje hacia el porvenir.

Otra persona habría jurado que el viaje fue largo, pesado e incómodo, pero a ella se le antojó casi una excursión de placer.

Durante varios días y noches, mientras rodaban los casi cuatro mil kilómetros de distancia entre Kíev y Madrid, compartieron Víktor y ella el mismo espacio, uno al lado del otro en el vehículo atestado. En muchas ocasiones vio cómo el conductor cabeceaba sobre el volante. No hacían demasiadas paradas, y aunque en teoría contaban con dos chóferes que se turnaban, uno de ellos se apeó en un área de servicio, cerca de Zagreb, aprovechando que tocaba detenerse para ir al baño y estirar las piernas, y desapareció sin ser visto. No volvió a su puesto y hubieron de continuar el camino con un solo conductor, a todas luces cansado, malhumorado y más que harto.

Feruza comenzó a apoyar, de cuando en cuando, la cabeza sobre el hombro de Víktor, que cerraba los ojos y hacía como que no se había dado cuenta.

Tras haber rebasado Perpiñán, tomaron un desvío y salieron de la autopista, se adentraron en lo que podía ser un camino forestal y se detuvieron cerca de un terraplén, en medio de la nada, aunque no tocaba visitar las letrinas todavía. Los pasajeros se miraron entre sí, extrañados.

Caía la tarde, y un todoterreno estaba aparcado no muy lejos de donde estacionó el autobús.

Víktor miró inquieto, con su cara de infinita tristeza, a través del cristal de la ventanilla.

—¿Por qué paramos? —preguntó Feruza—. ¿Qué pasa?

Era la misma pregunta que repetían en voz baja, a su alrededor, sus compañeros de migración.

—Viene gente. Van a subir...

—¡Pero ya no cabemos más aquí dentro! —se quejó una joven, en voz alta, gritando de indignación—. No pienso dejarle mi sitio al que venga.

—Sí, el que venga tendrá que sentarse en el suelo.

—No es incómodo, las carreteras son muy buenas. *Shossé*, autopista, todo muy recto. No daremos saltos, podrán sentarse bien.

—¿Y para qué van a querer subir en este trasto teniendo un coche como ése? —señaló alguien hacia el 4×4 de lujo que resplandecía de brillos metálicos a pesar de la luz cada vez más escasa del anochecer.

El joven que había hecho aquella observación no se equivocaba: al instante, tres individuos subieron al autobús. No iban bien vestidos con elegantes chaquetas que los resguardasen del frío de un invierno somero que comenzaba a pintarse en las hojas de los árboles que bordeaban el camino. Al contrario, su indumentaria era la propia de unos obreros que hubiesen dejado lo que estaban haciendo para salir un momento a comer. Alguno de ellos hasta tenía restos de pintura de pared en las perneras del pantalón.

—¡Nombres, pasaportes! —gritó uno de ellos en ruso.

Feruza se removió inquieta en su asiento y, casi sin pretenderlo, se pegó al costado de Víktor, que en ese momento sudaba a pesar del frío del ambiente.

Ambos sacaron sus documentos y los entregaron dócilmente, igual que los demás.

Eligieron a tres pasajeros, Feruza supuso que al puro azar, y los sacaron fuera, donde los demás pudieran verlos. Los golpearon uno por uno, con patadas secas en la cara y en los riñones, hasta que los tres dejaron sospechosamente de moverse y oponer resistencia.

Una vez que se hubieron sentido satisfechos, subieron de nuevo al autobús donde se encogían, aterrorizadas, aproximadamente otras sesenta personas.

—¿Alguien más quiere probarlo? —preguntaron.

—Podemos lograr que soltéis los dientes por las orejas si nos dais un poco de tiempo, o motivos.

Nadie dijo nada. El silencio, dentro del vehículo envuelto en las sucias nieblas del final del día, era tan duro y resistente como el mármol.

—Me parece bien. Sois prudentes, camaradas. Sois inteligentes, y eso me alegra y reconforta mi alma. —Hablaba el que parecía el jefe, un tipo rubio, con el pelo rapado igual que un militar, y gafas oscuras a pesar de la falta de luz—. Nada me gusta más que encontrarme con buenos compatriotas que se disponen a ensanchar las fronteras de sus vidas. A ganar mucho dinero.

Hizo una pausa y se paseó de arriba abajo por el pasillo central del vehículo, mirando de uno en uno a sus pasajeros, que agachaban la cabeza conforme se iba aproximando a ellos.

—¿Queréis ganar dinero, ¿verdad? —gritó mientras torcía el gesto; como nadie respondía, aulló—: ¡os he hecho una pregunta!

Se oyeron unos forzados murmullos de asentimiento.

—Bien... —el hombre se fue calmando. Sobre el suelo frío reposaban los cuerpos de los tres que habían recibido la paliza, uno de ellos se movía, según pudo observar Feruza, pero los otros dos seguían muy quietos—, así me gusta. Hay que tener ambición. Eso os servirá para prosperar en la vida.

—Ganaréis muchos euros y podréis volver a casa algún día, ¡a la negra Ucrania!, y para entonces seréis ricos. Vuestros vecinos os mirarán con envidia y admiración e intentarán robaros en cuanto os deis la vuelta —dijo otro de los hombres, tratando de hacerse el gracioso, pero nadie fue receptivo a sus chanzas.

El conductor permanecía ajeno a lo que estaba ocurriendo dentro del autobús. Su actitud delataba su complicidad. Todo el tiempo estuvo de lo más tranquilo, e incluso aprovechó la interrupción para echar una cabezadita sobre el grasiento volante.

—Pero así como resulta imposible que tres personas toquen a la vez la misma flauta, así será imposible que encontréis trabajo si no contáis con nosotros.

—Somos vuestros camaradas. Os vamos a proteger.

—Os encontraremos trabajo. Tendréis trabajo nada más llegar a Madrid. Somos buenas almas dedicadas a hacer el bien.

La chica que antes de que llegaran aquellos hombres se había quejado, lanzó una mirada despectiva hacia el cristal situado a su derecha, teniendo buen cuidado de no establecer contacto visual con los extorsionadores. Murmuró algo en ucraniano, algo desagradable, Feruza pudo oírlo pero, por fortuna para todos, los individuos no se percataron.

Víktor no dijo nada, era un hombre de pocas palabras, si bien cuando les mandaron salir del autobús y formar una cola, se puso ordenadamente en la fila, precediendo a Feruza.

«Los soviéticos sabemos hacer colas como nadie, las hacemos hasta para intentar venir al mundo», pensó Feruza.

Fueron firmando los contratos y recogiendo los pasaportes que les habían confiscado un rato antes. Les dijeron que se sintieran felices, pues gracias a ellos habían sorteado todas las aduanas y controles fronterizos que separaban Ucrania de la Unión Europea, y que de no haber sido por sus buenos oficios, ellos solos no lo habrían conseguido nunca.

—Habéis dejado atrás los bosques y los calveros negros de Ucrania. Ahora sois libres —gruñó el jefe de los extorsionadores.

Feruza firmó con su nombre de soltera: nunca había tenido uno de casada porque no contrajo matrimonio con el padre de su hijo.

«Feruza Pajlova», escribió con pulso firme. Tenía mucha prisa por llegar a Madrid.

Le sorprendió que en el contrato, entrevisto a duras penas, figurase el nombre de la persona que le había prestado el dinero para el viaje. Ni siquiera le permitieron leer lo que allí había escrito, pero sus ojos se quedaron pegados un instante a aquel nombre grabado en turbias letras de ordenador. Luego pensó que era lógico, que todo era razonable y natural. El prestamista, sencillamente, trataba de asegurarse de que le devolviera el dinero fiado. Con un alto interés, como no tardaría en descubrir Feruza.

Víktor ya había firmado y la esperaba en su asiento, dentro del vehículo. Con sus pantalones desgastados por el uso, de mala calidad y anticuados, en los que se marcaban las rodilleras como si hubiesen dado mucho de sí en muy poco tiempo, la camisa marrón deslucida y una bufanda de color indefinido que producía picores al tacto, según pudo comprobar Feruza a lo largo del viaje, parecía un siervo del siglo XIX más que un trabajador libre y preparado para hacerse rico a finales del XX.

—Ya somos libres, ¡libres! —le susurró Feruza cuando retornó a su sitio junto a él.

Víktor la miró con atención, pero no respondió nada. Sacó una petaca de su vieja bolsa de viaje, y cerró los ojos mientras bebía un trago largo.

Sigrid

Sigrid, que había cumplido ya cinco años de disimulada condena, empezaba a estar harta.

Mientras se encaminaba a la calle Corredera Baja de San Pablo se dijo que no soportaba su trabajo, si es que podía llamarse trabajo a lo que hacía. Quizás debiera dejarlo todo e intentar parasitar a su madre. Al fin y al cabo, como aseguraban los míticos *jevis* de la Gran Vía, trabajar es contribuir a un sistema que hace a los pobres más pobres y a los ricos más ricos. Bueno, más o menos. Si los *jevis* llevaban siete años sin trabajar, quizás ella podría vivir otros tantos sin hacer nada. Conocía a mucha gente que era de la misma opinión, y no parecía que sufrieran unas vidas peores que la suya.

Sonrió observando con la sorpresa habitual a la pintoresca fauna humana que recorría el centro de Madrid a todas horas. Locos, paletos, modernos, yonquis, putas, turistas, policías municipales, famosos, estudiantes, inmigrantes, pijas, barrenderos con la cabeza siempre gacha...

Bueno, la verdad es que ella no era de esa clase de gente que vive a costa del trabajo de otros: desde que tenía memoria había sentido la necesidad de ganarse la vida, de no deberle nada a nadie. Supuso que ello se debía a su complejo de niña adoptada. De negrita pobre cobijada por una familia bien madrileña.

Su pequeña familia era, por supuesto, muy blanca. Pero Sigrid tenía la piel de los zombis: de un negro que se ha vuelto blanco por las cosas de ultratumba y que, por si fuera poco, luce unos enormes y pálidos ojos verdes llamando la atención sobre su cara.

Echaba mucho de menos a su abuela, la única persona del mundo con la que jamás había discutido. En ocasiones meditaba sobre el asunto, se decía a sí misma que su abuela no pudo ser tan perfecta como ella la recordaba. Hacía un esfuerzo y procuraba evocar el defecto mezquino, el detalle grosero, feo, inicuo, el rasgo malicioso ya olvidado, pero cierto, que la humanizase. Sin embargo, no lo conseguía. No había nada malo sobre su abuela que ella pudiera desenterrar de sus recuerdos. Siempre la trató como si fuera carne de su carne. No hizo distingos entre su piel y la de su nieta. Y, en la caja negra de la memoria de Sigrid, su imagen había ido creciendo hasta alcanzar la estatura de un gigante.

No podía decir lo mismo de su madre. Su madre adoptiva. Su madre, pues no conocía a otra.

El trato con su madre no era bueno, y no mejoraba conforme ambas iban cumpliendo años.

Llegó al portal número trece y ladeó la cabeza mientras observaba la fachada del edificio en obras. Los andamios la ponían nerviosa.

Subió andando hasta el segundo piso del edificio decimonónico. El centro de Madrid se había detenido en el siglo XIX. Sigrid anheló vivir una temporada en un rascacielos recién terminado, tal vez en Hong Kong. Algo nuevo, flamante y fresco, sin fantasmas del pasado recorriendo noche y día las habitaciones.

Saludó a la recepcionista en cuyo rostro resplandecía una sonrisa perenne producto de sus largos años de terapia a precio reducido por ser trabajadora de la casa.

—Llegas tarde, ya han empezado —le indicó con el dedo índice enhiesto apuntando hacia una puerta.

No hacía falta. Sigrid conocía bien el camino.

Cada vez que entraba en aquella habitación, decorada con la sensibilidad naif y condescendiente de una guardería para adultos psicóticos, se sentía humillada.

Terapia de grupo. Eso hacía Sigrid allí.

Una vez por semana, durante los últimos cinco años. Exceptuando los meses de agosto y las vacaciones de Semana Santa, además de algún resfriado de esos que cursan con procesos febriles, Sigrid no se había perdido ni una sola sesión.

Ella era una mujer religiosa y disciplinada, de modo que se lo tomaba como una penitencia. Porque, entre otras cosas, no le cabía duda de que lo era. Una penitencia por su ligereza, por no tomarse en serio la vida, por haber acabado con la existencia de un hombre joven, estúpido, ladrón, pero humano al fin y al cabo. Sentía un nudo en la garganta y ganas de echarse a llorar como una niña cada vez que rememoraba la infausta hora en que se convirtió en homicida.

De «expresar libre y honestamente tus problemas, miedos, sentimientos, fobias...», de eso se trataba en aquella habitación llena de cojines de colores calmantes, sillas de colores suaves, cuadros de colores tranquilizadores y nervios nada templados.

«Tienes que ser feliz, tienes que ser feliz», le repetía su psicóloga en las sesiones de terapia. O quizás se trataba de la voz de su conciencia. Fuera quien fuese, Sigrid sentía ganas de contestarle a grito limpio: «Ya soy feliz, ¡que te den!», y luego salir corriendo.

Cuando entró en la sala, les dedicó a todos su más luminosa e hipócrita sonrisa y tomó asiento mansamente en su lugar habitual.

Inspiró con fuerza, soltó el aire con suavidad y procuró relajarse. Al fin y al cabo, sólo eran cuarenta y cinco minutos escasos. Ninguno de los allí reunidos se sentía capaz de llegar a la hora completa.

Misha

Era bastante bueno en los estudios, si bien Misha no pensaba trabajar nunca en su vida. Hacía tiempo que decidió seguir una honorable carrera de *vor*, de ladrón, y olvidarse del trabajo, algo en lo que no creían ni los miembros del Buró, o del aparato del Partido, todos los cuales formaban parte de sus respectivas mafias locales o nacionales. El viejo dicho «Vive y deja vivir» traducido al ruso que él hablaba quería decir «Roba y deja robar a los demás». Ni por un instante se veía a sí mismo como un trabajador industrial, en la región de Voroshilovgrado, por ejemplo, produciendo hierro y acero, o locomotoras diésel, a cambio de unos miserables ciento cincuenta rublos al mes, siendo un buen productor comunista, levantándose antes que el sol para acudir a la mina o a la fábrica, rompiéndose el espinazo cada día y muriendo a los pocos años con los pulmones reventados y sin que nadie le diera las gracias.

Oh, no. ¿Por qué? ¿Para qué?

Él quería ser alguien respetado, y los ladrones tenían todo el respeto que un hombre pudiera soñar. En su casa de Dnepropetrovsk, por las noches, tumbado en la oscuridad sobre el catre lleno de bultos, soñaba con un futuro distinguido de criminal. Imaginaba que todo el mundo en el barrio hablaba de él con admiración, alabando sus «manos de oro» y su habilidad de carterista. Que las mujeres lo bendecían y los artesanos bajaban los ojos a su paso y asentían con devoción ante su presencia, reconociendo que estaba escrito en las estrellas su destino: que Misha sería un gran ladrón.

El más grande de todos.

Un hombre de negocios con una vida normal.

Otar y Grigori esperaban a Misha en un soportal, tal como habían convenido, frotándose las manos y dando saltitos para combatir la helada.

«Un tuerto y un cojo —pensó Misha con una sonrisa torcida—, vaya par de asnos.»

Se encaminaron al metro y salieron del centro de Moscú hasta llegar a un viejo almacén abandonado que amenazaba con desplomarse sobre sus cabezas de un momento a otro.

Bajaron a los sótanos, allí habían quedado con sus compinches adultos, y allí recibirían instrucciones para un trabajo por el que Misha esperaba obtener unos buenos y crujientes billetes a cambio. Dado el aspecto del edificio, eran muy pocos los que se atreverían a introducirse en él ni siquiera para tratar de resguardarse del frío. Pero las condiciones del inmueble no arredraron a los tres amigos. Sabían cómo pisar y dónde estaban situadas las baldosas o los muros ruinosos que no debían rozar siquiera.

En aquel momento, Misha era muy joven, no podía ni imaginar que llegaría un día en que habría de ser conocido como Iván *el Terrible*, o el hombre del corazón de paloma, igual que llamaban los camaradas a Dzierżyński, el fundador de la Cheka, hábil en dictar sentencias de muerte a la vez que en jugar con los niños en las calles. De haberlo sabido, Misha habría sonreído, orgulloso de sí mismo.

Aunque el chico no tenía ni idea cuando se levantó por la mañana, esa misma tarde, cuando la oscuridad envolviera íntimamente a la ciudad como un asunto privado, Misha ejecutaría su primer asesinato.

Fue en el cementerio Novodévichi, no muy lejos de la tumba de Antón Chéjov. Nadie podía haber pensado en un lugar más discreto y apropiado.

Y fue él, Misha, el único de los tres muchachos que tuvo valor, porque Grigori y Otar se rajaron. Fue él mismo quien hubo de clavar las escarpias para cerrar el ataúd donde metieron a un hombre vivo que hacía tiempo comenzó a resultarle muy molesto a alguien.

El ataúd ya estaba ocupado antes de recibir a su nuevo inquilino. Lo devolvieron a su sitio, en el cementerio, poco después de volver a rellenarlo.

El hombre encerrado en él no estaba consciente del todo, pero Misha oyó cómo se rebullía y respiraba con dificultad, con ruidos parecidos a los que haría algo vivo que se deslizara y rozara el acero con que estaba forrada la mortaja de madera vieja.

—¡No te quejes, liendre revoltosa! —le espetó

nerviosamente el chico al individuo sepultado en vida que resollaba en el interior, mientras clavaba la última gruesa tachuela.

El crimen que estaba cometiendo lo mareaba de miedo, pero de alguna manera también lo envalentonaba el poder que le procuraba acabar con la vida de un ser humano de una manera tan sencilla, tan trivial, tan barata.

Sonrió a sus amigos para tratar de relajar el ambiente, pero los dos se habían apartado unos metros, diluyéndose en la oscuridad reinante, y ni siquiera estaban mirando, los muy gallinas. Esperaba que, al menos, le echaran una mano con el cemento y los ladrillos cuando tuviese que cerrar el nicho de nuevo.

Misha no sabía quién era aquel hombre ni qué había hecho para merecer una muerte así, pero tampoco le daba muchas vueltas al asunto. Sólo pensaba en acabar su trabajo, cobrar y largarse pronto del cementerio. No había previsto que le encargaran un asesinato, pero por otro lado se dijo que siempre había una primera vez y más valía empezar cuanto antes si quería prosperar en lo suyo. Además, el hombre estaba vivo todavía, podía sentirlo. Él se estaba limitando a impedirle que saliera fuera del ataúd a respirar un poco.

Nunca supo su nombre, el nombre de la víctima: Leonid Prigogine, ni que era judío, ni que aquel individuo no era un criminal, sino un buen hombre, trabajador, honesto y amante de su familia. Nunca supo que tenía dos hijos, uno de ellos casi de su misma edad. Nunca se enteró de que Leonid Prigogine era muy querido en su hogar.

De todos modos, Misha ni siquiera estaba seguro de a qué cosa se podía llamar hogar. Y, de haber conocido toda la información, tampoco le hubiese importado lo más mínimo.

—¡No te quejes, te digo!... —jadeó en dirección al ataúd mientras daba golpes profundos y secos—. Vas a estar rodeado de vecinos ilustres. Los hombres más famosos de la madre patria te harán compañía por toda la eternidad, *továrisch*... Nunca está de más tener influencias y contactos.

Misha no volvió a acordarse de aquel pobre desgraciado ni siquiera cuando, más de medio siglo después, su nombre apareció escrito en un trozo de papel dentro de su bolsillo, mientras él mismo agonizaba.

Polina

Cuando atracaron en Estambul las acomodaron en una furgoneta de ocho plazas. Eran diez personas, contando a los dos hombres que las acompañaban, de modo que las chicas se apretujaron en la parte de atrás.

La ciudad olía a especias, a tubo de escape mal regulado, a multitud de seres humanos apresurados que se movían afanosos y cargados con bolsas llenas de fruta, carretas de baratijas, carteras, teléfonos móviles... Era ruidosa y alegre. La basura y la belleza más perfecta se mezclaban en sus calles.

Llegaron a un hotelucho situado entre el puente de Gálata y la mezquita otomana Rüstem Pasha, no lejos del Bazar de las Especias, en un callejón discreto y lóbrego, con unos pocos niños que lo atravesaron gritando y corriendo a la velocidad de una flecha y ropa tendida de colores apagados aireándose en los balcones bajo la fresca neblina de la ciudad. Si bien Polina nunca lo supo, no llegó a enterarse de cuál era el lugar exacto del mundo donde se encontraba. Para ella, habría dado lo mismo si alguien le hubiese dicho que estaba en la luna, aunque juraría que podía sentir muy cerca la presencia del mar. Un mar furti vo cuya humedad almizclada lamía su cara en una suerte de ritual religioso lleno de compasión.

Durante muchas noches soñaría con el mar, mientras se imaginaba a sí misma penetrando en las aguas de hielo del Bósforo, donde se juntan las olas del mar de Mármara y el mar Negro, desnuda igual que una muñeca arrojada desde una goleta por una niña rica malcriada, con la respiración contenida y las estrellas impasibles tras su distancia sorda, formando parte de esa cortina de humo y brillantes de los cielos. Y luego el silencio bajo las aguas, la paz de una tumba marina que, gota a gota, le fuese apagando el corazón hasta que ella ya no pudiese sentir nada. Nada.

Las alojaron en dos habitaciones. Cuatro muchachas en cada habitación. Las estancias no tenían ventanas, sólo unas rejillas que hacían la función de respiraderos. Polina se asomó por una de ellas, pero no logró divisar nada. Aparentemente, no daban a la calle, quizás a un patio interior.

Polina suponía que pasarían allí la noche hasta que, al día siguiente, las llevaran a sus respectivos empleos. Se dispuso a acomodarse para remontar la velada de la mejor manera posible. Pensó en su madre, en qué habría sentido al darse cuenta de su desaparición, en si habría llorado por ella. No quería preocuparla, pero la única manera de hacer las cosas era así, huyendo sin mirar atrás.

Sus tres compañeras de cuarto seguían sin hablar. Sólo intercambiaron unas palabras para repartirse las dos camas. Tendrían que compartir los lechos de dos en dos. Notó sus miradas de hostilidad y sintió vergüenza, aunque no sabía por qué.

Todas eran mayores que Polina.

Le tocó dormir con una joven rubia, cuyos ojos normalmente apagados tenían ocasionales episodios de viveza que después oscilaban entre la furia y el apocamiento, como las luces de un faro que fuese perdiendo la potencia y la recuperase cuando parecía a punto de extinguirse definitivamente. Le dijo que se llamaba Isabel, y Polina pensó que el nombre no le pegaba y que quizás le estaba mintiendo, aunque no veía por qué razón haría algo así. Tal vez, recapacitó enseguida, porque ella, en toda su vida, nunca había conocido a nadie que dijera la verdad. Ni ella misma decía la verdad, si podía evitarlo. Su madre mentía, sus amigas del colegio mentían, los vecinos mentían, su profesora mentía, el gobierno mentía. Ella misma había mentido no hacía tanto: le había mentido a su propia madre. ¿Por qué no iba a mentir aquella tal Isabel?

Uno de los hombres entró en la habitación cuando ellas habían empezado a deshacer sus pequeñas maletas. Liliana había advertido a Polina que no era necesario que llevase muchas cosas. Tan sólo un bulto, mejor una mochila si disponía de una, con lo imprescindible. Una muda de ropa, alguna prenda interior, unas zapatillas de recambio y una bolsa de aseo, poco más.

—Cuando estés en Estambul y empieces a ganar dinero, podrás comprar todo lo que quieras —le dijo, sonriendo con unos dientes que a Polina, tontamente, le recordaron a una mano enguantada.

El hombre tenía el pelo de un color rubio ceniciento y los ojos, achinados y hundidos igual que dos nichos diminutos, irradiaban ebriedad y enojo.

—Tomad una ducha y arreglaros un poco —les ordenó con tono gutural, en ruso.

Las jóvenes se miraron entre sí, con aire interrogante.

—¿Vamos a salir? —preguntó la que parecía la mayor del grupo.

—Debéis prepararos para trabajar —gruñó el hombre por toda respuesta. Cerró la puerta con un golpe y desapareció de la vista.

Así lo hicieron, se fueron duchando por turnos. El cuarto de baño, dentro de la habitación, estaba sucio, tenía baldosas desportilladas que revestían las cuatro paredes a duras penas, y manchas de color marrón incrustadas para siempre en el linóleo del suelo, como si ya formaran parte del antiguo y deslucido dibujo original. Enseguida se llenó de vapor, porque tampoco disponía de ventilación. El agua caliente se acabó después de que se duchara la segunda chica, de modo que Polina, que se aseó la última, hubo de conformarse con un chorro débil de agua fría que salía del surtidor colgado en el techo igual que tenues fideos congelados que se le clavaron en la piel a la manera de agujas.

Sin embargo, Polina estaba acostumbrada a cosas peores, de modo que tampoco prestó mucha atención a las incomodidades de su nuevo alojamiento.

Se sentía excitada y nerviosa.

Quizás pasaría esa misma noche en su nuevo hogar, lista para emprender el trabajo a la mañana siguiente. ¿Cómo serían los niños que debía cuidar? ¿Muy pequeños, o ya crecidos? ¿Sabrían hablar, la despertarían en mitad de la madrugada?... ¿No se quejarían los padres de la excesiva juventud de la nueva niñera? Tal vez creyeran que, debido a su edad, no sería lo bastante responsable...

Cuando se estaba secando, con una toalla de algodón roído que había tenido la precaución de llevar consigo (las otras chicas habían acabado también con la provisión de toallas de que disponía el servicio), oyó cómo la puerta de entrada se abría y varias personas irrumpían en la habitación.

Las voces la golpearon como un manotazo en mitad de la cara. Se apresuró a vestirse de nuevo y abrió la puerta del baño con mucha delicadeza, temiendo estorbar en medio de algo muy importante.

Un hombre bajo y recio la sujetó por el pelo nada más abrir. Le dio un empujón y la tiró encima de una de las dos camas. Las otras muchachas estaban acurrucadas por la estancia, de poco más de veinte metros cuadrados. Eran tantas personas que la habitación semejaba un salón de baile, una sala de espera para visitar a un médico muy reputado, una conejera.

—¡Tú, puta! ¡Sal de ahí y desnúdate! —le ordenó el hombre. Pero lo hizo en turco y Polina no entendió lo que decía.

Se quedó parada, mirándolo con las mejillas encendidas y la lengua seca como un trozo de papel viejo. Sin atreverse a mover un músculo, confundida.

El rubio que las había acompañado en el barco y luego hasta el hotel, se encargó de traducir la orden y, cuando Polina asimiló aquellas palabras, sintió tanto miedo que empezó a orinarse sin poder contener la vejiga.

Había cuatro hombres en el cuarto. Dos de ellos tomaron asiento en un par de desvencijados sillones revestidos de terciopelo rojo, gastado y sucio. Llevaban bebidas consigo y farfullaban entre sí. Uno de los que quedaron de pie, pelirrojo y con la mirada odiosa de una sabandija, golpeó a la chica que hacía poco le había confesado su nombre a Polina, la que esa noche tendría que compartir cama con ella. Isabel dio un traspié y se derrumbó en el suelo. El tipo la levantó y le dijo que se desnudase. Isabel temblaba y gimoteaba igual que una niña, pero obedeció y se quitó la ropa mientras mantenía los ojos cerrados con fuerza, con desesperación. Suplicaba en moldavo, y en ruso, pero al hombre no pareció importarle. La agarró por el cuello, la tumbó boca abajo en la cama, se abrió la bragueta y, sin bajarse el pantalón, comenzó a violar a Isabel mientras sus tres compañeros miraban complacidos y hacían comentarios jocosos.

Las otras dos chicas, y Polina, se habían quedado paralizadas por el terror. Pensaba que no entendía por qué, en un momento como aquél, en lugar de llorar estaba orinándose encima. Se tocó la mejilla. Su mano sufría una suerte de espasmo nervioso pero logró acercarla hasta sus ojos. Las cuencas estaban secas como el aire de Chisinau en agosto. ¿Dónde estaban las lágrimas? ¿Acaso no debería llorar, qué le estaba ocurriendo? ¿Su corazón se había parado y por eso no le funcionaba el resto del cuerpo?

Isabel chilló de dolor mientras los otros tres hombres la violaban, uno tras otro. Cuando empezó a sangrar de manera copiosa, el turco sacó algo de una bolsa que había llevado consigo. Le tiró una esponja retractilada en plástico transparente que quedó sobre la cama, al lado de la cara de la muchacha.

—Métela dentro —le indicó uno de los rusos—, y deja de quejarte, perra. No es para tanto.

Cuando parecía que el tormento había llegado a su fin para Isabel, las otras chicas se dieron cuenta de que tal vez era su turno y se abrazaron. No entre ellas, sino cada una a su propio cuerpo, como si tuviesen mucho frío o temieran caerse a algún precipicio.

El turco se acercó a Polina, que se sentía pegajosa e incómoda con aquella humedad bajando a lo largo de sus piernas hasta el suelo. Le tocó el pelo, lacio y sin brillo y berreó algo. Los otros tres soltaron unas carcajadas.

El rubio se plantó delante de la niña y le pasó los dedos por encima del puente de la nariz, igual que si la estuviese acariciando. Polina pudo oler aquello y cerró los ojos, aterrorizada. La mano de aquel hombre emanaba un hedor insoportable a herida cruda, abierta. A alcohol. A sexo roto. A la mugre de su alma.

—¿Eres virgen, *matrioshka*? Apuesto a que sí... —le susurró con su lengua pastosa rozándole la oreja—. ¿Cuántos años tienes?

Polina no dijo nada.

Hubiese querido hablar, de verdad. Hablando conseguiría explicarse, sacar a aquellos hombres de su error, pedirles por favor que la dejaran salir a la calle y marcharse en busca de su trabajo de niñera. La estarían esperando... La despedirían antes de empezar si no lograba llegar a tiempo. Necesitaba la dirección de aquella buena familia rusa, una familia buena y rica; se las apañaría para llegar hasta allí ella solita. No necesitaba nada más, tan sólo una dirección, la casa donde la esperaba su futuro, su fortuna...

Pero no podía articular palabra, la garganta se le había cerrado y ahora apenas dejaba pasar el aire suficiente para continuar respirando y mantenerse viva. Era como un cajón que se hubiese atrancado para siempre.

Uno de los compañeros del rubio rebuscó en las maletas de las chicas hasta que sacó los cuatro pasaportes.

—Quince años —contestó por la niña, relamiéndose unas gotas de sudor cerúleo acumuladas sobre el labio superior, después de revisar los documentos uno por uno—. Hemos pescado un buen pez. Un pez grande es mejor que muchos peces pequeños —se metió los documentos en un bolsillo de la chaqueta y sonrió con fruición.

El turco —los otros lo llamaban Kadir, según creyó entender la niña— se acercó a Polina dispuesto a manosearla. Sus ojos brillaban de lujuria y hablaba sin parar; de vez en cuando estornudaba y los otros se reían.

—¡No la toques! —el rubio puso una mano encima del hombro del turco, que retrocedió, frustrado y sorprendido, dando los traspiés propios de un borracho—. No se te ocurra ponerle la mano encima. La venderemos mejor. Si es virgen, así seguirá hasta entonces. Si quieres meterla en algún lado, ahí tienes a las otras. O prueba con la cerradura de la puerta. ¡Ja, ja, ja!

Esa noche, Polina asistió a la violación de las otras dos chicas, que no dejaron de llorar mansamente, pero sin decir una palabra de queja. Eran como corderitos resignados a su sacrificio. De alguna manera sabían que, quejándose, sólo conseguirían que su tormento fuese mayor.

Meses más tarde, Polina se enteró de que a una de ellas, que tuvo un arrebato y olvidó la prudencia como la que se deja el bolso en una estación, la mataron a golpes con una bola de billar metida dentro de una media. Polina nunca supo su nombre. Pero para entonces ya había aprendido que sus nombres no importaban. Ni el de las otras, ni el suyo propio.

Mientras Isabel permanecía en una cama, en posición fetal, con la mirada perdida en el techo desconchado, el otro lecho sirvió de sostén a las embestidas feroces de los hombres. Estuvieron allí, abusando de las chicas, durante horas.

Polina permaneció sentada en el suelo, cerca de la puerta del retrete. No le permitieron entrar al baño cuando hizo ademán de escurrirse dentro furtivamente.

—Mira y ve aprendiendo —le recomendó uno de los individuos que, al ver que la niña tenía los ojos cerrados, le dio un puñetazo en el cuello y la obligó a abrirlos de nuevo de par en par.

Pero Polina no era capaz de ver nada. Hacía horas que la realidad se había borrado para ella: el espanto la había cubierto con su velo.

—¡No te atrevas a dejarle marcas, cabronazo! —advirtió el rubio, profundamente ebrio—, no te atrevas a estropearla o me tendrás que comprar otra *matrioshka* nueva.

Polina recordó, sin venir a cuento, a su amiga Svetlana, sonriendo coqueta en mitad de la calle, cuando pasaban al lado de un grupo de muchachos camino de la escuela. Con sus dientes desportillados, recitando un eslogan publicitario que decía «*Baietii tot baieti*!!». Los chicos son los chicos.

Luego pensó en su madre. Cualquiera que no la conociese como su hija no sabría calcular su edad, no sabría decir si aquella mujer, que vista de lejos parecía un borrón de lápices de color negro, estaba más cerca de los cuarenta que de los sesenta. La vida dura, la falta de una correcta alimentación, la intemperie, las necesidades y penurias, avejentan a cualquiera. Polina imaginó a su madre y no pudo llorar ni una sola lágrima mientras en su memoria se dibujaban sus botas altas hasta la rodilla, cuarteadas como la piel de un muerto, cosidas una y otra vez con bastas puntadas de cordel, con los tacones torcidos y algún remiendo de trapo en la zona del empeine. Su falda larga de paño con la bastilla descosida por detrás. La chaqueta de hombre que le daba un aspecto entre ridículo y enternecedor, y aquel abrigo que nunca quiso decir de dónde había sacado y que, en invierno, ni siquiera se quitaba para dormir. Polina pensó en el pañuelo, casi siempre sucio, que le cubría la cabeza a su madre y que ella se anudaba con delicadeza en la base del cuello, y volvió a sentir la orina impregnando de una repugnante tibieza el gélido suelo sobre el que hacía horas se había derrumbado.

Pensó en las otras cuatro chicas con las que había viajado desde Moldavia. Tal vez ellas tendrían mejor suerte. A lo mejor sí encontraron un trabajo de niñeras, de camareras, de bailarinas, y ahora correteaban por Estambul con enormes sonrisas que se bebían las luces de la noche. Y mientras esas jóvenes, con un poco de suerte, tal vez se encaminarían ahora mismo hacia la libertad y el futuro, el alma de Polina se convertía en un vaso vacío y la nada se comía lentamente sus ojos azules.

Sí, claro que sí. Debió de haberse ido a la otra habitación, la habitación de la suerte, pensó con la mirada perdida.

Apoyó una mano fría sobre el charco de orina y sintió que su calor, por primera vez, la confortaba.

Sigrid

Sigrid llevaba varias horas dedicada a solucionar papeleo. Para eso había quedado, profesionalmente: para rellenar informes sobre violencia de género. Se sentía una vulgar secretaria. Y mala, además. Le dolían las muñecas y el codo derecho de tanto escribir a máquina. Ni siquiera disponía de un ordenador y, como no era demasiado buena con la taquigrafía, se veía obligada a usar un corrector una o dos veces por línea. Luego fotocopiaba la hoja y así resultaba más presentable, sin los grandes borrones blancos que la convertían en una especie de muestra de tela de lunares. El olor a típex la mareaba. No percibía muchas diferencias entre ella y un adolescente de esos que esnifan pegamento dentro de una bolsa.

La comisaría de la calle Leganitos bullía de actividad. La noche anterior, tres magrebíes recién llegados a Madrid habían intentado robar en un apartamento del edificio de al lado.

—¡Qué desfachatez, delante de nuestras narices!... Ya no hay respeto, joder... —había comentado Sánchez Soria, que hacía guardia en la puerta. Tenía el aspecto cansino y decadente de un hombre de mundo que sopesa seriamente la idea de la jubilación y el tinte de cabello casero.

Luego se dieron cuenta de que los ladrones no sabían leer ni las señales de tráfico: el letrero donde decía claramente «Comisaría de policía» se les debió de antojar tan dudoso como el del pequeño supermercado de enfrente. Ni siquiera estaba muy claro que supieran leer en árabe. Y, desde luego, no distinguían los uniformes de la policía de los de alguna compañía privada de guardias jurados.

El despacho de apenas cuatro metros cuadrados donde Sigrid tecleaba cansinamente tenía ventanas con cristales opacos, sucios, en la parte que daba a algún patio interior del edificio. La porquería acumulada tamizaba la luz con más eficacia que una buena cortina y creaba un ambiente absurdamente agradable.

La asistente social entró hecha una furia, sin llamar. La puerta estaba entornada, pero aun así Sigrid esperaba de sus visitantes que tuviesen la cortesía de dar unos golpecitos antes de pasar, sólo por educación.

—Hola, Idoia, adelante, pasa... —la saludó. De cualquier modo, era una excusa perfecta para dejar de escribir un rato—. Estás en tu casa.

Por un instante, al mirarse las manos agarrotadas por la tarea de mecanografiar, Sigrid tuvo la visión del hombre al que había matado —se le antojó que habían pasado mil años desde entonces, pero que aun así la sangre de sus manos no había tenido tiempo de secarse todavía; se las limpió con una toallita húmeda—, sintió un estremecimiento, una tiritona, a pesar de que el otoño era templado y la temperatura de la habitación incluso algo sofocante.

—¡Se le va a cortar la leche!... —chilló Idoia, indignada.

—¿Qué? —Sigrid miró a su alrededor. Ni siquiera tenía un café sobre la mesa—. Bueno, yooo...

Ella no tomaba café. No le sentaba bien. Sigrid padecía de un estómago delicado. Y, además, el café tenía un bajísimo porcentaje de alcohol. No le interesaba como bebida.

Idoia lucía un pendiente en la nariz. Tendría poco más de treinta años, vestía con faldas largas de colores fuertes, llevaba rastas pegadas en el pelo con unos rebujos que parecían de goma seca. Se había teñido el pelo de color verde.

«Como Verlaine, qué graciosa —pensó Sigrid—. ¿A quién piensas epatar con el pelo verde, chica?... Si hoy día todo el mundo lo lleva así.»

—¡Sigrid! ¿Me estás oyendo?

—Alto y claro. Entre otras cosas porque tú no paras de gritar.

—Te estoy diciendo que se le va a retirar la leche si no dejan que el bebé esté con ella. La tenéis encerrada. —Idoia se frotó las manos, nerviosa—. ¿Pero qué mierda de sistema es este que no permite que una madre le dé a su hijo de mamar?

—Cálmate, mujer. En primer lugar: ¿de qué me estás hablando, Idoia?

—¡De Nani! —dijo la asistente social.

—Nani, Nani... Déjame ver. ¿Fecha? ¿Tienes el número de expediente?

Idoia suspiró, visiblemente irritada con la incompetencia de Sigrid.

—Nani Muhammad Touré, oriunda de Mali, de la etnia soninké —repitió cansinamente.

Sigrid salió de su sopor en cuanto oyó la expresión «de Mali». Se rebulló en la silla y abrió un archivador.

—Ahora ya sé a quién te refieres. Podías haber empezado por ahí.

Nani Muhammad Touré era una belleza africana de un metro setenta y ocho centímetros de estatura y unos veinticinco años (tampoco había que hacer mucho caso de las fechas de nacimiento que llevaban estampadas la gente africana en sus pasaportes, aunque sí ofrecían una cierta orientación).

Tenía dos hijos pequeños, de dos y cuatro años, además de un bebé de unos tres meses. La detuvieron cuatro días antes. Su marido había hecho un viaje a Mali. Nani se quedó en casa —en Madrid, en el piso de cuarenta metros cuadrados que compartían con otros siete compatriotas—, esperando el regreso de su hombre. Cuando el marido volvió de África, traía consigo a otra mujer, de modo que le ordenó a Nani que volviera a Mali con los críos para que la nueva esposa pudiera quedarse con él en España usando los papeles de residencia de Nani, que había obtenido un pasaporte español gracias a su prole: los niños de padres extranjeros nacidos en territorio español tenían derecho a la nacionalidad «de origen» para no ser considerados apátridas, de modo que abrían un puente a la regulación de sus padres. Nani había parido tres hijos. Era una buena musulmana. Incluso le habían practicado la ablación de clítoris cuando apenas sabía andar. Y ahora su marido le decía que volviera al agujero del que tanto trabajo le había costado salir para dejarle su lugar a otra. Más joven, aunque no fuese tan alta ni tan principesca como ella.

A Nani no le sentó nada bien la orden de su marido. El primer día, el hombre grande, y tan oscuro que era imposible distinguirlo por la noche del resto de los muebles del cuarto, descansaba del viaje boca arriba, roncando, satisfecho, al lado de la nueva esposa. Nani se acercó hasta su cuerpo, silenciosa como una leona, y con un cuchillo bien afilado le rebanó un tercio del pene de un solo tajo. Confesó, con las pocas palabras que era capaz de utilizar en español, que le resultó más fácil de lo que había supuesto.

«Yo creía duro. Huesos, ¿no? Pero no», chapurreó, en absoluto arrepentida de su fechoría.

La encerraron pocas horas después. Estaba amamantando al bebé, y lo que Idoia temía, y pretendía evitar, era que Nani se quedase sin leche, al no tener a su hijo consigo para darle de mamar a sus horas.

—Pero yo no puedo hacer nada, Idoia. Eso tendría que haberlo previsto la jueza... —Sigrid se encogió de hombros y meneó la cabeza, muy seria—. Deberías elevar una petición al juzgado. No sé, un suplicatorio... Los bebés no pueden estar en un calabozo y...

—Peticiones. Juzgados. Jueces. Y todos cerrados a cal y canto por vacaciones, por convencimiento o por joder. Ése es vuestro asqueroso sistema, ¡podéis estar orgullosos! —Idoia se dio media vuelta, lista para marcharse.

Sigrid se dijo que lo único que Idoia pretendía era desahogarse gritándole a alguien porque, en el fondo, sabía perdida su batalla de antemano. Lo que le molestaba era que cualquiera que tuviese ganas de pegar unas voces acudiese a ella. En eso se había convertido: en una pésima mecanógrafa y en la bacinilla de los fracasos, errores y malogros de los demás. A veces especulaba que hubiese sido mucho más fácil ir a la cárcel por su homicidio. A estas alturas, ya habría saldado su cuenta con la sociedad y sería libre. Pero la cosa no había sido así, de modo que ahí estaba: pagando eternamente su culpa.

—¿Y tú no puedes hacer algo? ¡No me digas que no puedes hacer algo! ¿Para qué estás aquí entonces, joder? ¿Es que no puedes comprender el caso? ¡Es una pobre mujer africana que tiene a una criatura que alimentar! Parece mentira que tú seas... —Idoia se mordió los finos labios. Sigrid pensó que se haría sangre.

—Que yo sea... ¿qué, Idoia? ¿Negra? ¿Medio negra? ¿Mulata? ¿Mulatita?...

Idoia miró al suelo.

—No quería...

—¿O acaso tengo la cara de color *wengué*, como los muebles de tu baño *étnico*? ¿Eso es lo que me pides que sienta, solidaridad racial? Oh, Idoia, encanto. Deja que me emocione oyendo cómo defines tu mundo feliz.

—No quería decir eso. ¡Se va a quedar sin leche, eso es todo lo que quería que supieras!, ¡quiero que lo sepáis todos!, ¿entiendes? —La mujer se acomodó la cartera sobre el hombro y se enganchó el pelo con la correa, lo que la irritó todavía más.

Giró sobre sí misma en un par de movimientos nerviosos y poco elegantes. Sigrid pensó que había perdido incluso el sentido de la orientación a causa del berrinche y que tropezaría contra una pared, igual que un ratoncito drogado en su laberinto de marquetería del laboratorio.

No fue así: Idoia salió por fin del despacho envuelta en llamaradas de cólera tan visibles que creaban un encrespado halo alrededor de su pelo verde.

—¡No es necesario que cierres la...! —¡Plaf!, la puerta se encajó contra el deteriorado marco con un trallazo. Sigrid suspiró con resignación y se dispuso a ponerle la funda a la máquina de escribir.

—Al fin y al cabo, eres una antigüedad, monada. Tengo que cuidarte —le dio un cariñoso golpecito a la Olivetti y se colocó la gabardina encima de los hombros.

Si se descuidaba mucho más, llegaría tarde.

Marcos y doña Luisa

Realmente, Marcos no se creyó del todo las indicaciones que le había dado la viuda Hergueta sobre los negocios de sus vecinos en el polígono industrial, pero pensó que no estaría de más investigarlos y, en caso de encontrar su ubicación exacta, darse personalmente una vuelta por los alrededores y curiosear desde fuera. Había localizado la funeraria después de no mucho rato de búsqueda en la revista gratuita que se editaba en aquella zona de la Campiña: anuncios de pequeños negocios al borde de la ruina, compraventa de inmuebles, tímidos y casi enternecedores avisos de contactos detrás de los cuales se encontraban solteros desesperados, como él mismo, o casados igualmente alterados pero, si cabía, menos discretos. También había estado husmeando en Google Earth y en Google Maps por Internet.

Localizó la funeraria enseguida y se dirigió hacia ella con el coche. Ojalá la viuda Hergueta fuese tan fácil de localizar: llevaba ya una semana ausente. Como si se hubiera esfumado en el aire. Su madre y él habían denunciado su desaparición en el puesto de la policía municipal del pueblo y, para asegurarse, se dirigieron a la comisaría de Guadalajara y cursaron allí otra denuncia.

En ambos casos, los policías fueron amables, al fin y al cabo Marcos era juez de la Audiencia, pero no mostraron un excesivo interés. Tampoco sus jefes locales o provinciales, con los que él mismo habló por teléfono. No eran los casos de desapariciones que más les gustaban, por decirlo eufemísticamente. Cuando se trataba de un niño, o de una adolescente, se ponían en marcha todos los recursos. La sociedad estaba muy concienciada con los delitos sexuales que tenían como víctimas a los menores de edad. La sombra del pederasta alcanzaba la conciencia de cualquier buen ciudadano que se preciara. Si había que movilizar hasta a la caballería real —en caso de que existiera— para encontrar a una cría medio chiflada que había pasado dos días de juerga sin avisar a sus padres, se hacía. Aunque todo resultara finalmente un chasco (lo que ocurría más a menudo de lo que la propia policía se atrevía a confesar) a cargo del contribuyente. Pero es que... no podían fiarse. Ni confiarse. Si luego se encontraban con el cadáver de un menor de edad y resultaba que no se habían puesto en marcha a la mínima señal de alarma, sus superiores, el ministro de Interior, los medios de comunicación, la opinión pública, las tertulias de la tele y los vecinos cargaban contra los agentes como si ellos fueran los culpables en vez de los representantes de la ley. De modo que, si un padre denunciaba la desaparición de un crío, activaban todas las vías de emergencia.

No obstante, una señora tan mayor...

Más de setenta años.

Seguramente se habría ido a visitar a unos parientes olvidando comunicar sus intenciones a amigas y vecinos. A cierta edad, las personas ya no están tan pendientes de todo como cuando eran más jóvenes. Tienden a borrar de la memoria números, nombres, citas, y hasta recuerdos recientes... No es raro que una persona anciana olvide qué hizo el día anterior, incluso qué ha desayunado hace pocas horas. Una pena, pero así es. En cualquier caso, tomaban nota de la denuncia y harían lo posible por investigarla, y más teniendo en cuenta el empeño personal del señor juez de la Audiencia Nacional don Marcos Drabina Flox. Por cierto, ¿de dónde procedía el apellido Drabina? ¡Ah, era polaco! ¡Un abuelo polaco, qué cosa más curiosa! En fin, pues harían lo que pudiesen, dentro de los recursos de que disponían para ese tipo de casos, que no eran muchos. Una alerta policial con su nombre los informaría al instante si la viuda Hergueta ingresaba en un hospital o era encontrada en situación de desamparo, quizás desorientada o perdida. ¿Sabían Marcos o su madre si la señora Hergueta padecía alguna enfermedad típica de su edad: demencia senil, Alzheimer?... ¿Tenía parientes cercanos con los que ellos pudiesen contactar para asegurarse de que no había ido a verlos olvidando dejar noticia de sus planes?

—Los viejos no le importamos a nadie —comentó doña Luisa, de vuelta en el coche, con un deje de amargura—. Total, si perecemos..., pues un ahorro para la Seguridad Social.

—No digas eso.

—Claro que lo digo.

Se dieron una vuelta por los alrededores de la

funeraria, pero daba la sensación de que estaba cerrada a cal y canto.

Marcos se bajó del coche, dejó a su madre dentro y exploró la finca desde la verja que la rodeaba. No se movía ni el aire.

Después de una media hora de vagar arriba y abajo por la calle, terminó por aburrirse y decidió que lo mejor sería volver a casa. Tal vez aquel negocio mortuorio también había cerrado por quiebra, como muchos de los que lo rodeaban. Tomó unas notas en su libreta que le sirvieran de recordatorio para pedirle a su secretaria, en cuanto tuviera ocasión, que averiguase lo que pudiera sobre aquel inmueble.

El caso era que la viuda Hergueta llevaba una semana desaparecida. Y que a Marcos el asunto comenzaba a resultarle de lo más inquietante.

Mariya

Desde los dieciséis años, tenía su pasaporte interior, válido solamente dentro de las fronteras de la Unión Soviética. En la primera página, después de su nombre, dirección y fecha de nacimiento, había un espacio que rezaba: «Nacionalidad». Mariya aún recordaba la satisfacción que sintió cuando el policía que tramitaba el documento le hizo la pregunta:

—Ciudadana, ¿cuál es tu nacionalidad?

—Rusa. Ponlo bien claro para que se lea bien, camarada —dijo ella, llena de orgullo.

«Todo ser humano está compuesto de tres factores inseparables: alma, cuerpo y pasaporte, y sólo la muerte puede separarlos», decía el refrán. Bien, pues Mariya ya estuvo completa a partir de ese día.

La nacionalidad de los padres determinaba si el titular del pasaporte era ruso, ruso blanco, cosaco, judío, tártaro... Cuando la persona era hija de un matrimonio mixto, la policía le daba derecho a escoger una de las dos nacionalidades de sus padres. Y todo el mundo sabía que era mejor, en esos casos, elegir la nacionalidad más apreciada de entre las que tenían sus progenitores. Que era preferible ser ruso que ser ucraniano, ser ucraniano antes que tártaro, y mejor ser tártaro que judío. Pero Mariya tenía suerte: era una rusa blanca por parte de madre y de padre.

Tardó un par de meses en llegar a su meta.

Moscú. Era feliz con sólo pronunciar la palabra.

El viaje no fue fácil ni cómodo, sino durísimo y agotador, y requirió distintos medios de transporte y largas jornadas de espera entre uno y otro para enlazar las ciudades que la iban acercando poco a poco a su destino. Más de la mitad de todos los ciudadanos morían en aquellos tiempos sin haber pisado jamás Moscú. Pero Mariya podría hacerlo. Era una mujer con suerte. Doble suerte. No podía quejarse.

Mariya tuvo trabajo como montadora en una fábrica de coches que producía en Moscú el modelo Moskvich, versión rusa del Opel Kadett, y en la que trabajaban unos catorce mil obreros. Era considerada una de las mejores fábricas del país. Tanto es así que incluso se permitían enseñársela a algunos extranjeros. A pesar de que las instalaciones y la mayoría de las herramientas eran de procedencia alemana, por no hablar del modelo de coche, calcado del alemán, todo lo cual Mariya no sabía ni le importaba.

De nuevo, Mariya tenía suerte. Y cuando, cada mañana de madrugada, cruzaba la verja de la entrada de la fábrica y enfilaba su Avenida del Honor, en cuyos márgenes se podían admirar grandes retratos de los obreros que habían rendido por encima de los cupos asignados, se recordaba a sí misma que era una mujer afortunada. Tanto que quizás un día se tropezaría con Yuri Gagarin en una esquina.

Pero no sería al perfecto héroe Gagarin a quien

terminó conociendo en Moscú, sino a Misha, a Iván Astrov. Y, a partir de aquel momento, ya no se separaron excepto por los dos años que Misha vivió en Polonia, haciendo su doctorado en ingeniería. Además, Gagarin estaba casado y no muy dispuesto a divorciarse según se desprendía de sus declaraciones a la radio y la televisión. Luego..., quizás fuese mejor no hacerse demasiadas ilusiones al respecto.

Mariya se convirtió en un *sputnik* para Misha. Su satélite. Su compañera. Y en una de aquellas antiguas *yurodivye* para disfrute personal de Misha. A Iván Astrov, Misha, al igual que a su homónimo Iván el Terrible, la influencia *yurodivy* le resultaba benéfica y agradable. A pesar de que Misha era un hombre de ciudad, culto y ajeno a todo sentimiento religioso, resistente a las supersticiones, también era cierto que conocía las viejas leyendas de su gran pueblo ruso y que, a menudo, pensaba que muchas cosas no tenían una explicación racional. La sabiduría ingenua y elemental de Mariya, su tosca agudeza, la pericia de su corazón, lo convencían de ello cada vez más. Los raptos esporádicos de malhumor que padecía la mujer no eran sino expresión de la locura de los justos. Mariya era una santa con el aspecto de una niña grande, y los asomos de aparente necedad que exhibía ocasionalmente tenían la función de confundir la mente racional de Misha y hacerle mascar la realidad, morder el polvo del suelo para conseguir vislumbrar la verdad, el camino a seguir, la senda que aleja al caminante de la perdición, del castigo, de la cárcel. Mariya ponía equilibrio intuitivo y estructuraba con su juicio divino la mente euclidiana de Misha. Y Misha la apreciaba.

Andando el tiempo, le compraría la casa de Arroyo del Tranco, en España, que puso a nombre de la mujer, aunque ella no entendiera del todo el sentido de la propiedad. Imaginaba que tenía una concesión de noventa y nueve años sobre la vivienda, como las que antaño concedía el gobierno a los campesinos, a los *kulaks*, por pequeñas parcelas de tierra. No obstante, noventa y nueve años para ella eran más que suficientes.

Quizás, inconscientemente, Mariya fuese incluso la madre que Misha no había tenido, dado que la suya estaba siempre borracha. Aunque Misha hubiese negado tal suposición, si alguien se la hubiera mencionado, alegando que tampoco había echado de menos una madre en toda su vida, teniendo en cuenta que la sola presencia de la suya ya le molestaba, llenándolo de cólera e irritación.

A Mariya le asignaron una vivienda en Moscú. Era, por supuesto, una vivienda comunal. Y allí estaba Misha, viviendo con su madre y otra familia de tres miembros. De ese modo se conocieron. El piso tenía tres habitaciones y una de ellas la compartía Mariya con el hijo de la otra familia, un niño de unos cinco años que siempre tenía sueño y no daba mucha guerra. El fregadero, el retrete, el baño y la cocina eran usados en igualdad de derechos por Mariya, Misha y su madre y la familia restante.

Durante cinco años, vivieron bajo el mismo techo, al igual que todos los habitantes de los *kommunalnye kvartiry*, o apartamentos comunales. Así habitaron allí, confusos y faltos de espacio como ratones ebrios en una jaula, hasta que un día Vadima, la madre de Misha, apareció muerta al lado de una botella de vodka barato.

A partir de entonces dispusieron de un poco más de sitio para cada uno de los habitantes de la casa comunal.

Feruza

Feruza no pudo instalarse en Madrid, como habría deseado. A cambio, sus nuevos amos le encontraron un trabajo en un pueblo de Guadalajara, Arroyo del Tranco, a poco más de cuarenta kilómetros de la capital de España: debía encargarse de hacer las faenas domésticas en casa de un ruso de Moscú llamado Iván Astrov, *Misha*. Gente notable, según le advirtieron.

«Ve con cuidado, mujer —el tipo que la llevó el primer día agitó el dedo índice ante sus narices—, nada de robar en esta casa. Limpia bien y mantén la boca cerrada, y no molestes a la señora.»

Feruza asintió, muy seria.

«Ocúpate únicamente de trabajar para pagar tu deuda», insistió el hombre.

El trabajo no era malo, y le fueron surgiendo otros que necesitaba y le permitían ganar un poco más de dinero. Cada primero de mes, una vez que pagaba el préstamo concedido por su acreedor, le quedaba lo justo para comer y hacer frente al recibo del alquiler de su habitación, en un apartamento compartido con cuatro hombres, entre ellos Víktor, que trabajaba en la construcción como carpintero, a pesar de que en Ucrania había sido tornero fresador toda la vida.

Gracias a la recomendación de una española que tenía algún tipo de negocios con sus amos, encontró otras tres casas a las que acudía a limpiar por horas, y a través de los dueños de esas casas, a nuevos vecinos, conocidos o amigos que a su vez la apoyaban presentando a Feruza como «una joya» ante terceros. El poder del boca a boca.

Los habitantes de la zona residían en unos chalets amplios y coquetos, bien cuidados, en una urbanización un poco destartalada todavía, por terminar; eran personas de clase media, gente trabajadora y profesionales jóvenes pero ciertamente acomodados, que vivían bien. Cuando iba a limpiar, todos estaban trabajando fuera, de modo que Feruza disponía de las casas para ella sola. Realizaba con rapidez y eficacia su trabajo, no resultaba precisa más que una pequeña limpieza por encima, lo crucial era pasar el aspirador y acicalar los baños.

Ponía varias lavadoras, todas las que le daba tiempo, con ropa limpia o sucia, le daba igual. La serenaba el ruido de los aparatos, la sensación de que podían purificar cualquier cosa que una les metiera dentro. Si existiera una máquina de lavar donde ella pudiese embutir a Ucrania, con todo su pasado, con el dolor, el frío, la enfermedad, el hambre y los recuerdos, Feruza hubiese trabajado hasta ahorrar lo suficiente para poder comprarla.

Hacía bien sus tareas, era ágil e impetuosa, por eso concluía pronto. Seguidamente, se tomaba el resto del tiempo de descanso. Se servía una copa y curioseaba por ahí. Llevaba consigo invariablemente un bolso enorme, costumbre muy arraigada entre las mujeres soviéticas, que solían salir a la calle siempre con un cesto, por si había suerte y encontraban algo que comprar o que afanar. Feruza no se separaba de su cesto. Hurtaba un poco de detergente en polvo cada día en cada casa. Nada valioso, nada que los dueños pudiesen echar en falta. Le fascinaba el detergente para lavadoras, tenía grandes provisiones en su cuarto. Así ahorraba y no se veía obligada a comprarlo para su uso personal. Incluso obtenía suficiente para vendérselo a sus compañeros de piso a un precio bastante módico, teniendo en cuenta que se trataba de un producto de la más alta calidad.

También se llevaba, en un bote de plástico con tapa de rosca, un poco de crema de las señoras de la casa. Aquellas mujeres hacían acopio de todo tipo de potingues y seguramente no iban a notar la falta. Quizás algo de comida caía igualmente de cuando en cuando al cesto, pero porciones pequeñas. Como cada jornada visitaba varias casas, la suma total de lo sustraído era el equivalente a hacer una compra diaria. Feruza se sentía feliz con sus pequeñas economías.

Fue en una de esas viviendas cuando, una tarde de primavera, varios años después de su llegada a España, fumaba sentada confortablemente en una hamaca del jardín, jugueteando nerviosa con un cinturón elástico de la niña, hija de los dueños de la casa, que acababa de encontrar tirado en el suelo. Estaba en el exterior, junto a la piscina, porque acababa de desinfectar con profusión de insecticida en espray el interior del domicilio. Fue entonces cuando, sin apenas darse cuenta, se encontró a sí misma matando a un gato.

Su primer gato español.

Lo cazó con facilidad.

El minino no mostró desconfianza, rondaba por la parcela, lo que de por sí era raro pues no resultaba habitual ver gatos sueltos en el barrio. Probablemente no era un gato callejero, se habría escapado de su hogar. Quienes tenían gatos apenas los dejaban salir a la calle. Los mantenían en casa, encerrados como pajaritos en una inmensa jaula. Pero, de vez en cuando, alguno solía perderse.

Su abuela Niura, que había criado a Feruza y había sobrevivido a dos espeluznantes hambrunas en Ucrania que pusieron fin a la vida de millones de seres humanos, la enseñó a cazar gatos.

La carne de los animales era buena, sabía bien, apenas necesitaba condimento. La abuela Niura subsistió gracias a algunos gatos, y a otros alimentos peculiares..., comestibles que nunca quiso especificar delante de su nieta, sobre los que no le dio muchos detalles. No obstante, Feruza sabía que se trataba de carne de cadáveres humanos. Lo supo en cuanto fue un poco mayor. Esas cosas las sabía todo el mundo. En su pueblo natal no abundaban los gatos. Solía decirse que las autoridades prohibían tener gatos porque los felinos se comían los pájaros cantores de los bosques y terminaban por ponerlos en peligro, pero lo cierto era que no había gatos porque, tanto si tenían de comer como si no, los lugareños acostumbraban a guisarlos.

Feruza estaba al corriente de que, aunque no era habitual en Occidente, en algunos otros lugares del mundo el gato era un plato codiciado. No resultaba tan extraño, pues. Y además, como decía el escritor Iván Stadnuyk, las personas no son ángeles. Ella, desde luego, ni lo era ni aspiraba a serlo.

Así que mató al gato.

Un animal demasiado confiado, como aquellos españoles que le daban la llave de sus casas y la dejaban sola. Tenían suerte de que fuera ella y no otra persona la que se paseaba por sus dormitorios con toda la tranquilidad del mundo, sabiendo que nadie iba a molestarla. Tenían mucha suerte.

La mujer llevaba un tiempo sintiéndose mal, le dolía mucho la tripa y sus reglas no eran regulares, esperaba los resultados de varias pruebas que los médicos del hospital de Guadalajara le aconsejaron. Sentía una desagradable nostalgia de su tierra, un sentimiento que la asombraba, pues ni siquiera se planteaba la posibilidad de volver algún día.

Bueno, sí, tal vez un día, sí.

Para buscar a su hijo.

Pero aún faltaba mucho tiempo para eso, mucho tiempo.

Le habían contado que alguna gente había vuelto a vivir a Chernóbil. Los vigilantes, cansados de prohibirles el paso a la zona de riesgo, comenzaron a dejarlos pasar. Sabía, por ejemplo, que un primo de su padre que vivía allí había vuelto al que era su hogar acompañado de su mujer y un nieto. Decían que los que volvían ya no enfermaban, que habían continuado con su vida de siempre en sus hogares de siempre. Que las plantas crecían ahora más que nunca, que los animales salvajes de la región estaban más gordos y lustrosos. Feruza sabía que el primo de su padre, durante muchos años, cazaba lobos porque los campesinos de las granjas colectivas, en la época soviética, le daban un cerdo por cada lobo muerto que les llevaba. Un compatriota le contó que los campesinos, que ahora eran propietarios, daban dos cerdos por cada lobo porque los lobos eran tan grandes que valían por dos de los de antaño.

En fin, historias, cuentos...

Ella no se fiaba de nada ni de nadie. Sólo tenía fe en la ignorancia y en el miedo, dos elementos que nunca faltarían por el mundo.

No estaba de muy buen humor aquella tarde, pese a que disfrutaban de un tiempo maravilloso y el jardín que la rodeaba invitaba a la placidez y el descanso.

Cuando vio al gatito acercarse y restregarse contra su pierna, con la familiar confianza de un viejo pariente que vuelve a casa después de una larga ausencia, lo agarró con cuidado, lo subió a su halda, le acarició el lomo mientras murmuraba unas palabras cariñosas y lo estranguló con el cinturón de florecitas antes de ser consciente de lo que hacía.

Ni el gato ni ella tuvieron tiempo de apreciar el acto.

Sigrid

Hacía cinco años que Sigrid tenía el mismo sueño. Veía la cara del hombre al que había matado. Un hombre joven, de rasgos eslavos, con ese algo indefinible que posee un rostro eslavo que, sin ser pronunciadamente disímil de cualquier blanco occidental, lo distingue de él.

Estaba vivo, y sonreía.

«¿Veis, veis como no he acabado con su vida?, ¿podéis verlo tan claramente como yo lo veo? ¡Está vivo, está vivo!», gritaba Sigrid en sueños.

El hombre se daba la vuelta, después de mirar detenidamente a su homicida, y echaba a andar. Sigrid se alegraba, sentía una paz profunda y ganas de ponerse a bailar, de dar brincos, de celebrarlo. Lo miraba alejarse hasta que se daba cuenta de que el chico arrastraba algo en un zapato. Se fijaba bien y comprendía que llevaba su propio corazón pegado a la suela del zapato. Un corazón que ya no era rojo, sino que parecía negro, seguramente porque se había enlodado con la suciedad del suelo, porque él mismo lo había arrastrado hasta rebozarlo de mugre.

Entonces, el hombre se giraba de nuevo hacia Sigrid y volvía a mirarla.

«No, no te perdono», le musitaba con voz maliciosa.

El corazón de Sigrid comenzaba a latir a mil por hora, no podía respirar bien y se despertaba un instante antes de asfixiarse. Habitualmente, le costaba una hora volver a pegar ojo. El chico ya no reaparecía en sus sueños. De hecho, Sigrid no soñaba nada después de la pesadilla, del episodio angustioso, así que conseguía descansar un poco. Muy poco. Suficiente para ir tirando.

El día después del homicidio, cuando empezó a ser consciente de lo que había ocurrido, se derrumbó. Le prestaron asistencia psicológica, por supuesto, pero su estado era tal que logró sacar de quicio a la psicóloga que la atendió durante dos horas cada día, haciendo alarde de una paciencia y una misericordia sobrehumanas. Virtudes que se quebraron porque Sigrid las partió con su alma de uñas, con el terrón de espanto que se le había atorado en la garganta y no le permitía hablar. La psicóloga logró reponerse, no así Sigrid. Hacía cinco años que acudía a terapia. No había realizado grandes progresos.

Por supuesto, se confesó. Era católica practicante. Era. No había vuelto por la iglesia desde entonces.

Se había criado en una familia muy religiosa, en un piso enorme y burgués abarrotado de santos, cruces, benditeras y reclinatorios en vez de sillas. La confesión le supuso un cierto alivio, pero no acabó con su desazón. Sigrid sabía que pecar contra el quinto mandamiento era algo muy grave. Eso lo sabía hasta un niño pequeño.

Claro que, dada su profesión, en algún momento

se le pasó por la cabeza que podría verse en una situación complicada y que tendría que disparar sobre algún ser humano. Pero ella era una excelente tiradora, siempre dio por supuesto que le rompería las piernas al blanco, no la nuca. Y mucho menos el corazón.

Cuando mató al ladrón perdió su pureza, como Judith en el campamento de Holofernes, en aquella hora maldita. Y nada podría reparar una falta así. Después de poner fin al cuerpo y la sangre del ladrón, se confesó y comulgó en la esperanza de que el cuerpo y la sangre de Cristo borrasen de su recuerdo el crimen que había cometido.

Su esperanza fue vana.

Así que perdió la fe.

¿Cómo podía consentir Dios algo semejante? ¿Que ella arrancase de cuajo otra vida, y que perdiese la suya propia a consecuencia de un acto de violencia no premeditado? ¿Que se dejara día a día, noche a noche, la piel del alma en una mortificación tan dolorosa como inútil?

Seguía durmiendo mal, cinco años después.

Ante su jefe, Férriz, y sus compañeros de trabajo, procuraba no darle una excesiva importancia a lo que había ocurrido. Trataba de hablar de ello, si alguien le sacaba el tema, con una razonable normalidad que, aunque un poco tensa, no llegase a ser forzada ni incómoda. Aparentemente.

Siempre había procurado ser una mujer fuerte. No quería que la acusaran de blandengue porque, de alguna manera, si lo hacían estarían acusándola de ser mujer, y eso era algo que ella menos que nadie podía permitirse. Mujer, y mulata. Muy políticamente correcto, a simple vista, pero no cómodo para vivir con ello día a día. Sigrid lo había aprendido a lo largo de su existencia.

Todos en la comisaría sabían que continuaba con la terapia, bromeaban un poco sobre el asunto, tratándola como a una adolescente que no consigue aprobar el bachillerato. Soportaba esa condescendencia porque le ahorraba un montón de explicaciones que no le apetecía en absoluto dar. Se había acostumbrado al papel de torpe psicológica, e incluso bromeaba al respecto alguna vez.

Cuando se despertaba después de experimentar la misma pesadilla de cada noche, porque la visitaba casi a diario, a veces no podía volver a dormir. Entonces se preparaba un tazón de leche de soja —tenía intolerancia a la lactosa, probablemente porque no era tan blanca como su madre adoptiva, que se alimentaba casi exclusivamente de productos lácteos—, se sentaba delante del ordenador y conectaba con un chat cristiano.

La mayoría de los que entraban eran latinoamericanos o hispanoparlantes que vivían en Norteamérica, así que coincidía con la hora en que algunos de ellos estaban despiertos y mortalmente aburridos chateando.

Sigrid siempre aportaba un poco de animación. Pronto haría cinco años que chateaba en ese sitio. Lo descubrió siguiendo el consejo del sacerdote con el que solía confesarse, que la encaminó a Internet probablemente harto de que Sigrid lo agobiara con sus tormentos sin consuelo.

«La paciencia de los sacerdotes, y la de los psicólogos, también tiene un límite», reconocía Sigrid.

Sigrid introducía su correo electrónico azadoras@hotmail.com, y luego tecleaba su contraseña. Tras un rato de santurronerías y de participar en discusiones teológicas sobre las que opinaba unas veces con gracia y atrevimiento y otras con un sombrío y tétrico parecer, a pesar de no tener ni idea sobre nada, se sentía más tranquila. Para ella, era mucho más eficaz el chat cristiano que la terapia de grupo. Terminaba, como era habitual en ella, lanzando una pregunta al ciberespacio, que era también un reclamo, una petición:

«¿Para cuándo una sección de confesiones on-line?, ¡¡¡algunos tenemos necesidad de confesarnos y poco tiempo para ir a la iglesia!!!»

Se sentía una hipócrita, pues sí que tenía tiempo para ir a la iglesia, pero había abandonado las iglesias hacía cinco años, justo en la época en que Dios la abandonó a ella.

Se despedía de los internautas —aunque apenas le hacían caso, allí cada uno iba a su bola—, con los que había logrado canjear palabras piadosas, o irritadas y entreveradas de algún improperio, y salía del sitio. Incluso en los chats cristianos la gente se peleaba, era increíble.

La web cristiana contaba con un apartado dedicado a la «Persecución cristiana». Sigrid siempre lo leía después de salir del foro. Lo actualizaban a diario.

Daba un repaso por encima a los titulares de las deprimentes noticias, extraídas de todo tipo de periódicos a lo largo y ancho del mundo: «Continúa el clima de violencia cotidiana contra cristianos en Pakistán, violaciones, torturas [...] ante la indiferencia general». «Extremistas hindúes atacan a cristianos en dos ciudades de la región central.» «Chiapas: nueve indígenas católicos heridos en un tiroteo contra un grupo de 200 de la comunidad San Gregorio.» «Musulmanes atacan autobús con estudiantes cristianos en Irak.» «Más de 500 cristianos asesinados a machetazos en Nigeria»...

Era cierto, los cristianos no pasaban por su mejor momento, eran perseguidos en medio mundo, por no decir en el mundo entero, casi con la misma intensidad que en los tiempos de las catacumbas romanas.

Sigrid tenía un compañero en la comisaría llamado Martín aficionado a las teorías conspirativas, que le había explicado que los cristianos estaban siendo hostigados por ser los únicos —«la única secta», fueron sus palabras exactas— que defendía la vida, y que en un planeta superpoblado ésa no era precisamente una tendencia bien vista.

—Hay que disminuir la población mundial como sea, Azadoras, ¿no te das cuenta de que esto se nos está quedando pequeño? Y los cristianos seguís ahí, erre que erre, ejerciendo oposición al aborto, a la pena de muerte y a la eliminación de fetos «defectuosos», la eugenesia aquella de los nazis. Bueno, de los nazis y de tantos otros que se llaman liberales y modernos... Pero, nada, vosotros... ¡y venga con la matraca!... Tienes que cambiar de religión. Hazte de la mía, Azadoras.

—¿Y tú qué eres, Martín?, ¿budista? —quiso saber Sigrid. Tenía la boca llena y le costaba hablar. Estaban tomando unas cañas antes del almuerzo en el bar que había frente a la comisaría de la calle Leganitos.

—No, soy «martinista». De la religión del verdadero profeta Martín Gabaldón Hernández, al que no le da órdenes ni Dios... Cuando quieras te paso los mandamientos —su compañero le dio un suave empujón—. Mira que sois, las tías, ¿eh?... ¡Que estoy de guasa, Marisigrid! Además, yo soy ateo. Así que, cambiemos de tema y pásame la tortilla de patatas, que te la estás zampando tú sola. Lista...

Las palabras de Martín le hicieron sentir un momento de terror. «A favor de la vida.» Sí, la vida era sagrada para ella. Dolorosamente cierto. Y, sin embargo, le había arrancado la suya a un ser humano. Sentía un pellizco en el estómago, una flojera en las articulaciones y le sudaba el cuello cada vez que lo pensaba. Se ató una coleta para refrescarse. Su pelo de mulata era ingobernable, quizás debería cortárselo al cero, pensó y, de pronto, sintió ganas de llorar. Pero por su pelo, sólo porque el pelo le molestaba, era incómodo, indisciplinado, rizado, y laborioso de mantener limpio.

—Joder, Sigrid, ¡déjate el pelo en paz, que estamos comiendo! —le recriminó Martín.

Antes, cuando Sigrid decía, orgullosa, que era católica, mucha gente se reía. Pero ella seguía yendo a misa, confesándose y poniendo velitas a la Virgen que tenía en casa —una figura pequeña y antigua que heredó de su abuela, con el velo pintado de azul, los tirabuzones dorados y una cara preciosa de muñeca—. La religión le proporcionó refugio, providencia, sentido y belleza. Y gracias a la religión no se había vuelto loca. Tuvo una crisis de fe a los ocho años, pero después de eso no había dudado nunca más.

Pero eso era antes. Hacía mucho tiempo ya de aquello.

Después de matar a aquel hombre, nada había sido lo mismo para Sigrid, que enterró su fe junto al ratero muerto. Ya sólo le quedaban los rescoldos, la inercia y la costumbre. Aunque siguiera acudiendo a la religión como una amante despechada que no deja de incordiar a su ex marido porque no soporta la idea de la traición.

Debió de hacer inconscientemente algún puchero porque Martín le puso una mano en el hombro.

—¿Estás bien, Sigrid?, ¿te ha molestado algo de lo que he dicho? —El hombre tenía unos ojos sinceros y claros, como los de un galán de cine americano de los años cincuenta, aunque no fuese tan guapo.

—No, no te preocupes —respiró profundamente y se tomó otro trozo de tortilla, para disimular—. Es que tengo que irme, Férriz me ha citado en su despacho. Nos vemos mañana.

Sacó un billete de la cartera pero Martín la detuvo.

—Hoy me toca pagar a mí. Vete, no vayas a llegar tarde, que esta mañana he visto a Férriz y anda con el morro torcido. Corre, no le hagas esperar.

Polina

Polina no tardó en comprobar que el resto de las chicas, al igual que las que compartían habitación con ella y ella misma, tampoco gozaban de libertad.

Las tuvieron encerradas a las ocho en el hotel durante una larga y aterradora semana. Los hombres se presentaban a cualquier hora del día o de la noche y las violaban con una especie de desidia pintada en el rostro, igual que una máscara, que los volvía anodinos pero aún más feroces, con la misma indolencia que si estuviesen realizando un trabajo no muy agradable aunque ineludible y necesario para la buena marcha del mundo.

Polina fue notando cómo en sus caras apenas se dibujaban ya aquellas expresiones de concupiscencia y ansiedad que ella creyó entrever en sus rostros la primera noche. Si bien, quizás se había equivocado en sus apreciaciones y aquellos tipos en realidad exhibían las mismas fisonomías brutales y necias de siempre.

No les daban apenas de comer, y las muchachas bebían el agua del grifo del baño, que no parecía siquiera ser potable. Polina sufrió terribles dolores de barriga por la falta de comida y el agua mala, pero aun así se sentía afortunada porque a ella no la habían violado todavía.

Estambul está llena de mercados callejeros. Abundan las tiendas, muchas de ellas de lujo, pero comprar y vender al aire libre continúa siendo una costumbre muy arraigada, además de un espectáculo barroco, divertido y estridente en el que, con suerte, se puede encontrar una ganga. El más grande y famoso de todos ellos es el Sali Pazar, todos los martes en la parte asiática de Estambul, en Kadikoy, probablemente el distrito más populoso de la ciudad, y también seguramente su parte más antigua.

Pero hay otros.

Los miércoles en Fatih y Yesilkoy, los jueves en Akatlar, los viernes en Findikzade, los sábados en Bakirkoy... La Calle del Mercado de los Jueves, Perşembe Pazari Sokağı, tiene una estructura de casas cuyos pisos superiores se desbordan hacia fuera, igual que pensamientos que salieran, incontenibles y angulosos, del interior de una cabeza rebosante de ideas. Sube hacia los barrios amurallados antaño por los genoveses, con sus torres al borde del Cuerno de Oro. Por todos lados, hombres, mujeres y niños trasiegan sin descanso con sus faenas, sus compras, sus prisas, sus negocios a cuestas. Al borde de un mar que palidece por las tardes ante ese otro mar humano de chispas rutilantes que tampoco está nunca quieto.

Los mercados, en Estambul, aportan belleza, esplendor, detritos, fantasía y deseo a las calles de la ciudad.

Aparecen todos ellos como reclamo turístico en las guías de viaje. Estambul recibe visitantes del mundo entero. La ciudad lo merece, es una explosión de sensualidad que arrebata los sentidos. Los mercados callejeros forman parte de la geografía turística de la bella ciudad como las letras conforman parte esencial de un libro.

A ellas, a Polina y sus compañeras involuntarias de viaje, las vendieron en un mercado. Vendieron a todas las chicas, incluidas las otras cuatro de las que no habían vuelto a tener noticias. Seguramente no se trataba de ninguno de los mercados mencionados, esos que aparecen en todas las guías, aunque Polina no sabría decir cuál fue porque jamás supo dónde se encontraba. Quizás la vendieron en el mercado de los jueves, en el de los martes, o en el del viernes. Probablemente en ninguno de ellos. Aunque sin duda se trataba de una especie de mercado, aparentemente preparado para recibir compradores rusos. Vio varios carteles en ruso, fugazmente, antes de entrar a trompicones, espoleada por las prisas y los cogotazos de uno de sus verdugos, en una especie de tienda grande y sombría en la que las alfombras se escurrían hasta la puerta como si dentro sobraran. En aquella ciudad, todo abundaba hasta el punto de verterse por los bordes.

Polina no sabía dónde estaba, y a juzgar por los pocos comentarios —atropellados y temerosos— que salieron de las bocas de sus camaradas de viaje, ellas tampoco tenían ni la más remota idea.

Todo se le antojaba extraño, inmenso.

Si le hubiesen dicho que estaba en Marte se lo

habría creído. Nunca había visto nada igual. Parecía haber mucho, de todo y por todas partes.

Tuvo la impresión, mirando a duras penas a través de la ventanilla sucia y rayada del furgón que las llevó hasta el mercado, que en aquella ciudad nadie podía morirse de hambre. Había demasiadas cosas allí. Sobrarían muchas. Seguramente sería fácil encontrar tirados por la calle montones de frutas, quesos medio echados a perder, restos de dulces, frutos secos rancios, tarros rotos con algún resto de especias. Cualquier cosa que sirviera para calmar el estómago.

En Moldavia, sin embargo, no había nada. Ése era el problema. Ni siquiera había basura por las calles. No, por lo menos, una basura comestible.

Le sorprendió la gente. Tanta gente por las calles, recorriéndolo todo igual que hormigas sobre un tarro de azúcar derramada. Personas vestidas de muchos colores. Un carnaval al aire libre, pensó Polina viendo las calles y las gentes pasar a toda velocidad detrás de las rayas cenicientas del cristal.

Hacía frío, algunas personas entre el gentío se tapaban la boca con chales o bufandas ligeras y Polina tuvo la sensación de que iba a nevar, aunque quizás lo que ocurría es que le parecía que el cielo estaba plomizo porque no veía con claridad a causa del vidrio empañado y turbio.

Era una tienda de alfombras. Eso creyó Polina.

Sin embargo, no tardaría en comprobar que allí dentro también vendían algo más.

Había alfombras por todos lados. Hermosas alfombras que no hubiesen deslucido en el Palacio de Dolmabahçe. Alfombras turcas de Capadocia. De seda, de lana, de nailon y de algodón. Antiguas y recién confeccionadas. Hechas a mano y a máquina. Reproduciendo figuras de insectos, de plantas, de figuras geométricas. Tejidas a mano en Asia Menor, o en discretos talleres de Estambul con su telares verticales de enjullos rodantes. Con tejidos teñidos de grana, de índigo o de color azafrán, usando para ello sulfato de cobre, óxido de hierro y pelo de camello negro. Anudadas en pequeñas urdimbres que formaban tramas delicadas, con efecto de terciopelo. Con estrellas, cruces, esvásticas, flores y cangrejos adornados de brotes tiernos alrededor del rosetón central.

En aquella ciudad, el exceso era la principal característica.

Polina nunca había visto tantas alfombras juntas en toda su vida. Ni siquiera recordaba haber pisado una alguna vez.

El establecimiento era uno de esos lugares en los que se ofrece una taza de té al visitante, pero a ellas no les dieron nada. Ni siquiera les permitieron mirar demasiado rato alrededor.

Un chico joven de cabello muy negro, piel aceitunada y ojos siempre bajos, como si pusiera mucho cuidado en cada paso que daba porque el suelo fuera una seria amenaza, los hizo pasar al almacén, luego abrió una puerta y penetraron en una sala oscura y húmeda que también dejaron atrás. Sus guardianes las precedían sin dejar de hacer comentarios chuscos.

Las voces de aquellos hombres resonaban con el eco de bufidos de ogros en la semipenumbra del gigantesco recinto.

Por fin accedieron a una sala iluminada con muchas lámparas. La claridad deslumbró a Polina después de haber atravesado aquel laberinto de estancias consumidas y lóbregas, y el calor que desprendían la sofocó por unos instantes.

La habitación apenas si contenía muebles, salvo algunos cojines esparcidos por el suelo, un par de servicios de humeante té y una especie de palestra de madera astillada situada en el centro.

Tres hombres aguardaban allí.

Saludaron a los recién llegados, hablando en ruso la mayor parte del tiempo. Isabel se pegó a la espalda de Polina y le susurró al oído que uno de ellos era turco. A Polina le habría dado igual si le hubiese dicho que era extraterrestre. Le parecían todos ellos ciudadanos de una misma nación bajo la bandera de la lujuria, la codicia y el terror hermanados.

Sintió una presión en la vejiga pero, por esta vez, aguantó sin hacerse pis encima. Tenía la piel de gallina y le picaban los ojos por la intensa luminosidad. En la habitación del hotel donde dormían y gimoteaban sin ver la luz del día, sólo disponían de una bombilla de bajo consumo que desprendía un resplandor enfermizo, amarillo y mustio. Sus ojos empezaban a perder la costumbre de ver bien, de verlo todo al detalle. Además, la chica con la que compartía la cama había agarrado una conjuntivitis y Polina sospechaba que se estaba contagiando. Se levantaba por la mañana con legañas que parecían pus reseca y le es-

cocía mirar detenidamente cualquier cosa. «Mejor
—pensaba en su fuero interno—. No tengo ganas de
ver nada, en realidad.»

El ruso que la llamaba *matrioshka* les ordenó que
subieran al entarimado.

Todas obedecieron sin oponer la más mínima resistencia, aunque el ruso, al darse cuenta de que Polina se disponía a seguir a las demás muchachas, la
agarró de la manga y la detuvo.

—Tú no. Quédate aquí —sonrió abriendo mucho la boca.

Por primera vez, Polina pudo ver bien a aquel
hombre, a pesar de que sus ojos no estaban en las
mejores condiciones. Lo vio al detalle cuando pegó la
cara a la suya. Hasta entonces su vista revoloteaba
alrededor de su figura, temerosa de encontrarse con
los ojos de acero de su verdugo y, por tanto, sólo
guardaba de él una imagen borrosa, de aire amenazador, casi anónima. Ahora que lo pudo mirar con
atención, que fue consciente de cada pormenor de su
gesto, Polina no pudo explicarse cómo aquella sonrisa podía estar moldeada sobre carne y hueso al igual
que las del resto de la humanidad. Aquella sonrisa
espantosa.

Contuvo la respiración por no sentir su aliento
agrio mientras se fijaba en cada pequeño fragmento
de su piel, en el ángulo triste que formaban las comisuras de su boca. Sabía que nunca podría olvidar esa
cara. No mientras viviera. Aunque tuviese una vida
muy larga, aunque la vida la obsequiara con bastante
tiempo como para repasar, uno por uno, todos los
rostros de la gente que pululaba por Estambul, Poli-

na jamás lo confundiría con ningún otro. Aunque él envejeciera y ella envejeciera. A pesar de la vulgaridad despectiva de su cara, que podría pasar inadvertida en buena parte del Este de Europa y de media Asia. A pesar de sus rasgos insulsos, sin ningún rastro de deformidad o de refinamiento. A pesar de sus ojos vacíos de sentimientos, de afecto y de significado. A pesar de que no tenía marcas visibles en la cara... Aunque su cuerpo, el cuerpo maduro y musculoso del ruso, probablemente sí llevaba impresa más de una señal, a juzgar por el tatuaje que asomaba a unos diez centímetros por debajo de su nuez. Quizás la punta de una estrella, quizás la cúpula de una iglesia ortodoxa, especuló Polina. Un dibujo le cubriría la piel como la camisa de una serpiente, quizás. Pero para recordar a aquel hombre de por vida, la niña no necesitaba más señales que las de sus ojos yertos.

—Nunca olvidaré tu cara, cabrón —le dijo Polina en rumano, con la voz temblorosa, arrepentida de haber hablado antes incluso de terminar de pronunciar la última sílaba, preparándose para recibir un golpe de la misma mano que había dejado entumecidos los huesos de sus compañeras de viaje en los últimos días.

Pero el ruso no pareció entenderla porque siguió sonriendo sin replicar y, aparentemente, sin darse por aludido.

Le acarició el pelo con una dulzura escalofriante. Polina tenía el cabello sucio, graso. La suciedad se lo encogía y su frente parecía más grande que nunca.

—Tú te quedas aquí abajo, *matrioshka*. Para ti tengo grandes planes —susurró el hombre con su cadenciosa y repugnante manera de hablar, en voz muy baja, casi delicada, como la de un novio cariñoso.

Los demás hombres conversaban dando gritos, como si discutieran por algo.

Uno de ellos hablaba por un teléfono móvil. Polina pensó que si lograra robarle el teléfono tal vez podría hacer una llamada pidiendo ayuda.

Su madre no tenía teléfono, aunque quizás consiguiera localizar a algún vecino. O al primo de su amiga Svetlana, que era mayor. Tenía dieciocho años y un teléfono móvil. Claro que tal vez fuese inútil llamarlo porque casi siempre estaba borracho. No trabajaba. En Moldavia no había trabajo. No había casi nada, excepto desaliento en los corazones y ganas de salir corriendo, las mismas ganas que ella sentía cuando dejó a su madre atrás y emprendió ese viaje que la había conducido allí donde se encontraba ahora. En el centro de la nada. Rodeada de chicas jóvenes que temblaban igual que animales delante del hacha del matarife y que, poco después de comenzar su viaje hacia el futuro, se habían convertido en algo semejante a posibilidades descartadas por la vida.

Allí estaba ella.

Rodeada por chicas gemebundas y asustadas y hombres con entrañas de perro.

Polina no perdía de vista el móvil de aquel hombre, pero no tuvo más remedio que olvidarse de él cuando su propietario terminó la conversación y lo guardó en el bolsillo derecho de su pantalón, muy cerca de la bragueta.

Ordenaron a las demás chicas que se desnudaran.

Las muchachas se mostraron reticentes a quedarse sin ropa y se quejaron suavemente, suplicando en voz baja, casi con un matiz de cariño, de ruego íntimo, hasta que el ruso y uno de sus compatriotas se acercaron a ellas, le dieron una bofetada a Isabel y le rasgaron la camiseta a otra después de zarandearla como a una muñeca de trapo y clavarle las uñas en el pecho.

Entonces, las jóvenes comenzaron lentamente a desvestirse, con cuidado, como si se dispusieran a desnudarse antes de ponerse el pijama y meterse en la cama tapándose con el embozo hasta los ojos para evitar a los fantasmas que amenazan los sueños de los niños.

A Polina se le presentaron así ante sus ojos enrojecidos: como niñas que se preparan para irse a dormir, niñas acostumbradas a las pesadillas, curtidas en los malos sueños, pero niñas al fin.

Uno de los tres tipos que estaban esperando cuando llegaron examinó una por una a las jóvenes con la mirada experta y severa de un tratante de ganado. Les palmeó los muslos y el trasero, les pellizcó las caderas. Les abrió la boca y les revisó la dentadura, metiendo incluso los dedos dentro, y moviendo a ratos la cabeza como si se sintiera muy decepcionado.

—Tú quieres estafarme, Kakus —le dijo el individuo al ruso que llamaba *matrioshka* a Polina, de modo que la niña se enteró al fin de cuál era el nombre que acompañaba a ese rostro que nunca podría olvidar—. Estas putas no valen lo que pides. Tú quieres hacerte un *obschak* a mi costa, un plan de pensiones. Timándome. No me gusta eso, Kakus, tengo que decirlo porque lo pienso. Todavía no eres un *vor*, un ladrón de ley. Y si sigues por este camino, intentando engañar a tus hermanos, no lo serás nunca.

Kakus, el ruso cuyo rostro nunca olvidaría Polina, sonrió de nuevo. Una sonrisa fría que expresaba una desagradable sorpresa y algo más. Un genuino desprecio mezclado con aburrimiento. Por toda respuesta, Kakus cerró lentamente los párpados.

Polina sentía que el suelo temblaba bajo sus pies, si bien estaba segura de que sucedía al revés: que eran sus pies los que vacilaban levemente sobre el suelo.

Finalmente, Kakus se decidió a replicar.

—No me ofendas, *kit*, gran criminal, hermano —escupió las palabras con sorna—, o al menos ¡eso espero!, espero que seas grande, un criminal de los buenos, de los de verdad, y que tu alma sea grande y tu bolsillo también. Esta que tienes delante de tus ojos es carne moldava de la mejor calidad. Prácticamente de estreno, de primera mano. Hubiera derretido de gusto los dientes de un príncipe de Valaquia, pero tú, que no eres más que un *muzhik*, un campesino, le haces ascos. —Tardó una eternidad en continuar. Las chicas permanecían silenciosas y avergonzadas, de pie, tapándose el vello púbico y el pecho con las manos, escondiéndose como podían, tratando de ocultarse unas detrás de las otras—. Oye lo que te digo: cuando las miras, cuando miras a estas perras jóvenes y lustrosas, tus ojos se beben el aire en una copa de oro. Pero llevas razón en algo, *kit*, gran ballena, llevas razón y tengo que dártela: estas putas no valen lo que te pido por ellas. No, no lo valen.

El otro contempló a Kakus con ojos maravillados. La confusión se agitó un momento en aquellos dos pozos negros donde se había acumulado el aguanieve de la codicia; por un instante, Polina creyó oír cómo salivaba el comprador.

Kakus suspiró, se acercó con aire indiferente a las muchachas y agarró a una de ellas por una pierna. Le dio un pellizco y volvió a mirar al hombre con el que intentaba llegar a un trato.

—No, no valen lo que te pido por ellas. ¡Valen mucho más, hermano!, ¡míralas un momento, hombre! Así que, o lo tomas, o lo dejas, pero no me hagas perder el tiempo. El tiempo es un *lunajod*, un furgón de la policía con el tubo de escape suelto. Cuanto más respiras a su lado, más se llenan tus pulmones de mierda.

Dio un puntapié a la tarima y una de las chicas soltó un respingo. Los músculos de los antebrazos de Kakus se habían tensado bajo el fino guardapolvos color verde con que se resguardaba del frío del Bósforo con la despreocupación de quien ha conocido un clima duro de verdad.

El comprador había empezado a sudar, refunfuñaba y miraba al techo, quejoso y malhumorado. Después de un rato de intercambiar precios y argumentos, las dos partes se veían hartas y exasperadas.

Hasta que Kakus levantó la voz, enfadado, con una mueca amenazadora curvándole la boca de finos labios, y luego se acercó al comprador y le cuchicheó algo al oído.

La expresión de la cara del hombre cambió de repente.

Polina se dio cuenta de que la estaban mirando a ella y sintió como si una rata la arañase por dentro.

Aquellos cuatro ojos se clavaron en los suyos con la contundencia de una escarpia, con el mismo ruido de golpe seco, con idéntico daño.

No le gustó ni pizca que la miraran.

Feruza

Feruza compartía un apartamento en el pueblo con Víktor, ucraniano de origen polaco, y otros tres polacos que sí habían llegado desde Polonia: Yapa, Kuba y Mariusz que, al igual que Víktor, trabajaban en la construcción.

Durante años, Feruza había visto a tres de ellos llegar a casa con la cara partida, las costillas rotas, los dedos quebrados. Intuía que los cuatro eran víctimas de la extorsión de otros compatriotas. Excepto Mariusz —que, sospechaba Feruza, trapicheaba por ahí y robaba casas en Madrid, porque siempre iba sobrado de dinero—, tanto Kuba como Yapa y Víktor, aparecían a menudo lesionados. La mujer presentía que les pegaban palizas para que pagasen la cuota que les imponían cada mes. Ellos no denunciaban. La extorsión no existía en España a efectos de delito sufrido porque las víctimas jamás, o casi nunca, interponían una denuncia en la comisaría. El miedo y la ignorancia les impedían tratar de buscar protección en la ley. Y la desconfianza hacia las leyes, que nada habían hecho por ellos a lo largo de sus existencias, ponía el resto.

Le preguntó a Víktor muchas veces, cuando lo

veía llegar al apartamento en un estado lastimoso, qué le pasaba.

—Déjame, mujer. No es asunto tuyo —respondía el hombre.

Ésas eran un montón de palabras, dichas por su boca. Feruza no conseguía sacarle ni una más.

Después, Víktor se encerraba en su habitación y, con la luz apagada, pasaba el resto del día y de la noche hasta que al amanecer se levantaba y se iba a trabajar.

En la obra en la que estuviese ejerciendo sus recién adquiridos oficios de carpintero, los compañeros latinoamericanos que ponían ladrillos a su lado se burlaban de él porque daban por supuesto que sus heridas eran producto de sus borracheras nocturnas.

Todos los domingos, Víktor se subía al autobús que recorría la urbanización y finalizaba su trayecto en la Plaza de Castilla. Allí tomaba el metro y llegaba hasta el Intercambiador de Aluche, en Madrid. Justo enfrente de la estación semienterrada, ya al aire libre, se formaba un mercadillo para inmigrantes polacos y ucranianos. En aquel lugar compraban y vendían comida, bebida (pese a que no tenían licencia para ello), revistas, periódicos, CD... El Intercambiador formaba una suerte de paso fronterizo entre Aluche y el barrio de Las Águilas, que encajado entre Campamento y Cuatro Vientos, fuera una de aquellas barriadas construidas en los años sesenta para alojar a la población trabajadora. Aluche también estaba plagado de antiguas construcciones de protección oficial. Pese a su origen obrero, el metro inaugurado en 1961 fue la piedra angular sobre la que se estableció una red de transportes que acabaron por convertirlo en uno de los puntos mejor comunicados de Madrid. Quizás por eso se había transformado en un centro neurálgico del comercio semilegal, de la compraventa disimulada y los pequeños mercadeos privados de la población inmigrante ucraniana y polaca de la conurbación de Madrid. El Intercambiador estaba rodeado de centros comerciales, una gasolinera y un aparcamiento, y hacía gala de un tráfico peatonal de los más densos de la capital, especialmente cuando el descanso dominical atraía a una multitud ávida de comprar productos de sus países de origen, contratar viajes al Este de Europa en minibuses abarrotados, realizar transacciones, contactos, envíos de dinero...

Los ucranianos son muy aficionados a los periódicos. Allá donde haya más de dos ucranianos, nacerá una publicación tarde o temprano, o bien alguien se encargará de importarla y venderla. Las grandes colonias de ucranianos distribuidas por el mundo, desde las llanuras canadienses hasta el sur de Madrid, pasando por Nueva York, compran y leen periódicos impresos en su lengua. El mercadillo de Aluche era el lugar donde adquirir la prensa ucraniana. Víktor también la compraba, antes de la acostumbrada cita con sus extorsionadores polacos.

—¿Tienes el dinero? —le preguntó, el último día que Víktor puso los pies en la explanada, la bestia polaca que se encargaba de recaudar el dinero que con tanto esfuerzo ganaba el ucraniano trabajando a destajo y sin seguridad social en la construcción. Llevaba años extorsionando a Víktor, desde que pisó Madrid por primera vez. Le acompañaba el mugriento camarada de siempre, que parecía su hermano gemelo, aunque menos parlanchín.

—No, no lo tengo. —Víktor agachó la cabeza y apretó contra su pecho el periódico en alfabeto cirílico que acababa de comprar.

—Pero veo que sí tienes dinero para tus revistas. ¿Qué es?, ¿porno? ¿Qué va a pensar tu mujercita, allá en Ucrania, cuando se entere de que su marido lee revistas guarras? ¿Y tus dos niñitos? El pequeñín está enfermo, ¿verdad? Su sangre no es buena, ¿cierto?... No me extraña, teniendo el padre que tiene.

Víktor no respondió. Bajó la cabeza aún más, hasta que notó cómo le crujía un hueso del cuello y un desagradable tirón en la base de la nuca.

—Habla...

Una muchedumbre expectante los rodeaba por todas partes. Mujeres desaliñadas, con el tinte barato del pelo deslucido, dejando entrever las canas, vestidas de forma anticuada, como si no se hubiesen enterado de que las hombreras y las chaquetas de cuero falso dejaron de estar de moda veinticinco años antes y acabasen de salir de una discoteca de los años ochenta. Niños rubios con los ojos de un azul casi fluorescente que correteaban y exigían helados y chucherías a sus padres. Hombres eslavos murmurando con voz áspera, robustos, de mirada desconfiada y ojos entrecerrados, como si no pudiesen soportar tanta luz o trataran de ocultar su identidad tras los párpados.

Muchas furgonetas tenían una fila bien organizada y paciente delante de la puerta trasera, que era atendida por polacos que, a veces con un retrato del papa Wojtyla colgando del cristal del destartalado furgón, despachaban diligentemente vodka, whisky, Spirytus, comida polaca preparada la noche de antes en la cocina de algún piso compartido en Parla, revistas de colorines cegadores...

En otras, los ucranianos organizaban viajes colectivos a Kíev, repartían y recogían encargos que iban a Ucrania o venían de allí, vendían bebidas de importación de alta graduación alcohólica y una base de miel y pimienta y discos de Aliona Vinnitskaya, o de Ruslana, en los que la cantante ganadora de Eurovisión aparecía ataviada como un personaje de ciencia ficción abriéndose paso con osadía en medio de un paisaje posnuclear.

El polaco agarró a Víktor y entre él y su amigo lo introdujeron disimulada pero firmemente en su propia furgoneta, que tenía la puerta trasera entornada. Una vez dentro, cerraron de un golpe, y él y su compinche, que no había hablado todavía, le dieron al ucraniano la que sería la última paliza de su vida. Si bien, aquella mañana ellos no podían saberlo.

—Sabes que si no pagas, primero mataremos a tu mujer. Después a la niña, esa niña tan guapa que tienes, que no se parece a ti en nada, quizás porque no es hija tuya, lo cual me parece perfectamente comprensible en lo que se refiere a tu esposa. Tu hijo, el enfermito, será el último. A ése quizás no lo mataremos. Será mejor dejarlo vivir, a pesar de que somos conscientes de que no tendrá a nadie que lo cuide.

Tú tampoco podrás hacerlo porque habrás perdido los brazos para entonces... —le dijo la bestia con su voz ronca.

El polaco silencioso, una vez que terminaron de golpear a Víktor, sacó una navaja de debajo de una manta arrugada que descansaba sobre el suelo del vehículo. Se la pasó por la lengua mientras miraba a su víctima, como si estuviera afilando el arma contra su blanda carne.

Agarró la cabeza de Víktor, la levantó y le seccionó limpiamente una oreja. Luego, la metió en la boca de Víktor, que a esas alturas hacía rato que estaba inconsciente.

—Vámonos —habló por fin.

La bestia salió veladamente del auto —siempre había un coche de policía por los alrededores del mercado, y valía la pena tener precaución—, subió al asiento del conductor y puso en marcha la furgoneta.

Aquel domingo, Víktor llegó a casa cuando ya era de noche. Feruza no lo vio entrar porque estaba en su cuarto, pero oyó la puerta de la habitación de su compañero y se acercó hasta ella corriendo.

—Viktor, ¿eres tú? —le preguntó mientras golpeaba suavemente con los nudillos.

El hombre no respondió.

—¿Te pasa algo? ¿Quieres un té?

Silencio.

—Víktor, estás muy raro últimamente. Déjame entrar. ¿Te sientes triste? Tal vez pueda hacer algo por ti... —Feruza trató inútilmente de darle un tono pícaro a su voz.

Hacía más de diez años que Feruza y Víktor se conocían. Habían sido compañeros en distintos pisos, cada uno en su habitación. Feruza no sabía mucho de la vida de aquel hombre, a pesar del tiempo transcurrido. De la misma manera que ella nunca le había contado que tenía un hijo en algún lugar del Cáucaso, él no le había confesado que mantenía a una mujer y dos hijos en Zazimia, en el óblast de Kíev. Ni que todos los meses enviaba un poco de dinero a casa. Ni que rogaba al buen Dios católico para que su hijo enfermo pudiera convertirse algún día en un joven fuerte y sano.

No mantenían una relación de pareja estable, más bien eran compañeros. Feruza le daba detergente gratis siempre que él quería poner una lavadora. A veces se habían acostado juntos, pero no era habitual. En esas ocasiones, Víktor era rápido, suave, y nunca miraba a Feruza a los ojos. Cuando terminaba, se iba rápidamente a su habitación después de darle a la mujer un pequeño apretón en el brazo y susurrar con voz consumida: «Buenas noches».

Feruza estuvo llamando a la puerta más de una hora, pero Víktor no abrió ni contestó, y ella dejó de intentarlo cuando uno de los polacos apareció por la casa y se quejó del ruido.

—¡Mañana tengo que trabajar! ¡Para ya! —gritó en español.

Feruza volvió a su habitación y se acostó.

No durmió bien.

A la mañana siguiente, cuando se levantó a las

siete, esperó pacientemente su turno para usar el cuarto de baño, y al terminar volvió a llamar a la puerta de Víktor. Seguía cerrada, pero pensó que quizás se había marchado a trabajar antes de lo habitual. En el apartamento todos cerraban la puerta de sus cuartos con llave.

Cuando volvió, después de una jornada laboral intensa, como todas las suyas, el dormitorio de Víktor seguía atrancado a cal y canto.

Feruza intentó forzar la cerradura, sin éxito.

Llamó a los polacos y les dijo que estaba preocupada.

—¡Está por ahí, mujer! ¿Qué piensas? No es tu marido, déjalo tranquilo... —le respondieron entre sonrisas maliciosas.

Pasaron dos días más, y Víktor seguía sin abrir la puerta. Feruza le suplicó a Mariusz que la forzara.

El otro se enfadó.

—¿Por qué crees que yo puedo abrir la puerta, yo?... No tengo llave, ¿por qué piensas que puedo abrir yo y no otro si no tengo llave yo? ¿Qué me quieres decir a mí? ¿Que abro puertas fácilmente?

Feruza trató de engatusarlo, alabándolo.

—¡No, no, no!... Pero eres el más hábil en esta casa. El más listo. El único que no tira las cosas, que no rompe las cosas. Siempre sabes arreglar las cosas. Eres bueno. Yo te miro y eres bueno haciendo cosas, no como otros. Por eso creo que tú puedes abrir esa puerta. Sólo tú, y nadie más puede que tú.

—No sé, no sé.

—Víktor no abre la puerta. Algo le pasa.

—¿Cómo sabes que algo... algo que le pasa?

—Son varios días. Él nunca se va. Siempre aquí, siempre aquí. Yo le digo que es como las paredes de esta casa. Siempre aquí cuando no trabaja. Pero son días sin verlo, sin abrir la puerta.

Tras un rato hablando y un par de tazas de té, Mariusz accedió a intentar forzar la cerradura.

Entró en su cuarto y cuando apareció con un juego de llaves maestras le lanzó a Feruza una mirada hosca. Ella aparentó que no se fijaba en sus instrumentos de trabajo.

Mariusz tardó apenas medio minuto en abrir.

La habitación estaba a oscuras, la persiana de la ventana bajada. El polaco encendió la luz.

Sigrid

Sigrid llevaba una semana estudiando la documentación que le había entregado su jefe después de su última reunión a la que casi llega tarde, pues se entretuvo con Martín tomando aquellas cañas que la pusieron triste sin saber por qué. Férriz le había ordenado que se la aprendiera como si la fuesen a examinar. No le dio más explicaciones.

Sigrid cargaba con los papeles de un sitio para otro como un escolar resignado que tira de su cartera. Metió en ella algunos documentos y se la colgó cruzada sobre el pecho. Se trataba de una carpeta abultada, repleta de fotocopias con los bordes doblados y algunos churretes de café decorando el texto.

Llegó en moto cerca de su casa y aparcó en la plaza de garaje que le había alquilado al señor Manolo, que vivía por la zona y era el orgulloso propietario de siete aparcamientos en pleno centro de Madrid, todos ellos sufragados con su trabajo en un puesto de ultramarinos en el mercado de los Mostenses, aunque hacía cinco años que se había jubilado y le había traspasado el puesto a un joven ecuatoriano.

Pagaba por su plaza ciento sesenta euros el día cinco de cada mes; el señor Manolo se presentaba puntualmente en la comisaría a cobrárselos en mano; tal cantidad se le hacía cuesta arriba, pero al menos en la plaza cabían la moto y su coche de tercera mano, un Seat Ibiza de color negro que ella misma había pintado hacía poco. La chapa estaba algo oxidada y decidió repintarlo con una pistola que le prestó un compañero manitas de la comisaría, un tal Díez Ramírez, famoso por arreglarse él solo hasta el bajo de los pantalones.

«Si todo el mundo fuese como Díez Ramírez —aseguraba Férriz—, el capitalismo se hundiría mañana.»

«Ah, ¿pero no se había hundido ya?...», preguntaba Sigrid.

En el taller le habían pedido mil quinientos euros por el trabajo, mucho más de lo que valía el automóvil. Sigrid lo pintó de negro y así cubrió el color rojo que lucía en origen. Había leído en un periódico que la Guardia Civil de Tráfico multaba más a menudo a los coches de color rojo que a los de cualquier otro. Sin saber por qué, se le antojó algo lógico, de modo que decidió cambiarle el *look* a su tartana. No había hecho un trabajo muy fino, pero se había ahorrado mil trescientos euros, contando el coste de la pintura, y el vehículo daba el pego. Lo miró con una mezcla de cariño y desprecio y aparcó la moto junto a la parte trasera del vehículo, que exhibía varios arañazos a través de los cuales se podía vislumbrar el tono original. Negro sobre rojo. Como zarpazos ensangrentados en el lomo de una Bestia de Buchan.

Tenía que comprar otro coche un día de estos. En cuanto consiguiera ahorrar un poco. Todos los días, mientras aparcaba, pensaba lo mismo y, en cuanto dejaba atrás el garaje, se olvidaba del asunto.

La cochera se encontraba detrás del antiguo hotel Plaza de la Plaza de España. Subió por la calle Reyes con la cartera aún cruzada sobre su pecho, compró una barra de pan, oscura y tiesa como un palo, en Rocarois, una pastelería china. No sabía por qué compraba el pan en aquel sitio. Le resultaba repugnante, siempre tenía la sensación de que llevaba de todo menos agua y harina. Quizás lo compraba porque la mujer china que atendía era la primera oriental simpática que había encontrado en Madrid. Su pan era casi delictivo, pero ella tenía una sonrisa encantadora y Sigrid nunca había podido resistirse al arte de la cortesía, que, evidentemente, dominaba aquella señora y muy poca gente más en todo el barrio. En el resto del mundo.

—Dame también una palmera de chocolate.

Sigrid habitualmente tuteaba a los chinos, le daba la impresión de que a ellos les importaba un carajo el tratamiento porque lo único que deseaban era que pagara y se largase pronto.

—*Uno telinta y sinco eulo* —dijo la mujer, adorable como de costumbre. Tenía una cara pecosa, qué curioso para una asiática, pensó Sigrid, que siempre se fijaba en las características raciales de la gente.

La dependienta era pequeña de estatura, de piel blanquísima, y muy bonita, con el pelo algo rizado, lo que también era poco habitual en una mujer china. Su marido, sin embargo, poseía el atractivo rostro de un dónut pisoteado.

Sigrid le dio un billete de diez euros. Siempre le

pagaba con billetes de diez euros porque nunca entendía el precio, de modo que le daba lo suficiente para recibir vuelta. La pastelería era pequeña y muy limpia. También servían zumos de naranjas recién exprimidas.

De los asiáticos, Sigrid prefería a los japoneses. Todo lo japonés le gustaba, no sólo las artes marciales. Pero China también le complacía. «Los chinos son disciplinados y no tienen el concepto de individualismo, para ellos la familia es importante y les gusta cooperar, la asociación está inscrita en su ADN cultural, quizás porque así han hecho frente a los grandes desastres que llevan padeciendo a lo largo de toda la historia», se dijo Sigrid mientras observaba fascinada la alegre cara de la dependienta, que le envolvía el pan y el dulce.

Dijo adiós y le devolvió la sonrisa a la mujer de la pastelería. Pasó por delante de un bar cubano. Un negro enorme y risueño, al que se podía encontrar en la puerta con más seguridad que al macetón de mustio boj que adornaba la entrada del antro, la saludó como de costumbre.

—¿Vas a *pasiar, mi amol?*... —El hombre tenía una voz bellísima, habría sido un magnífico cantante de jazz.

Sigrid creía que no trabajaba en el bar, que tal vez era amigo de algún camarero. No tenía aspecto de ser el dueño, desde luego.

—Yo paseo poco, compañero —le devolvió Sigrid el saludo—. Trabajo día y noche, como una esclava, como una negra... —Se rio de su propio chiste. «Qué racista soy», pensó.

—Ay, tú eres española, pero con esa *calita* tan linda que tienes... *Debelías se'* cubana...

—Pues soy española. Sí, amigo. —¿Tendría que haberle llamado *hermano*? Al fin y al cabo, aquel semejante era negro. Meneó la cabeza, confusa. No sabía por qué se hacía ese tipo de preguntas idiotas—. Ya ves. Yo española. Tú Tarzán —replicó Sigrid con su acento castizo señalándose primero a sí misma y luego al cubano en un gesto cómico.

Se maldijo a sí misma por tener cara de inmigrante y ninguna de las ventajas que le reportaría serlo de verdad.

El hombre también se rio ahora de buena gana mientras sacudía la cabeza.

Cuando llegó a su casa, ya en la esquina con la calle De Amaniel, subió las escaleras, abrió la puerta, dejó la palmera de chocolate y el pan en la pequeña cocina, situada a la entrada del apartamento, y la cartera en la silla de su estudio.

Sacó el informe, se preparó un vasito de sake caliente y puso la palmera de chocolate en un plato. Se sentó en el sofá y encendió la lámpara de lectura, estirando las piernas sobre un cojín. Mordisqueó la palmera mientras leía.

Un juez, conocido en medios judiciales por ser un tanto susceptible, solterón, elegante, alto y de porte aristocrático, nieto de polaco aunque nacido en un pueblo de la zona de Despeñaperros, que a pesar de su posición aún no se había convertido —quizás porque no había querido— en un juez *estrella* (la Audiencia Nacional recibía los casos más jugosos, los que más repercusión tenían en la opinión pública), el juez Marcos Drabina Flox, junto a tres fiscales anti-corrupción —uno perteneciente a la propia Audiencia, otro de Andalucía y otro del Levante— y alrededor de cuatrocientos policías y guardias civiles, tras algo más de veintiséis meses de investigación habían liquidado dos años antes a la Tambovskaya, una organización mafiosa de las más temibles.

Aunque eso de *liquidado* quizás sonaba demasiado contundente, dado que ese tipo de organizaciones se contaban por millares, formaban telas de araña interminables y no era fácil erradicarlas para siempre.

Todas procedían de la antigua Unión Soviética, y no eran necesariamente rusas: las había armenias (venta de armas), ucranianas (trata de blancas), dagucstaníes (ascsinatos por encargo), azeríes (narcotráfico), lituanas (un poco de esto y otro poco de aquello...), la mayoría de ellas con influyentes conexiones en las bandas colombianas especializadas en narcotráfico. Las georgianas batían todos los índices de popularidad en cuanto a violentas y bien encriptadas en el tejido social español. Comenzaron su apogeo acaparando el tráfico de armas en las salvajes rutas montañosas del Cáucaso, y demostraron una pasmosa pericia secuestrando niñas que luego vendían y repartían por los burdeles de media Europa.

La mafia chechena tampoco le iba a la zaga; la sola mención de su nombre lograba convertir a cualquier extorsionado en un pelele a sus órdenes. Los mafiosos chechenos tenían una merecida fama de albergar entre sus filas a una nutrida legión de sádicos que, según afirmaba el historiador Mark Galeotti, cuidaban su buen nombre: si un grupo mafioso, para tirarse un farol, decía estar relacionado con la mafia chechena pero no ejecutaba sus amenazas, los chechenos se encargaban de cumplirlas para no «devaluar la imagen de su marca».

Mafias. De varias trazas, de distintas nacionalidades. Todas ellas feroces, con miles de criminales que dirigen empresas perfectamente legales (concesionarios de coches, joyerías, discotecas, restaurantes, jugueterías...), bancos desde los que blanquear el dinero procedente de sus sucios trajines, abogados, testaferros, informáticos para los delitos en Internet, con especial atención a las apuestas deportivas amañadas como las del famoso torneo de tenis de Wimbledon; científicos capacitados para manejar polonio, cobalto o cualquier ingrediente necesario para la fabricación de una bomba sucia. Un mundo dentro del mundo que extendía sus tentáculos desde Oriente hasta Occidente, del Norte al Sur del planeta. Nada parecía escapar a su control. Aunque el mundo tuviese, no había duda, cada vez menos control sobre ellas.

El golpe a la Tambovskaya fue el premio a la llamada operación Troika, un término tradicionalmente usado para designar la alianza entre tres personajes de idéntico nivel. En el idioma ruso se indica con él a un carro impulsado por tres caballos alineados de costado, pero sirve también para referirse a un conjunto de tres individuos. En este caso, pensó Sigrid, probablemente se trataba de los tres fiscales anticorrupción, porque mafiosos cayeron más de tres.

Tambovskaya, óblast de Tambov, un pueblo situado a unos cientos de kilómetros de Moscú del que eran originarios varios de los jefes de la mafia, que se conocían desde sus días de infancia, como rateros que extorsionaban a sus vecinos para cobrarles la *grissa* a cambio de protección.

Se les relacionaba incluso con el tráfico de órganos, aunque no había pruebas fehacientes de ello, por eso ponían los pelos de punta a quienes habían trabajado en la investigación.

«Todo lo que quieras te lo puede conseguir el tío Izguilov, el tío Vania, el tío Pylev... Un riñón. Un corazón fresco. Paga, y luego pide. Cualquier cosa es posible si tienes los billetes necesarios. Divisas fuertes, por favor. No se aceptan tarjetas de crédito. *Only cash*.»

Sigrid reprimió un escalofrío y continuó leyendo, tratando de disipar con una mano las nieblas de su imaginación enfermiza.

En la operación habían colaborado los servicios de espionaje de Alemania, Suiza y Estados Unidos. No se obtuvo la cooperación del FSB, el Servicio de Seguridad de la Federación Rusa, heredero de la temible KGB.

Detuvieron a veinte personas, a las que sorprendieron durmiendo. Asaltaron sus mansiones en Alicante, Marbella y Palma de Mallorca, y congelaron cuentas en paraísos fiscales por más de doce millones de euros. Unas migajas, según sospechaba Sigrid a tenor de las informaciones que se conocían sobre las mafias del Este: todo indicaba que manejaban miles de millones, billones, con total impunidad.

Los propios G. P. y L. K., importantes padrinos rojos, después de ser detenidos en Palma de Mallorca, afirmaron tranquilamente que habían comprado la semifinal de la copa de la UEFA, amañándola para que ganase el Zenit de San Petersburgo, que, en su día, fue rival del Real Madrid en la Liga de Campeones. El Zenit era un club de fútbol que pasó de ganar un solo título en toda su historia —la copa de Rusia en 1999— a ser campeón de la Liga, de la UEFA y de la Supercopa de Europa ante el Manchester United. Lo habían levantado desde la nada con mucho dinero, Sigrid suponía que sucio, como era obvio, e incluso había ganado al Glasgow Rangers y al Bayern de Múnich.

Estuvo leyendo durante un par de horas, hasta que al mirar por la ventana se dio cuenta de que era noche cerrada. La calle empezaba a calmarse; a mitad de semana aún no había arrancado el trajín de borrachos y adolescentes ansiosos que anunciaba la llegada del sábado. Madrid nunca duerme, pero a veces se queda amodorrado y Sigrid daba gracias al cielo por ello.

El sake empezó a hacerle efecto, aunque era tan suave como una cerveza. Dejó los papeles sobre el baúl de madera antigua que hacía las veces de mesa de centro y se estiró con pereza mientras se miraba los dedos de los pies. Cuando estaba a punto de quedarse dormida, sonó el timbre del portero automático y dio un respingo.

Se levantó corriendo y fue a atender la llamada. No esperaba a nadie a aquellas horas.

Misha y Mariya

Moscú, 1970

En la década de los setenta, Misha hizo buenas amistades que le reportaron grandes beneficios en los negocios. Conoció, por ejemplo, a Dmitri Malévich, alias *El caldero* porque durante años fue obrero de una fábrica de calderas. Lo fue hasta que ingresó en una prisión para cumplir condena por hurto. No lo condenaron nunca, sin embargo, por asesinato, contrabando y atraco a mano armada, delitos en los que era más que especialista. Pero lo pillaron con las manos en la masa y lo acusaron de ser culpable de «hurto organizado en perjuicio de la fábrica», hurto colectivo, dado que estaba compinchado con algunos compañeros. El valor del material robado ascendía a seis rublos. Cumplió, por orden del tribunal, ocho años de cárcel.

Misha y él se encontraron cuando Dmitri ya era un orgulloso ex convicto.

—En la colonia he aprendido mucho —se pavoneaba Dmitri. «Colonia» era el nombre con que se solía llamar al penal—. En Moscú, compañero, la mayoría de los delitos son contra la propiedad. Y los crímenes, según yo he comprobado, se cometen principalmente con un arma que ya es clásica...

—¿El cuchillo, las armas blancas? —preguntó Misha, deseoso como siempre de aprender.

—No: ¡el vodka, Iván Ivánovich, el vodka!... No hace tanto que Nikita Jruschov nos subió el precio del vodka, pero te digo que no sirvió de nada. La alegría de Rusia consiste en beber, como dice el proverbio.

—*Da, da*... Hablas como un sabio.

—Claro que lo que el sobrio tiene en el alma, el borracho lo tiene en la lengua, así suele decirse porque es algo evidente. La gente que no bebe es aún menos de fiar.

—Te escucho y todo lo que oigo es verdad.

—A Brodski, el joven poeta de Leningrado, lo condenaron a trabajos forzados, inculpado por vagancia, y le llamaban «piojo» en las revistas literarias y en la televisión. Desde que hace unos años lo indultaron, ya no ha vuelto a decir que le gustaría escupir sobre Moscú —Dmitri se rascó la cabeza, de pelo ralo y encanecido—. Pues bien, yo sí que escupo. En el nombre de Brodski y de su hijo en caso de que lo tenga, y del viejo Nikita. Esta ciudad me condujo a la perdición, está llena de tentaciones.

—No te quejes, hombre. Moscú es el mejor sitio de la tierra para un moscovita.

Dmitri había cumplido los cuarenta y cinco años. La cabeza se le estaba pelando de cabellos, tenía la piel pálida y agrietada, llena de arrugas. Tosía a menudo. Los rasgos de su cara parecían emborronados. Su cuerpo no era fuerte y entornaba los ojos achicándolos hasta casi hacerlos desaparecer cada vez que quería examinar con detenimiento algo.

Negó tristemente.

—No, Misha. Siempre hay sitios mejores. Créeme.

—Háblame de la cárcel, Dmitri. —Misha, a sus veinticuatro años, era un buen estudiante. Terminó con honores su carrera de ingeniería, y prosperaba en el delito aún con mejores notas. Su bolsillo rebosaba de *kopeks*, que sumados hacían muchos rublos, pero él los seguía gastando con prudencia, sabía que no debía llamar la atención. No pertenecía a ninguna banda de ladrones, pero colaboraba ocasionalmente con todas. Ya tenía cierto nombre.

—En teoría, cada dos meses nos permitían charlar con nuestros familiares, siempre que nos portásemos bien. Tenías que mostrar buena voluntad en el trabajo, ser sensible a las relaciones colectivas y toda esa porquería. Y respetar el reglamento.

—¿Tú cumplías las condiciones?

—No, si podía evitarlo. Además, no tengo familia, ¿para qué iba a querer verla?

—Eres un buen hombre, compañero. Hablas como un padre de la patria.

—Teníamos derecho a diez rublos al mes para comprar en la tienda de la colonia cigarrillos, latas de sardinas, papel y jabón para afeitar. Pero yo..., bueno, incluso me he quedado sin barba mientras estaba allí. Ya no me salen pelos en ninguna parte. Ni siquiera en las pelotas.

—Así ahorrabas, mira el lado bueno.

—Podíamos escribir todas las cartas que quisiéramos, pero este que te habla no tenía a quien contarle su vida de piojo, de modo que la correspondencia no me interesaba lo más mínimo. Una vez que has cumplido la tercera parte de la pena, tenías derecho a veinte rublos. En teoría, y con buen comportamiento. Pero nunca supe que nadie recibiera veinte rublos. Ni siquiera diez.

—Los rublos son tan difíciles de ver como el Dios de los capitalistas. Comprendo.

Estaban en el Estadio Central Lenin, donde se disponían a ver un partido de fútbol. Jugaban el CSKA, el equipo favorito de Leonid Brézhnev, y el Dínamo de Moscú, del que se decía que el primer ministro Alekséi Kosygin era forofo.

A través de los altavoces podían oír al director del estadio gritando con solemnidad:

—Ciudadanos, aficionados al fútbol. Procedo a enumerar los resultados del último partido que se jugó en este mismo estadio. —La voz era atronadora y autoritaria, y Dmitri y Misha se vieron obligados a interrumpir su conversación y a prestar oído involuntario—. El trabajador de la industria automovilística Nikolayevski, en estado de embriaguez, violó a una joven estudiante del Instituto Textil. El Tribunal del Pueblo lo ha sentenciado a quince años de prisión. El trabajador de la fábrica de cartuchería Jorunski, en estado de embriaguez, le arrancó dos dedos de la mano izquierda, de varios mordiscos, a un trabajador ingeniero de minas de Voroshilovgrado, desplazado recientemente a Moscú y que se hallaba situado a su izquierda. Diez años de cárcel. Seguiremos dando noticias en el descanso del partido...

Dmitri bostezó con impaciencia.

—Cada tres meses, y si hacíamos gala de buen

comportamiento, teníamos derecho a recibir visita. Podíamos ver en una habitación a la mujer, los hijos y la madre. Yo no tengo nada de eso. No tengo nada.

—Tienes tus buenos rublos escondidos, que dan más calor que las nalgas de una mujer y reclaman menos cuidados. No te sientas desgraciado si la fortuna te ha sonreído.

Dmitri lo miró de medio lado, se cerró las solapas de la chamarra y no dijo nada. Hacía frío, a pesar de que aún no había entrado el invierno. Después de un rato observando cautelosamente a su alrededor, bajó mucho la voz:

—Todo depende allí, en el agujero, del sentido de las relaciones colectivas.

—Aquí fuera también.

—Había una habitación para recibir a los parientes, con un infernillo de alcohol que permitía cocinar en caso de que uno pudiese encontrar alcohol para hacerlo funcionar. Un milagro, dentro de una cárcel. Aunque debo decir que la tienda de la colonia en muchos sentidos estaba mejor abastecida que las tiendas del centro de Moscú.

—No es extraño.

—Hace poco que he conocido a una mujer. Eché mucho de menos a una mujer allí dentro, ya me entiendes.

Misha asintió con gravedad.

—Se llama Liuba. Es muy joven. Todavía es estudiante del Instituto Pedagógico. Aunque ya no volverá a cumplir los veinte. Ahora que lo pienso, no es tan joven... Canta como nadie *Ojos negros*, ya me entiendes...

Misha se frotó las manos para entrar en calor.

—Por las noches se gana unos rublos sentada dentro de un taxi. Conoce a uno esos taxistas *pidzhachniks*, ¿me comprendes?

Misha comprendía perfectamente.

Los rodantes *pidzhachniks* y los *fartsovschik*, estraperlistas, eran los taxistas que se movían en los bajos fondos de la ciudad. Los primeros estaban especializados en recoger clientes recién llegados a Moscú, casi todos soviéticos, en el mismo aeropuerto; luego les buscaban una prostituta, o los desvalijaban por el camino, o ambas cosas, y por ese orden o al contrario. Los segundos pescaban a los extranjeros, timándolos con el cambio de divisas. Todos ellos hacían negocios con prostitutas, rateros y estafadores de distinto pelaje. También solían manipular los contadores, con lo cual el precio del recorrido era uno más de los hurtos que cometían, y el que menos reclamaciones les procuraba.

La chica de Dmitri, resolvió Misha, era una fulana de las muchas que hacían su trabajo dentro de los taxis para no ser sorprendidas en mitad de la calle por la policía.

—Liuba es caprichosa, me exige regalos. Yo soy un pobre hombre que acaba de salir de la cárcel.

—Eres un astuto diablo, eso es lo que eres.

Dmitri tamborileó en el suelo con sus botas sucias, rebozadas de barro, para entrar en calor, y arrebujó su delgado cuerpo bajo el chaquetón de paño de un verde descolorido.

Misha no entendía por qué tantos hombres perdían la cabeza por una mujer. Él había conocido a varias mujeres. Se podía decir que a muchas, dada su edad, y sin embargo tenía la sensación de que todas eran bastante parecidas. No había que exagerar con el asunto de las mujeres, según creía Misha, pero ahí tenía a ese ladrón, brillante y con reputación de buen profesional, atrapado en las redes de una de esas *shiksas* atolondradas.

Dmitri era un bandido de pura cepa, había traficado con diamantes sudafricanos, esmeraldas de los Urales, piedras preciosas de Yakutia y hasta relojes japoneses y camisas italianas. El latrocinio, la estafa, la especulación y el apaño eran asignaturas sobre las que podría escribir una enciclopedia. Por no hablar del asesinato y de hacer desaparecer limpiamente en pleno invierno un cuerpo en las turbias y heladas aguas del río Moscova, a cuyas orillas se hallaba el estadio donde se encontraban. ¿Por qué perdería el tiempo pensando en una mujer que, lejos de reportarle beneficios, era indudable que le hacía perder dinero?

Las mujeres, meditó Misha, meneando la cabeza lúgubremente, eran la perdición de muchos hombres. Grandes o pequeños hombres. Claro que a él, se dijo, nunca le ocurriría nada semejante.

No sabía, por entonces, lo equivocado que estaba.

—Si yo fuera el secretario general del comité central del Partido ordenaría que decorasen este estadio con alfombras de Bujará —gruñó Dmitri pataleando y dándole sin querer un codazo al ciudadano que se sentaba a su izquierda. El ruido del ambiente, un ardoroso murmullo general, a veces les impedía oírse bien el uno al otro—. Perdona, amigo... —volvió la cabeza de nuevo hacia Misha—. Tengo los pies tan helados como el culo de un oso tullido.

Misha estaba mirando, distraído, dos carteles gigantes, al otro lado del estadio que anunciaban «Lave sus manos antes de las comidas» y «Coma legumbres y verduras».

—Óyeme, Misha. Tú eres un pequeño *ganef*, un ladronzuelo todavía. Pero puedes ser algo más.

Misha no dijo nada.

—Quizás sería más cómodo para mí buscarme una matrona de amplias posaderas que se pase el día cocinando empanadas, pero mi dulce Liuba es esbelta y no sabe guisar... —murmuró soñadoramente Dmitri.

El partido no tardaría en comenzar, y a Misha empezaba a aburrirle la cantinela sentimental de su amigo.

Alguien, sentado a las espaldas de Misha, tarareaba una cancioncilla con áspera voz: «Te aguardo, viento de la infancia, acaríciame una vez más los cabellos...». Se le notaba alegre ante la perspectiva del espectáculo deportivo. Los rusos amaban el fútbol. Misha no era tan entusiasta, aunque no le desagradaba una buena competición.

—A veces, Misha, pienso en dar un golpe grande y retirarme discretamente...

—Pero tú eres un ladrón. Tienes una buena carrera por delante, no te retirarás fácilmente. Como dice el proverbio, sólo la muerte puede enderezar la joroba —objetó el chico.

—En la colonia hay un código por el que se rigen los ladrones.

Misha miró a su amigo con curiosidad. El hombrecillo tenía un aspecto deplorable, como un pajarito a punto de morir sobre el hielo.

—Se ayuda a los colegas en apuros, hay una caja común donde ponemos una parte de nuestro dinero que luego utilizamos para sobornar y comprar influencia. Eso es bueno.

Misha movió la cabeza afirmativamente, con gesto serio y grave.

—Es un código que se creó en las cárceles en los años cuarenta y cincuenta. Tiempos muy duros aquellos.

—*Da*... Sí, ya lo creo.

—Esa ley de los ladrones indica que un ladrón nunca debe engañar a otro ladrón.

—Es justo.

—Que todos los ladrones deben aceptar las leyes colectivas que se han decidido en las asambleas. Si se les pide que ejecuten a alguien, no pueden negarse.

—¿A ti te lo han pedido?

Dmitri miró a su alrededor, con cautela. Sus ojos se oscurecieron un poco. La luz se enturbió alrededor de su figura encogida y yerta.

—Alguna vez —confesó, pero no quiso dar más explicaciones—. ¿Sabes que los ladrones no pueden servir en el ejército en ningún caso?

—*Niet*, no lo sabía, Dmitri. Me lo dices tú ahora.

—Los ladrones que no cumplen la ley de los ladrones se convierten en perros, bien puedes imaginarlo. Son chivatos, basura. Confidentes de la autoridad. En las cárceles se los combate a muerte, pero están bien protegidos por sus amos. Aunque a veces... —se calló de repente y cambió de tema—. Las cosas han cambiado desde los años cuarenta. Antes era normal que el ladrón proclamase su filiación a grito limpio. Hoy en día es mejor tener la boca cerrada como la puerta de una tienda moscovita.

—Las bocas cerradas nunca tienen que morderse la lengua y partirla en dos.

—Si hablas, tus propios compañeros ladrones te denuncian por traidor, y terminas dando con tus huesos en una colonia de Mordovia, donde la pena más ligera son treinta años de encierro. Muchos de los que hay allí recluidos todavía no saben que se ha acabado la Segunda Guerra Mundial. Dicen que una vez hubo alguien que logró salir de aquel lugar, pero que terminó colgando de un árbol en el huerto de un manicomio, como Yezhov, aquel antiguo director de la policía secreta. Tú quizás no sepas de quién te hablo porque eres demasiado joven...

—Ya veo que un penal en Mordovia no es un buen destino para un ladrón, Dmitri. Lo entiendo perfectamente.

—Tú robas bolsos en el tranvía, y das algunos golpes en apartamentos o estafas a los vendedores del mercado, te mezclas con judíos malos y haces trabajos para rateros de poca monta que te piden incluso que cierres ataúdes por ellos —Misha arrugó el ceño y apretó los dientes en silencio mientras lo oía hablar—, pero siempre llevas la cara estirada de un perro y no tienes todavía una buena reputación. Yo te ofrezco que seas mi socio en un negocio importante. Que hagas algo de verdad con tus manos —se agachó sobre la oreja de Misha y susurró—: un negocio que pondría muy contenta a mi pequeña Liuba...

De pronto dio comienzo, por fin, el partido y los dos amigos se concentraron en seguir las evoluciones de los futbolistas por el campo de juego. Apenas comentaron nada más en el descanso después de la primera parte porque Dmitri tuvo que hacer una visita a las letrinas y, cuando consiguió regresar, ya había empezado la segunda parte.

El partido concluyó y Dmitri le fue contando a Misha los detalles del golpe una vez que abandonaron el estadio. Hubieron de suspender la charla de nuevo porque se vieron envueltos en una pelea multitudinaria, cuando unos doscientos trabajadores, que acababan de presenciar el partido, aparentaban estar empeñados en abrirse mutuamente las cabezas armados con botellas de vodka.

Lograron escapar del tumulto a duras penas y, con el trajín, Dmitri incluso pareció recuperar el color de la cara y el calor en los pies.

Al fin alejados del alboroto, el menudo ladrón completó la exposición de su plan ante los oídos atentos de Misha, que tomó buena nota de cada una de sus palabras.

Se trataba de una estafa ambiciosa, efectivamente. La víctima sería un especulador judío. Moishe Aumann, que controlaba todo el comercio de cereales del óblast de Moscú. Dmitri sabía que el judío guardaba un tesoro, pero no sabía dónde. Si bien había planeado la manera de obligarlo a que lo sacara a la luz. En ese momento, él se lo quitaría. Tenía un compinche que le ayudaría porque era un empleado de confianza de Aumann, a quien estaba decidido a engañar y vender por un precio razonable.

—Te necesito para que hagas el papel de policía secreta. Cuando el judío saque a la luz los sacos de oro que tiene enterrados, tú y yo se los requisaremos haciéndole creer que somos policías. Es un garrotazo limpio. Ningún riesgo, ningún problema. Un montón de oro para ti y otro par de montones para mí. Te quiero conmigo porque eres joven y sé que también eres fuerte y ágil. ¿Sigues practicando kárate, amigo mío?

—Hace dos años que conseguí el cinturón negro. Pero continúo aprendiendo, practico cuatro días a la semana —dijo Misha.

Luego Dmitri le contó el resto de los detalles. Misha le aseguró que le daría una respuesta al cabo de dos días.

—Eres un gran rufián, Dmitri, no cabe duda —dijo con admiración Misha cuando el otro hubo terminado de hablar.

—No lo pienses demasiado. Es la oportunidad de tu vida. Así te convertirás en un ladrón de verdad. Tienes un gran futuro por delante.

Sigrid

—¿Quién es? —preguntó con tono agrio.

A veces, los jovenzuelos que pasaban por la calle, agarrados a su botella de coca-cola rellena de licores baratos, hacían la gracia de tocar los botones de los porteros automáticos de todos los portales. Hubo un tiempo en que tenía preparado un cubo de agua en el balcón, dispuesto para ser lanzado sobre las cabezas de los pequeños gamberros, aunque un día se tranquilizó, sin motivo aparente para ello, y simplemente dejó de prestarles atención. «Que se vayan al cuerno —se dijo, sintiendo un gran alivio—, bastante tienen con lo suyo.»

—Abracadabra, Azadoras —la voz de Férriz le llegó ronca y acompañada de los sonidos de los coches que rodaban a trompicones por la calzada.

—¿Queeé?... Jefe, ¿habíamos quedado usted y yo?

—No, pero mira por dónde...

Sigrid pulsó el botón de apertura, que soltó un zumbido desagradable. Oyó un portazo y pasos que se encaminaban a la escalera. A veces tenía la sensación de vivir en medio de la vía pública. Lo oía todo. Si algún día lograba reunir el dinero suficiente, se compraría un ático. Los apartamentos situados en el primer piso de cualquier edificio del centro de Madrid convertían la vida en un espanto carente de privacidad.

Férriz entró con la urgencia de un pequeño tifón en cuanto Sigrid abrió la puerta. Olía a viento y a grasa. Por la tarde había refrescado y la noche avanzaba las maneras de lo que tal vez sería un invierno oscuro y álgido.

—¿Te molesto? —preguntó el comisario mientras entraba con toda confianza en el salón.

Sigrid tuvo la certeza de que le importaba poco si era o no bienvenido.

—No, adelante. —Cerró con doble vuelta y puso el seguro—. Está usted en su casa, no hay más que verlo.

—Oye, nunca te lo digo porque no me fijo mucho en estas cosas, y si me fijo enseguida se me olvida, pero tienes unos muebles muy bonitos. Me gusta sobre todo ese escritorio que hay al lado de la chimenea, y el espejo tan... contorneado. ¿Se dice así?

—Gracias, eran casi todos de mi abuela María, que Dios tenga en su gloria —respondió Sigrid mientras encendía todas las luces.

El ambiente era demasiado apagado, casi íntimo. Cuando estaba sola en casa, lo que solía ocurrir trescientos cincuenta días al año, se conformaba con una lámpara de lectura y un par de velas de esas que se suelen poner en los camposantos porque llevan una funda de plástico roja que evita que las apague el viento y que provoquen incendios. Las compraba en el bazar de la esquina. Ahorraba mucha luz con ese sistema y además creaba un entorno agradable y hogareño. Si bien, para hablar con su jefe, ella necesitaba verle bien la cara.

—¿Me puedo sentar? —consultó amablemente el comisario a su anfitriona.

—Ya está usted sentado, así que... Sí. Puede. Lo ha demostrado.

—Bueno, bueno. Pues a mí me gusta tu casa. No parece el hogar de una *madera*; parece el pisito de soltera de una poetisa uruguaya. No sé, una de esas que al menor contratiempo se desmayan delicadamente.

—Gracias. Es usted un misógino muy simpático.

—No empieces, Azadoras, que sabes que tengo muy mala baba.

—Bien. —Sigrid se sentó en un sillón, con la espalda recta y las manos estiradas sobre los muslos—. ¿A qué debo el honor de esta visita? Por cierto, ¿quiere tomar algo?

—Sí, me vendría bien un sándwich, siempre que no sea molestia. ¿Tienes cerveza? O, bueno, con vino también me conformo.

Sigrid le lanzó una mirada venenosa, pero se puso en pie, dispuesta a dirigirse a la cocina.

—Tendrá que ser un bocadillo. La esclava cocinera ha acabado su turno en mi casa y ha corrido a seguir trabajando en las minas de sal, así que sólo quedo yo para servirle, Majestad.

—Me va bien un bocadillo, pero que no sea de jamón, por favor. Sabes que no me gusta el jamón. Soy el único español al que no le gusta el jamón, y me siento orgulloso de ser el único, eh..., en algo. Ah, y tráeme un poco de agua. Estoy muerto de sed. De esa sed que no se quita con un buen lingotazo de whisky.

«Hay que fastidiarse», rezongó Sigrid para sus adentros. Fue a la cocina y oyó a Férriz encender el televisor, ajeno a su enfado. No era hombre que captase bien las sutilezas en el rostro de una mujer.

Mientras masticaba el bocadillo que le había preparado Sigrid, de mortadela napolitana —comprado en la pizzería Luna Rossa, en la calle de la Luna—, con tomate y queso regado de aceite de oliva, Férriz apenas si se limitó a rezongar entre bocado y bocado. Evidentemente, estaba muerto de hambre. Se bebió también un litro de agua —lo que cabía en la jarra que le había servido Sigrid— y una cerveza Coronita bien fría. Le fue mejorando enseguida el color de la cara.

Sigrid se preguntó si la tercera mujer de su jefe, que parecía salida de una postal de esas que glorificaban la felicidad hogareña en los años cincuenta, no le daba de comer a diario al pobre hombre.

En cualquier caso, se alegró de no tener a uno como él en casa. Estaba mucho mejor solita. Como una monja. Como una *kunoichi* viuda, una mujer ninja sin pareja. Con sus velas, sus muebles antiguos, sus canciones de Sammy Davis Jr. y *Gorillaz* sonando sin molestar a nadie, y su puerta de entrada acorazada después de lo del robo.

—¿Has leído lo que te di?

—Sí, un poco —comentó ella mientras retiraba la bandeja con los restos de la tardía cena de su jefe.

—¿Cómo que *un poco*?

—Sí, jefe. Casi todo. Pero el material es repetitivo y...

El hombre se incorporó en el sofá e insinuó que no le importaría tomarse una copa. Más que una sugerencia fue una orden y Sigrid suspiró y abrió dócilmente las puertas del mueble que sostenía la televisión, al lado de una chimenea de mármol blanco que jamás había encendido aunque en teoría funcionaba (¿de dónde iba a sacar la leña en el centro de Madrid, por Dios santo?, si ni siquiera había árboles por su barrio que ella pudiese talar...). Agarró dos copas y le sirvió al jefe un vodka lituano que compró en unas vacaciones, hacía seis años, en las Repúblicas bálticas. No lo había abierto todavía. Esperaba que hubiese envejecido bien, aunque no tenía ni la más remota idea de si el vodka era de ese tipo de bebidas a las que el tiempo no lograba echar a perder. Le había costado dos euros la botella, con una simpática y hortera etiqueta, en la tienda libre de impuestos del aeropuerto, de modo que, si se había agriado, tampoco se iba a llevar un berrinche. Y Férriz se lo tendría merecido.

El comisario, aparentemente, apreció el mejunje.

Sigrid se sirvió una copa.

—¿Y bien? —preguntó el hombre.

—¿Hum?

—¿Qué te han parecido?

—Una pandilla de cabrones. Eso es lo que ocurre cuando se pasan más de setenta años lejos de Dios, jefe. Como se decía en *Los hermanos Karamázov*: cuando no hay Dios, todo está permitido. Y de esa idea, señor, no puede salir nada bueno.

—Déjate de gaitas, Azadoras. Eres una jodida meapilas.

—No son gaitas, yo ya no soy creyente, pero la Unión Soviética...

—La Unión Soviética ya no existe, ¿no te habías enterado?

—He oído algo. ¿No me diga que los rumores son ciertos?

—Buena chica. Pues no, ya no existe, desde hace veinte años. Ahora hay algo peor, en cierto sentido. Y lo tenemos aquí, entre nosotros. Pero no lo vemos. Excepto cuando alguien entra en tu casa sin permiso y tú le partes el corazón de una patada. Aunque ese tipo de encuentros no suele ser habitual, afortunadamente. Lo normal es que el corazón te lo arranquen a ti y lo envíen por correo postal a Ciudad del Cabo, a Ámsterdam, a Toledo... A algún lugar donde habrá alguien esperándolo, alguien que ha pagado mucho dinero por él. —Sigrid dio un trago lento a su copa mientras lo escuchaba hablar—. Eso por poner sólo un ejemplo... Aunque no me las quiero dar de trágico...

—Menos mal...

—Sí, pero es que este tema me pone los pelos de punta, y me confunde también. Ya no sé qué es cierto y qué es una leyenda urbana. Y cuanto más pregunto, investigo y me explican, menos me aclaro.

—Eso es que está usted alcanzando la sabiduría, jefe. Bueno, bueno... He leído en ese montón de informes y recortes que me ha dado algunas noticias al respecto... Lo del tráfico de órganos suena espeluznante, la verdad. —Sigrid miró su bebida con aire mustio. Le habría gustado meter la cabeza en el vaso y esconderse dentro. La conversación no era muy agradable.

—Azadoras, la Fiscalía Anticorrupción quiere que colabores en una nueva operación contra la mafia, la mafia rusa. Operación Rasputín. Arranca de los flecos de la anterior. Estas cosas funcionan así. Se hace un trabajo policial, se encierra a unos cuantos gánsteres, se decomisan armas, dinero, documentación... Pero en realidad el operativo no sirve de nada porque, al día siguiente, los cacos ya habrán sido sustituidos por otros elementos, casi siempre más peligrosos que sus precedentes. Y en esas estamos. Este vodka está buenísimo, ¿me dejas ver la etiqueta? —Férriz examinó la botella con mirada de experto—. Joder, ¡si es extranjero!... No te privas de nada.

—¿Por qué yo? No entiendo nada, jefe. Llevo cinco años chupando tinta detrás de un escritorio, rellenando informes para los tribunales de violencia doméstica y aguantando las broncas de las asistentes sociales y, de repente, me pide usted que me convierta en una chica Bond.

Férriz contempló su vaso al trasluz, tenía la frente llena de arrugas que parecían surcos delineados por un hacha.

—¿Has oído hablar del programa Razia?

—¿Eh? Sí, algo. Vaya nombre, dicho sea de paso. Razia, por Dios Santo... Pero, bueno, que ya sabe usted que yo no tengo ordenador en el trabajo. Todavía no he superado la etapa evolutiva de la máquina de escribir. Quizás cuando me asciendan a jefa de limpiadoras...

—El programa es muy simple. Lo inventó un policía jovencito, de una comisaría de Teruel, aficionado a la informática.

—Deben aburrirse por allí.

—Es un buscador. Una especie de Google para la pasma. Algo increíble. No sé, me parece sorprendente pero según parece la mayor necesidad que tenemos hoy día, en todo el planeta, es la de una herramienta que nos ayude a «encontrar» lo que buscamos. Este mundo nuestro está lleno de cosas, de noticias, de información, de materiales, de mentiras... Azadoras, es muy difícil hallar lo que queremos en un mundo donde todo está revuelto y se mueve sin cesar. Por eso, cuando dispones de un utensilio que te permite encontrarlo, te conviertes en el amo del corral.

—No me diga. —Sigrid miró a Férriz; levantó una ceja con indolencia. Se llevó el vaso a los labios e hizo una mueca de disgusto al saborear su bebida.

—El Razia es extraordinario, Azadoras. Es una lástima que no estemos cien por cien informatizados. Si fuese así, sería capaz de hacer maravillas. Podrías introducirle las palabras «asesino, moldavo, treinta y dos años, pelo oscuro, ojos claros, extorsión», y te localizaría en 1'33 segundos al capullo que estuvieses buscando. Te daría una larga lista de resultados y podrías apostar tu paga extra de Navidad a que la primera sugerencia del inventario es el tipo que estabas persiguiendo.

—Ajá. —Sigrid se preguntó si el jefe no estaría un poquito borracho.

—El Razia es capaz de encontrar cualquier cosa, siempre que todas esas cosas estén a su alcance, bien seguras en una buena base de datos. —Se rascó el cuello antes de seguir hablando—. De momento no puede rastrear a demasiados asesinos, pero... adivina: te ha encontrado a ti, Azadoras. No me extraña, yo también lo hubiera hecho de haber podido. Encontrarte, digo... Eres una preciosidad. Quizás un poco madura, pero tampoco importa. Aparentas mucha menos edad. ¿Cuántos años tienes? ¿Treinta y cinco, treinta y seis? Nadie lo diría, te lo aseguro.

—¡Eh, jefe!, ¡alto ahí! ¿No me estará comparando con la chusma? Yo soy una ciudadana más o menos ejemplar. ¿Qué es eso de que el programita no encuentra asesinos pero me ha localizado a mí? Y deje ya sus bromitas machistas o voy a potar.

—Ya lo creo. Te ha encontrado, chica.

—¿Qué insinúa? ¿Qué significa eso de que el Razia me ha *encontrado*?

—Alguien, en la fiscalía anticorrupción, pensó que sería una excelente idea infiltrarse en la mafia rusa. Claro que eso es algo que nosotros, los maderos, llevamos más de veinte años pensando, no necesitábamos que viniera un listillo a contarnos lo obvio. Sin embargo... no hay forma, como la experiencia nos ha demostrado. No hay manera de colarse en sus recuas. Estos cabrones no son como los terroristas de ETA, que ahora mismo tienen entre sus filas a más guardias civiles que *gudaris* con el melón podrido de doctrinas racistas decimonónicas. En la mafia rusa no es posible infiltrarse. Ni hablar del caso. Menudos son, los hijos de puta esos. Se conocen entre ellos desde los días en que se alimentaban de la teta de sus madres.

Sigrid observó a su jefe con un creciente interés.

—Quiero decir —continuó Férriz llenando de nuevo su copa— que, en fin, ésa sería una tarea para la FSB, la antigua KGB, los servicios secretos rusos. «*Federal Security Service*», creo que se dice en inglés, FSS... Tanto da. ¡Yo qué sé cómo demonios se llaman, los muy mamones!... Ellos son los únicos que podrían infiltrarse.

—Pero ya tienen bastante con lo que tienen, ¿no?

—Sí, no se pueden comparar con el MI5, ni con el MI6 de los británicos. Por descontado... El caso es que, por lo que sabemos, el FSB no está por la labor. Si lo han intentado, no les debe de haber ido muy bien. Su manera de operar tampoco es muy... ortodoxa. No sé si captas la ironía religiosa de mi expresión.

Mientras trasegaba vodka de manera incansable, Férriz continuó relatándole a Sigrid —aunque ella ya se había hecho una idea después de leer la documentación— los detalles de la caída de la Tambovskaya mediante la Operación Troika. También de la Operación Java, una investigación que, aunque se había dado oficialmente por concluida, aún continuaba abierta, y en cuyas secuelas se había arropado la nueva Operación Rasputín.

Java había sido una operación internacional desarrollada entre Francia, Italia, Austria, Suiza, Alemania y España. El objetivo fue la mafia georgiana. Se efectuaron sesenta y nueve arrestos, veinticuatro de ellos en territorio español. Los detenidos fueron acusados de asociación ilícita, blanqueo de dinero, coacciones, extorsión, tráfico de drogas, tenencia ilícita de armas y conspiración para el asesinato. La Unidad contra la Droga y el Crimen Organizado (UDY-CO) de la Policía Nacional, en colaboración con los Mossos d'Esquadra y la Ertzaintza, además de la Fiscalía Anticorrupción, coordinaron el operativo después de meses de investigación que se sucedieron a los que hicieron posible la Operación Troika.

En efecto: las operaciones policiales, de ámbito internacional, se sucedían una tras otra, pero la mafia continuaba enquistándose día tras día, no sólo en el tejido criminal de Europa, sino en el económico. Compraban todo tipo de negocios, fábricas, inmuebles. La bolsa engordaba con el dinero procedente de los negocios sucios. Los bares, clubes o restaurantes que cerraban, asfixiados por la recesión, eran comprados por testaferros de la mafia que los abrían al día siguiente, remodelados por diseñadores de renombre...

—Tienen el mundo en sus manos, Sigrid. ¿Sabes por qué?

—No.

—Porque pueden comprarlo.

Feruza

Cuando miró dentro de la habitación de Víktor, Feruza reprimió un grito de horror.

Al cabo de dos segundos dejó salir el aullido que le empezaba a horadar las tripas con su fuerza. Gritó con tanta potencia y durante tanto rato que el polaco le tuvo que dar una bofetada para intentar despabilarla, pues daba la sensación de haber entrado en una especie de trance histérico.

Las pistolas de clavos que se utilizan para los trabajos de carpintería están impulsadas por aire y pueden ser de dos tipos básicos: de cartucho o de rollo. Las pistolas de clavos en cartucho tienen una capacidad de veinte a cuarenta clavos dispuestos en una suerte de cartucho que los mantiene unidos mediante unos finos segmentos de cable, de papel o de plástico. Las pistolas de clavos en rollo, por el contrario, contienen los clavos en un tambor o bote. Los clavos, habitualmente, se sostienen unidos por un cable y forman una hilera larga y elástica que puede cargar más de trescientos clavos. Algunas pistolas de clavos están diseñadas especialmente para fijar tablillas en los techados.

Una de esas pistolas era la que poseía Víktor.

Su preciada herramienta de trabajo, que el patrón le había suministrado. Hacía dos meses que se ocupaba de los tejados de un conjunto de diez chalets de madera que un constructor local estaba levantando en la urbanización, en una zona nueva recién alcantarillada.

Con esa misma pistola, con capacidad para trescientos clavos, se había suicidado Víktor apuntándola contra su sien. La policía contó más de setenta clavos incrustados en la cabeza del polaco ucraniano. Se había apoyado contra la pared para que el peso de su cuerpo continuara ejerciendo presión sobre el gatillo de la pistola una vez que él ya estuviese inconsciente y no tuviese fuerzas ni voluntad para seguir apretando.

Así, se aseguraba de que moriría.

Se salió con la suya.

Una semana después de su muerte, un Mariusz no muy sereno le dijo a Feruza que él podría haberle conseguido un *hierro*, una pistola de verdad a Víktor si aquel botarate se la hubiese pedido. Habría sido más fácil y menos desagradable para todo el mundo.

Alquilaron la habitación de Víktor apenas lo permitió la policía científica. Necesitaban el dinero para pagar el alquiler que el casero cobraba cada primero de mes. Todo el tiempo que permaneciera desocupada iría a cargo del bolsillo de los otros cuatro inquilinos que quedaban con vida en el apartamento.

Víktor no soportó los años de extorsión brutal a que fue sometido y, desesperado, acabó claudicando.

Pero Feruza estaba dispuesta a seguir adelante pasara lo que pasase. Le faltaba poco más de un año para pagar su deuda, para ser libre. A ella nadie le pegaba. Tampoco tenía una familia con la que la pudieran chantajear; su hijo era tan ilocalizable para Feruza como para sus acreedores, seguramente. Recordaba las viejas consignas del régimen soviético, que incitaban a la masa a resistir y a luchar. «Nuestra razón nos ha dado manos y alas de acero, y en lugar de corazón un motor ardiente.» Sí, desde luego, Feruza ya no sentía su corazón. En su lugar tenía ahora un motor ardiente que funcionaba con una energía nuclear ilimitada. Con la radiación de Chernóbil. Por eso nadie podría detenerlo.

Ella no se dejaría vencer tan fácilmente como Víktor.

La policía española, a pesar de lo que muchos suponían, no estaba compuesta por una pandilla de perros tontos. Descubrieron enseguida que Víktor estaba siendo extorsionado. Los forenses dictaminaron que la oreja que le faltaba había sido seccionada entre diez y veinte horas antes del suicidio. La oreja desaparecida, y las señales de la última paliza en forma de hematomas y costillas rotas, asimismo lo confirmaban. Les hicieron muchas preguntas a los compañeros de piso de Víktor, pero luego cerraron el caso. Evidentemente, era un suicidio, y la extorsión no podía ser investigada porque la víctima había muerto sin presentar denuncia.

Pasadas las primeras semanas después del suicidio de Víktor, una vez que pudo digerir la pena y el miedo, Feruza decidió olvidar y continuar adelante. Siempre mirando al frente, sin volver la vista atrás. Los que triunfan nunca piensan en el pasado, jamás se dan la vuelta para contemplar qué oscuridad y qué monstruos han dejado a sus espaldas, se decía la mujer.

Bien es cierto que cada vez tenía más problemas de salud, y que en pocas semanas estranguló a cinco gatos.

Los encontraba sobre todo en el jardín de Mariya. Acudían probablemente al reclamo de la comida para pájaros que había dispuesta en un cuenco, sobre un tocón de árbol, bajo un almendro de la parcela. Bizcochos remojados en leche.

No se comía a los gatos, desde luego.

Ella prefería el queso manchego, y unos chorizos caseros en aceite de oliva que Mariya le compraba a alguna pueblerina y que Feruza se iba llevando, de uno en uno, cuando descubrió que la dueña no se percataba del pequeño hurto.

Colocaba a los gatos bien envueltos en varias bolsas de la compra usadas, para que no olieran al descomponerse, los depositaba en el fondo de un saco para la basura y luego vaciaba encima los detritos procedentes de la cocina de Mariya, tan abundante en provisiones y restos como la de un cuartel.

Después los cargaba junto a los desperdicios y los amontonaba, como buena ciudadana, en los contenedores municipales. En el compartimento de «restos orgánicos».

Misha y Mariya

Moscú, 1970

Cuando llegó a su casa comunal, la misma donde había vivido con su madre hasta que ella murió de cirrosis, y que habitaba desde niño, Misha se lo contó todo a Mariya.

Ambos tenían una gran confianza el uno en el otro, como jamás llegarían a sentir por nadie más a lo largo de sus vidas.

—¿Debo participar en el negocio que me han propuesto, tía Mariya? —A pesar de que Mariya sólo era ocho años mayor que él, Misha le otorgaba una autoridad decisiva, por eso la llamaba «tía» cuando discutían algo verdaderamente serio—. Dime qué estás pensando.

Mariya se llevó las manos a la cabeza, puso los ojos en blanco y, sin previo aviso, rompió a llorar desconsoladamente. El padre de la familia que compartía la casa con ellos rondaba por la cocina, así que Misha trató de calmar a su amiga.

—¡Cállate!, ¡no hagas ruido, mujer! Es muy tarde para gritar, creerán que te estoy matando.

—¡Ay, Iván, pequeño Misha! ¿Cómo quieres que no me lamente después de lo que han escuchado mis oídos? ¡Me saldrá sangre por las orejas toda la noche después de esto! ¡Ay, ay!

—¡Ssssh!

«*Gurnicht! Schlemazl!*», pensó Mariya, repitiendo mentalmente las expresiones que había aprendido de una compañera de fábrica, aunque no supiera muy bien qué significaban.

—¡Vas a asesinarme con tus ideas, insignificante gusano de seda de colmillos retorcidos que come latas de habichuelas sin abrirlas siquiera en vez de saborear tiernas hojas de morera!...

«*Formach den pisk!*, pequeño imbécil», las palabras resonaban en el interior de la cabeza de la mujer, pero no salían hacia fuera.

—¡Ay, ay!

—¡Cierra la boca, tía Mariya, por favor!

—No se te ocurra participar en ese negocio, criatura idiota. Nunca jamás. Te arrepentirías eternamente —sentenció Mariya, que se había puesto colorada como un tomate debido al sofocón.

—Pero es un filón... Es tan fácil como tirarle a una niña de la coleta y salir corriendo. Ya te lo he explicado.

—Imbécil... Treinta veces imbécil y una más... —soltó Mariya, con una voz sorprendentemente suave y tranquila, por toda respuesta.

Misha se enojó, y se fue a dormir sin decir ni una palabra más. Estuvo rumiando durante dos días, pero al final decidió encontrarse con Dmitri y, siguiendo el consejo de Mariya, comunicarle que no participaría en la faena. Cuando hablaron se mostró taciturno y disgustado. No acertó a dar una explicación convincente y razonable sobre su negativa.

Dmitri se enfadó mucho, aunque decidió que si Misha mantenía la boca cerrada respecto a aquel asunto, seguirían siendo hermanos ladrones. Si se iba de la lengua, se encargaría de que alguien se la cortara antes de darle muerte como a un marrano.

—Si hablas, ya no volverás a hallar coordenadas en un plano de geometría cartesiana cómodamente sentado en tu instituto. La abscisa será la tierra y la ordenada, el techo de tu ataúd.

Misha le juró fidelidad. Le aseguró que preferiría morir antes que delatarlo. ¿A quién iba a denunciarlo? ¿A los perros tiñosos de la policía, que eran más ladrones que ellos mismos? ¿Qué ganaría con eso?

—En otra ocasión —prometió tibiamente Misha— haremos negocios, Dmitri. Sin embargo, en ésta no me siento preparado.

—Quien triunfa es porque no piensa si está preparado o no. Quien triunfa es porque actúa y se deja de cuentos. No lo olvides. Mirar atrás no ha llevado nunca a nadie hacia delante.

Misha y él se despidieron siendo todavía amigos, aunque con muchas reservas. Habían compartido el calor de unas tazas de té. La tarde era tan fría como los ojos de un montañés caucasiano.

Dos meses después de su último encuentro, Misha se enteró en las calles de que Dmitri no había tenido suerte con su negocio. Ni en los periódicos, ni en la televisión ni en la radio se ofrecían noticias de delitos, dado que vivían en una sociedad perfecta que no los hacía posible. En teoría. Pero las calles eran un hervidero de corresponsales de la crónica de sucesos. Así supo Misha que el compinche que había buscado

Dmitri, el empleado del judío, los engañó, a Dmitri y al judío, demostrando ser un maestro de la traición capaz de vender a dos amigos en un solo acto de vileza. Dmitri terminó en un sótano abandonado, y el empleado del judío le rompió allí mismo las piernas antes de asesinarlo golpeándole la cabeza con un martillo, ayudado por un lacayo que Dmitri nunca supo de dónde había salido, pues fue como si se materializase de la nada sobre sus costillas. Apenas un lustro atrás, Dmitri no se habría dejado vencer en una lucha de tan poca envergadura y categoría. ¡Dos aficionados con un martillo, por favor!... Pero los años de cárcel lo habían debilitado físicamente. Se quedó sin el oro, sin su Liuba y sin su vida. Y nadie lloró por él.

El compinche desleal y su inopinado amigo tampoco se salieron con la suya. La policía los cazó en la misma escena del crimen, alertada por unos niños que jugaban cerca. Aunque no habían logrado robar todo el oro del judío, sí se habían hecho con unas buenas onzas que, por supuesto, jamás fueron devueltas a su dueño tras ser requisadas como prueba por la fuerza del orden. El judío, según pudo saber Misha, ni tan siquiera había reclamado su oro. Se limitó a cerrar la boca y a continuar con lo suyo como si nada hubiese pasado. La policía, en justa correspondencia, lo dejó en paz y no lo interrogó. Dieron el caso por cerrado al día siguiente.

A partir de entonces, Misha se convenció de la santidad de Mariya. Se dio cuenta de que, de haber acompañado a Dmitri en su negocio, a esas alturas quizás él también estaría muerto.

Sigrid

—La mafia es un ejército. Más tenaz que el Ejército Rojo. Y el mundo entero es su Stalingrado. —Férriz se encogió de hombros, entre la resignación y el sopor que comenzaba a producirle la bebida—. Implacable, inagotable, siempre despierto y avanzando. No importa cuántos de sus soldados se pierdan por el camino, enseguida son reemplazados por otros. Y están controlando la grande, la pequeña y la mediana empresa de medio mundo, y en concreto de amplias zonas de nuestro país. ¿Qué importa que caiga Piotr, el mayor traficante de armas del hemisferio norte? Al día siguiente, otro *Iván* ocupará su sitio. ¿Sabes cuál fue la consecuencia más feroz de la desintegración de la Unión Soviética, esa que de momento no cuentan los libros de Historia?

Sigrid asintió, en silencio.

—Mafia, cariño. La que hasta entonces tenían encerrada en sus fronteras, ahora se ha expandido por el mundo entero. Llámalo la puta globalización o lo que quieras. La Interpol asegura que sólo en Rusia controlan unas cuarenta mil empresas. Y más de quinientos bancos. Tienen sus propias lavanderías industriales de dinero. ¿Por qué mendigar y corromper a los dueños de un banco respetable para lavar unos pocos dólares, o rublos, o euros, o lo que sea? ¿Por qué perder el tiempo cuando puedes comprar el banco entero y decidir qué detergente y qué suavizante usas con tus negros billetes? Un banco limpia, fija y da esplendor. Por no hablar de la buena reputación. Eso es lo que ha estado haciendo la mafia. Lo que ocurre es que el dinero que poseen es mucho. Tanto que, sólo de pensarlo, da miedo. Faltan fronteras en este mundo para que ese dinero se las salte y se coloque tranquilamente, mezclado con el nuestro, con el dinero de los pocos imbéciles que aún lo ganamos honradamente. Joder, cuanto más pienso en todo esto, más idiota me siento. Toda una vida de trabajo, ahorrando como una hormiguita para lograr pagar una puta hipoteca de mierda que me ha tenido ahogado veinte años... Y luego te encuentras con esta gente, que no ha dado un palo al agua en su vida pero que ya son millonarios.

—El dinero no lo es todo, jefe.

—Claro que no. No hay que olvidar los Bonos del Tesoro. Y los diamantes.

—He leído que... Este... —Sigrid consultó unas notas de su inseparable cuaderno—, Nikolái Ovchinnikov, que fuera jefe del departamento de lucha contra el crimen organizado del Ministerio del Interior ruso, pues este señor dice que los delincuentes, en Rusia, son unos cuantos miles, y que están especializados en delitos económicos.

Férriz se encogió de hombros.

—¿Unos cuantos miles?

—¿Le parecen pocos?

—Poquísimos, querida.

—Bueno, no estoy de acuerdo. Treinta y cinco mil delitos cometidos por la mafia en toda Rusia. Un setenta por ciento de ellos, de naturaleza económica. Y el resto, lo de siempre: delincuencia común, homicidios, secuestros, extorsión, atracos, narcotráfico y prostitución. Han acaparado las empresas de comercio y servicios, con su dinero lavado, y se han infiltrado en sectores como el energético, el maderero, la automoción, la pesca, los puertos... Roban crudo de los oleoductos, elaboran gasolina en refinerías clandestinas, casi todas ellas en suelo checheno. Se dedican a la tala furtiva, provocan incendios y contrabandean con madera, en Siberia sobre todo, y en el extremo oriental del país. Son un encanto, estos golfos apandadores... No le hacen ascos ni a las ventas benéficas de las escuelas.

—Has mencionado a Ovchinnikov. No sé si es una figura corrupta o no. Yo lo pongo todo en cuestión y no mandaría mi mano al fuego para defender la honra de ningún burócrata, sea ruso o de donde quiera. Tampoco soy especialista en este campo, casi todo lo estoy aprendiendo desde hace poco, desde que la Fiscalía Anticorrupción solicitó nuestra colaboración. Pero por lo que he podido averiguar, las mafias se introducen en sectores claves de la economía sobornando a funcionarios corruptos, como denuncia el propio Ovchinnikov. Vicegobernadores, agentes de aduanas, jueces... El teniente de alcalde de Ujtá, el vicegobernador de Kaliningrado... —Férriz hizo una mueca, parecía asqueado—. Por no hablar de lo que tenemos en nuestro propio país.

Eso, cualquiera sabe... Tengo la sensación de que aún no nos hemos enterado de nada, de que hay cosas que pueden llevar años ocurriendo impunemente. Lo más repugnante es que, según un ex coronel del KGB, se está produciendo una extraña, o no tan rara, aleación entre el crimen organizado y el antiguamente llamado terrorismo clásico o ideológico. Los narcos y los traficantes de armas usan cada vez más métodos terroristas. Explosiones, por ejemplo, y no dudan en abastecer de suministros a los terroristas. Ya te digo que no me fío de las autoridades rusas, pero hay que prestarles oído, puede que una buena parte de ellos esté hablando desde la cordura y la ley, contando la verdad. Ellos saben mejor que nadie lo que se cuece en las entrañas de su patria. Rusia es un país excepcional. La gente es dura. Preparada para sufrir lo que haga falta. Hay buena gente, mucha más que mala, estoy seguro.

—Como en todos lados, jefe. Si no fuera así, el mundo habría reventado hace algo más de dos tardes.

—Sí, llevas razón. El caso es que incluso Al Qaeda ha recurrido a la mafia rusa para intentar conseguir material nuclear.

—Pues mire, jefe, por lo que yo sé, si Al Qaeda no ha logrado ese material todavía, será porque los rusos no quieren dárselo. Porque deben de tener provisiones para montar una guerra de las galaxias. Quizás los *alqaedos* no pagan bien. O tal vez los rusos no sienten mucho aprecio por el Islam desde que estuvieron en Afganistán. O en Chechenia, que ya les vale... Creo recordar que no se anduvieron con remilgos por allí. Y tengo entendido que al presidente ruso se le ponen los ojos como carbones ardiendo cuando le mencionan a los islamistas.

Férriz estiró las piernas y se restregó disimuladamente contra la mesa.

—Sí, sí... —Se quedó un rato pensativo, luego continuó—: Llamamos *mafia rusa* a cualquier delincuente que venga del Este. Rusia no es la Unión Soviética, pero tendemos a confundirlas. A los georgianos los llamamos rusos, a los lituanos también... A cualquier mafioso que proceda del Este, lo tildamos de ruso sin darle muchas vueltas. Los buenos rusos de verdad deben de estar hasta la coronilla... Se rumorea que Toledo está controlada por los armenios, que los rumanos y los lituanos se mueven por Valencia como Pedro por su casa, que Murcia está hasta las trancas de ucranianos... Pero, a la hora de la verdad, armenios, lituanos, georgianos, rumanos o chechenos..., para nosotros todos son rusos. No debería ser así. Rusia es un país. Grande, pero no da para tanto. Rusia no es la URSS. Ya no.

Sigrid asintió, con la mirada perdida.

—A mí todos los rusos me parecen iguales, jefe —bromeó Sigrid—. Son blancos, al fin y al cabo. La mayoría.

—Mira lo que pasó con la Operación Java —continuó Férriz—. Parecían chorizos de poca monta, dedicados a cometer atracos insignificantes y a trapichear con material robado. Cacos como el que entró en tu casa, por desgracia para él. Mataban por encargo, pero no hay noticias de que dejaran un rastro de cadáveres aquí. Y, Azadoras, el de los cadáveres sí es un rastro fácil de seguir. Si Pulgarcito hubiese dejado cuerpos muertos en vez de miguitas de pan cuando su padre lo abandonó en el bosque, te aseguro que habría encontrado enseguida el camino de vuelta a casa. Los de la Java eran modestos en sus aspiraciones. Estaban bajo las órdenes de Zájar, una mala bestia que al final fue puesta en libertad bajo fianza por la Audiencia Nacional. Ahí tienes cómo acaba el trabajo policial: enchironas a cuarenta y cinco mindundis y el zar se larga de rositas, con una acusación pendiente por blanqueo de dinero. Me pregunto a quién untarían para conseguirlo.

—Sus manos están limpias, a los ojos de la ley.

—Sí, limpias. Y un cuerno. Se dedicaban a invertir. Son unos hombres de negocios, estos prendas. Compraban empresas de paquetería, ¿qué te parece? Inversiones alimentadas con el producto del robo, el robo con fuerza y la receptación, entre otras monerías.

—Me parece que el paquete se lo han comido los soldados. Como siempre. La infantería cae en primer lugar. Los generales tienen el trasero a salvo dirigiendo la lucha desde la retaguardia, lejos del plomo y de la pólvora. —Sigrid se frotó las manos. Las notaba secas. El clima de Madrid carecía de la humedad que su piel requería, le daba la sensación de que se le agrietaba por minutos—. Pero yo creo que esta mafia opera con un escalafón distinto al que estamos acostumbrados. Nada de familias. Nada de capos. Nada de lugartenientes, o capitanes, ni primos, ni hermanos como en la Camorra. La mafia italiana está ordenada como un portal de Belén. El jefe de familia, el hijo divino. El padre putativo. La *mamma*. Los parientes. Los adoradores... Una cristiana como yo es capaz de entender algo así. Pero en las mafias del Este, por usar su terminología, no valen los lazos de sangre. De sangre de familia, quiero decir. Los únicos lazos de sangre que se crean son los de la sangre derramada en actos criminales. No hay fidelidad. Si yo soy un jefe, no cubro la cagada de un capitán cobarde sólo porque se trata del hijo de mi hermana. Su estructura no es piramidal, sino transversal. Probable herencia soviética. Ya sabe, esa basura hipócrita de que todos somos camaradas y demás.

—Pamplinas, Azadoras. Eso será sobre el papel, pero en la práctica funcionan en escalafón, como en cualquier lugar donde existe un grupo humano organizado. Tienen consejos de sabios y todo eso. Sus propios sóviets del crimen. Y en un sentido moral, o criminal, aunque sean términos contradictorios, algunos de los grandes millonarios rusos de hoy en día estarán sin duda pringados de sangre y de mierda mafiosa hasta las cejas. Sin embargo, al moverse en compartimentos estancos, la porquería no se ve; a ellos, los que están en la cumbre, no les toca. No los salpica. El trabajo sucio se va realizando por niveles. Conforme excavas, la suciedad se va haciendo más visible. A ras de tierra están los machacas, roñosos y grasientos como el filo de sus cuchillos. Un poco más arriba, los capataces. Subiendo, los capitanes y sus jefes. Y en la estratosfera, los nuevos ricos que han subido como la espuma gracias a los negocios sucios, esa gente que sale en la tele, compra equipos de fútbol y se tira a modelos de lencería. Como dice el proverbio árabe: «Un hombre que hace su fortuna en un año debería haber sido colgado doce meses antes». Hay patrimonios que sólo se explican porque el crimen es cada día más rentable.

—Pues yo insisto en mi impresión de que las mafias del Este no poseen una jerarquía de mando piramidal. —Ése era un asunto que Sigrid nunca terminaría de ver claro—. Quiero decir, que me da la impresión de que han heredado, o copiado, un concepto soviético de la estructura, que todos son camaradas, sin jefes ni mandos intermedios. Una especie de *colegueo* igualitario. ¡No sé!, no me mire así, jefe, sólo estoy preguntando y haciendo suposiciones...

—Azadoras, la Unión Soviética tenía un Politburó, si mal no recuerdo yo. Eso de que allí todos eran iguales... Puede ser. Pero como decía Orwell, unos eran más iguales que otros. En cualquier parte del mundo donde exista un grupo humano hay una jerarquía de mando. Incluso en las tribus menos desarrolladas. Tú mejor que nadie deberías saberlo, ¿no eras antropóloga? Te he dicho, y te repito, que son camaradas. Pero que unos más que otros, ¿vale? A ver si estamos atentas...

Sigrid miró a su jefe, pensativa, y asintió.

—Los principales dirigentes de la Operación Java vivían en España, ¿verdad? —preguntó.

—Sí. Pero, si quieres saber mi opinión, a veces tengo mis dudas y pienso si todas esas operaciones no habrán sido un fiasco, al margen del buen resultado que ofrecen en los medios de comunicación. La gente lee en la prensa, o ve en la televisión, que se ha hecho una redada con cientos de policías, los Geo, jueces guapetones, los ángeles de Charlie y servicios secretos de otros países, el puto James Bond..., y flipa en colores. «Mira qué bien, cómo se lucha contra el crimen», comentan entre ellos en el bar. Y luego ven un partido de fútbol y se van a casa mucho más tranquilos. Las grandes operaciones contra las mafias del Este quizás no han sido más que películas de acción que han servido para entretener al respetable. Se podría hacer un *reality* en la televisión con mafiosos del Este. Sería un exitazo de audiencia. O una teleserie. El pueblo llano no distinguiría la verdad de la ficción ni aunque le fuera la vida en ello.

—¿Y quién puede, hoy día? —murmuró Sigrid—. Yo, desde luego, no. Debe de ser que soy pueblo llano.

—¿Te acuerdas de la Operación Delfín Blanco, para erradicar a las mafias internacionales de la Costa del Sol?

—Más o menos.

—Bueno, pues un bluf. Se confiscaron cientos de millones de euros en bienes, eso es verdad. Estaba pringada hasta la Trini. Finlandeses, españoles, ingleses, suecos, franceses, argelinos... Sólo había un ruso involucrado, por cierto. Lo peor es que se trataba de un caso de corrupción política, sobre todo.

—Delfín Blanco, Mármol Rojo, Avispa... Muchas han sido completos fracasos, es cierto. Por ejemplo, iban a trincar a cinco mafiosos y se les escapaban cuatro. Y así la vaina.

—Con la Java, la verdad es que arrestaron a catorce en Barcelona, a cuatro en Valencia, otros tantos en Getxo.... Todos georgianos, y uno de ellos, el contable del grupo. Y otro más en Guadalajara, que identificaron como Petia, *el Piojo*. Ése es el que nos interesa. Quiero decir que, el tipo fue arrestado, pero hay razones para suponer que, en Guadalajara, la actividad continúa. Tiene un sustituto. Creo que en círculos policiales lo conocen por Iván *el Terrible*, aunque no es de los más terribles, por lo visto. No ahora, al menos. Ahí será donde tú intervengas. Los detenidos en Barcelona, Valencia, Guadalajara y Getxo eran los encargados de dar instrucciones y supervisar la actividad delictiva de la banda en diversos países. Estos capullos son expertos en montar multinacionales. No sé de qué les ha servido tanto comunismo. Nunca había conocido a unos capitalistas tan cojonudos.

—Guennadis V., Vitali L., Aleksander H... Jefe, todos ellos han caído y han vuelto a salir en libertad después de pagar fianzas millonarias. ¿De qué ha servido el esfuerzo? —preguntó Sigrid.

—Sigrid, parece mentira que..., tú eres licenciada en Antropología, ¿verdad? Fuiste a la universidad, ¿no?, ¿o nos tenías engañados?

—Que sí, que estudié Antropología.

—Pues parece mentira que siendo una mujer con estudios y llevando todos esos años que llevas en la poli, aunque sea rellenando impresos la mayor parte del tiempo, aún no hayas aprendido nada. ¿De qué sirve el trabajo policial?

—Sí, ¿de qué, o para qué sirve? —preguntó a su vez Sigrid. El alcohol empezaba a amodorrarla un poco, tanto que hasta comenzaba a verle cierto atractivo a la dura y fea jeta de su jefe. Se recogió el pelo en una coleta y sacudió la cabeza, tratando de despejarse. Repitió, haciéndose eco a sí misma—: ¿de qué, para qué?...

—De nada. Y para nada —Férriz dejó escapar un bostezo—. Pero alguien tiene que hacerlo.

El comisario apuró su copa y decidió que ya iba siendo hora de volver a rellenar el vaso.

Las farolas de la calle dejaban pasar una luz amarilla, endeble y gastada, al interior de la estancia. Se hacía tarde. El hombre mostraba sombras oscuras que ahondaban sus facciones. El alcohol le había relajado los músculos de la cara, pero había un rescoldo de tensión en sus ojos que lo mantenía despierto y vigilante, como un sabueso que espera la ocasión agazapado en una esquina.

Sigrid pensó que el jefe aún no le había dicho por qué diablos el Razia había señalado su nombre. ¿Por qué ella? ¿A qué se debía el interés? ¿Quién la había buscado hasta encontrarla?

Férriz lo había dejado claro: nadie es capaz de encontrar algo si no sabe lo que busca.

Su nombre había surgido de un buscador que la colocó como primera opción de una lista de posibilidades en la que las primeras sugerencias eran siempre las válidas, y las últimas se deshacían como el azucarillo de una remota coincidencia.

Sigrid había sacado el número uno. ¿Debido a qué? Lo primero que se le ocurrió fue que su rasgo más sobresaliente era el color de su piel. Bastante oscuro comparado con el de la mayoría de sus compañeros de trabajo. ¿Alguien, de los de *arriba*, solicitaba a una mujer policía mulata o negra? Y si era así,

¿por qué?, ¿para qué? ¿Qué pintaba una mujer de color en un mundo surgido del frío Este de Europa? ¿Qué más tenía ella que pudiese desear un jefazo? ¿Su catolicismo? ¿Sus ojos verdes tan pálidos como los de un muerto rescatado de las aguas de un río en invierno? ¿Su licenciatura en Antropología Social que nunca le había servido para nada, ni siquiera para entender las estructuras internas de las nuevas mafias o las necesidades de las lactantes procedentes de Mali?...

La curiosidad la devoraba. No sabía si volver a preguntar o continuar callada.

Se rebulló, nerviosa, en su asiento.

Por un lado, notaba la excitación que le producía la perspectiva de una nueva situación profesional. Tantos años atrincherada detrás de la máquina de escribir, oyendo quejas, retazos de cientos de historias que correspondían a otras tantas vidas destrozadas por la fina y perenne corrosión del maltrato, la violencia de baja intensidad que, en ocasiones, explotaba igual que una olla a presión llena de agua hirviendo y se convertía en crimen. Las caras boquiabiertas de los niños, como si les hubiesen pasado por encima una goma de borrar que aniquilara cualquier vestigio de inocencia en ellas. Las solicitudes impotentes, nerviosas, a veces incluso maleducadas, de los desbordados trabajadores sociales. El rictus serio de los jueces... Llevaba años alejada del olor a delito de las calles, del golpeteo en el pecho que procura una buena pista. Estaba perdiendo olfato, y su corazón funcionaba con la cansina regularidad de un reloj suizo. Sólo con pensar que podría volver a disfrutar de un poco de acción se le aceleraba el pulso, sentía una inyección de adrenalina en el cerebro.

«¿Trabajo policial? ¿Para qué, por qué?»

«Para nada, por nada. Pero alguien tiene que hacerlo»...

Por otro lado, durante un instante, sintió un escalofrío de miedo que le erizó la piel. No sabía de dónde había venido el estímulo para una sensación así. Quizás, en su cabeza enardecida por la novedad, empezaban a mezclarse las emociones. Todo lo que había leído en muy poco tiempo sobre los *vory v zakone*, los ladrones de ley rusos, o ladrones en la ley. Y quizás un regusto a recuerdos, a malos recuerdos, a aquella madrugada en la que mató a un hombre. A lo que sintió mientras lo hacía (apenas nada), y al torrente de sentimientos y de imágenes locas que la cubrieron poco después como una lluvia de barro, de culpa, de compasión, de asco.

Se frotó los ojos con una mano temblorosa y sólo consiguió irritárselos aún más.

Sigrid y Férriz

Sigrid se aclaró la garganta.

Férriz parecía un poco adormilado de aspecto, pero hablaba como si le hubieran dado cuerda. De alguna manera, ella le agradecía que no diera lugar a silencios embarazosos.

—Se han practicado muchas *operaciones*, pero el cuerpo sigue enfermo, jefe. —Sigrid procuró otorgar a su voz un vigor que en ese momento no sentía—. Es lo que digo. Las cirugías practicadas no han dado un gran resultado. Han sido estéticas, no reparadoras. Disculpe el tópico.

—Azadoras, España se ha convertido en una *laundry* para el dinero sucio de todo el planeta. No cuenta tanto el dinero negro que las mafias generan con sus actividades en el territorio español como el que blanquean procedente de actividades ilícitas en el extranjero. Y, desde aquí, se llevan la pasta, enjabonada, fregoteada y aseada, directa a Panamá, a Suiza, a las Bermudas... El mundo se está volviendo muy pequeño. Y el dinero viaja más rápido que la luz. De hecho, el dinero es la luz del mundo, su antorcha. Si dejara de brillar nos sumiríamos en las tinieblas, y disculpa si me pongo poético, pero así es como lo veo.

—¿Y qué pinto yo en todo esto? —se atrevió Sigrid por fin.

—Un fiscal de la Audiencia Nacional, junto a la fiscal Anticorrupción de Málaga, de común acuerdo con los mandos policiales de Andalucía y Madrid, y el juez correspondiente, estaban buscando a un posible infiltrado. A una mujer... No te ofendas, Azadoras...

—Negra, ¿eh?

—Puede decirse.

Aunque se lo temía desde el principio, Sigrid empezó a cabrearse de verdad en cuanto las palabras de su jefe certificaron sus sospechas. Su malhumor fue aumentando de intensidad por segundos.

—Relájese, jefe. No voy a denunciarlo, aunque quizás debería. Y a la fiscal tampoco. Ni al juez de la Audiencia, aunque menudo capullo racista debe de ser el tío. —Sigrid obsequió a su jefe con una sonrisa torcida. Su malestar creció hasta hincharle las narices; había bebido más de lo que le convenía sin darse cuenta, y apenas era capaz de disimular su enojo—. Pero... Me parece tremendo. Joder, qué fuerte. ¿Negra? ¡Joder!...

—No hables mal.

—No se preocupe, mañana voy a confesarme.

Se sintió, durante un momento, como cuando tenía cinco años. Como aquel día en que inesperadamente murió su abuelo y la vecina del rellano, una pechugona de mediana edad que olía a guata semipodrida mezclada con naftalina, le puso la mano en el hombro a su destrozada abuela y dijo en voz alta: «¿Y qué hacemos con *la negrita*, la dejamos aquí? Si quieres se la puedo llevar un rato a mi criada y que la entretenga en la cocina»...

Maldita sea.

—Nadie se ha infiltrado nunca en estas mafias, como te dije antes.

—¿Y creen que yo voy a poder hacerlo? Joder... —soltó una risotada y ante los aspavientos de Férriz levantó una mano en señal de protesta—. ¡Joder! Sí, repito: ¡joder! No sólo es peligroso, es que además no entiendo la lógica de todo esto, en caso de que la tenga. ¿Usted me ha mirado? ¿Parezco acaso una *Natasha* moscovita? ¿La última novia de Vladímir Putin? ¡Por Dios santo! Todos ustedes están chiflados. Buscan infiltrar a alguien en una mafia del Este y sólo se les ocurre meter a esta pobre negra en medio de una jauría de blancos eslavos armados con bombas de fusión de bolsillo. ¡Por los clavos de Cristo, Férriz! ¡Esa gente desayuna uranio enriquecido! Yo sería como un negro desnudo tumbado en la nieve. O sea: un blanco perfecto.

—Tranquilízate, cariño. ¿Sabes cuántas mujeres de..., de color, cuántas mujeres de color tenemos en las Fuerzas de Seguridad del Estado?... ¿Que sean españolas de origen? Te aseguro que tú eres...

—¡No me llame *cariño*, joder! ¿Qué cojones se ha creído?

—Bueno, está bien. —Férriz se puso en pie, preparado para marcharse—. Cálmate y vete a la cama con una buena novela. Mañana hablamos. Te explicaré en la comisaría lo que había venido a contarte y no me has dejado...

—Yo creía que había venido a cenar gratis, por

toda la cara. Se ha tirado aquí tanto rato que he llegado a temer que su blanco culo hubiese echado raíces en mi sillón. Joder.

Férriz se encaminó a la puerta con pasos lentos, arrastrando los pies.

Sigrid lo siguió echando chispas por el pasillo y descorrió el cerrojo, señalando teatralmente la salida.

—¡Váyase al carajo!

Férriz franqueó el umbral con la cabeza gacha.

Sigrid cerró dando un portazo e inmediatamente se arrepintió al ver cómo temblaban los goznes de la puerta.

Oyó cómo Férriz, desde el descansillo, le susurraba un tímido y ronco «buenas noches».

—¡Que te jodan, capullo!... —gritó Sigrid, y se dirigió a la cocina a por un vaso de agua.

Misha y Mariya

Misha nunca se enamoró de Mariya. No cabía tal posibilidad. Él no era propicio a enamorarse. Y ella era demasiado alta, mayor, desgarbada y necia para que Misha se dignase fijarse en una mujer así. Los ladrones de ley no se casaban si podían evitarlo. El joven tampoco pensaba en atarse a ninguna compañera. Sus estudios y sus negocios iban viento en popa. Además, Mariya era muy blanca, y Misha empezaba a desarrollar cierta debilidad por las mujeres de color. Habían empezado a gustarle las negras. Le parecían muy exóticas. Se había dado cuenta de lo mucho que le agradaban al ver la foto de una revista de los diablos americanos que alguno de ellos había dejado abandonada en su habitación del hotel Metropol y que terminó siendo objeto de deseo en el mundo del mercado negro y vendiéndose de mano en mano, de matute.

La revista se llamaba *Play-boy*. (*Entertainment for men. One dollar*). Aquella chica resultaba obscena, escandalosa y excitante. El número correspondía a octubre de 1971. Aunque el mundo ya había llegado a 1972 cuando Misha hurgó con la mirada en las páginas ajadas y corruptas. La portada, que exhibía a una joven negra y tentadora de pelo afro, completamente desnuda detrás de una silla de un blanco puro con la forma de la cabeza de un conejo dotado de grandes orejotas, que ocultaba todo lo que era sustancial en el cuerpo de la muchacha, anunciaba un sumario interesante: «*Butkus: Mr. Mean. The porno girls. Your Jazz and Pop Poll Ballot. Four poems by Yevtushenko. Fall and Winter Fashion Forecast*».

El nombre de un ruso ocupaba su parte en aquella portada. Yevgeni Yevtushenko. Misha conocía un poema suyo, que casi se había convertido en un himno nacional entre algunos jóvenes, muchos de los cuales se identificaban con lo que decía:

Soy así y no soy así,
Soy trabajador y holgazán, decidido
E incapaz,
Soy vergonzoso y atrevido, perverso y bueno;
En mí hay una mezcla de todas las cosas, desde
Las del Oeste a las del Este, desde el entusiasmo
Hasta la envidia...

¡Un poeta ruso contemporáneo!

Quizás —pensó viéndolo ahí, en aquella portada prohibida— podía sacarse la conclusión de que un ruso, aquel ruso por lo menos, había llegado lejos. Casi tanto como Gagarin.

Eso le dio a Misha mucho que pensar.

Si bien, más que el joven poeta ruso, reflexionó sobre la chica negra mientras suspiraba con un deseo y una nostalgia de las que ni siquiera fue consciente. Se le antojaba que una mujer así no podía ser más que un sueño, que nunca contemplaría con sus ojos nada semejante porque las mujeres como ella se encontraban al otro lado del mundo, en un lugar tan lejano que ni Gagarin —que había muerto trágicamente cuatro años antes— habría podido alcanzar.

Pasaron muchos años, largas décadas, tiempos muy duros antes de que Mariya acompañara a Misha a España y se instalara con él, finalmente, en la sierra del norte de Madrid, concretamente en la provincia de Guadalajara, en una tranquila urbanización de clase media de Arroyo del Tranco. Después de toda una vida habituada a utilizar un tosco insecticida soviético como desodorante corporal, comenzaba a vivir mejor que una princesa.

El entorno le recordaba a la mujer, además, de cierta manera muy sutil y seguramente absurda para el resto del mundo, a su viejo y añorado Tashkent de Uzbekistán.

Las primeras lluvias otoñales reverdecían el paisaje amarillo que dejaba el verano abrasador; no había tulipanes ni adormideras pintando de luces de colores el campo, pero los jardines de los chalets exhibían plantas bien cuidadas. Si miraba a su alrededor no veía mayólica pintada ni ladrillos esmaltados, sino piedra y ladrillo visto, o fachadas enlucidas. No había grandes mausoleos ni minaretes por ninguna parte, sólo la ciudad de Madrid titilando al fondo, un hervidero humano envuelto en la bruma de la contaminación durante el invierno, cuando ella observaba desde la ventana de la cocina, con los ojos enfocados hacia el sudoeste. Faltaban mercados al aire libre (de hecho, no había ninguno en los alrededores, excepto algún mercadillo pueblerino, demasiado alejado de su casa), pero Mariya era de buen conformar y hacía la compra en los pequeños supermercados del pueblo cercano, al que se desplazaba en bicicleta porque no sabía conducir. O en el Carrefour Express, que para ser tan diminuto disponía de toda clase de víveres; parecía la despensa del cielo. Y, además, le llevaban la compra a casa y no se veía obligada a cargar con las bolsas en la cesta de la bici. Al principio no se fiaba de que fuesen a entregarle correctamente todo lo que compraba. «*Niet, niet*. ¡No, no! Alguien robará algo en el camino», recelaba para sí, hablando en ruso delante del joven y granujiento cajero que la atendía, estupefacto y desconcertado.

Estaba acostumbrada al hurto. Robar era natural, ella lo había aprendido a lo largo de los años. El robo había sido, en sus tiempos, una necesidad para poder sobrevivir. Nadie que ella conociera tenía sentimientos de culpabilidad por haber robado. Y, desde luego, todos habían robado lo que habían podido. Algunos, incluso, eran unos grandes ladrones de ley, como Misha, lo que les honraba y ennoblecía. Al apropiarse de algo que no le pertenecía, un buen ciudadano soviético no tenía por qué sentir ni frío ni calor, dado que el Estado era el propietario de todo. Y, si se roba al Estado, ¿a quién se hace daño? A nadie. Ni siquiera en el caso de que la propiedad robada supuestamente perteneciera a algún ciudadano, un vecino, un pariente, un compañero de trabajo...

Mariya creía, muy vagamente, en Dios. El buen Dios ortodoxo de cuya existencia había tenido noticias imprecisas, misteriosas y emocionantes, a través de una compañera de trabajo mucho mayor que ella que conoció en su primer destino laboral, en las fábricas de algodón.

A pesar de su tibia iniciación religiosa, el robo no se le antojaba una mala acción que contradijera sus difusos principios morales, sino todo lo contrario. Ocurría sencillamente que no le gustaba ni pizca que otros le robaran a ella. Por eso miraba torvamente al cajero del Carrefour cuando ponía bajo su responsabilidad su cesta de la compra para que la llevara a casa, y murmuraba malhumorada «¡Madrrre mía, madrrre mía!...», dos de las cinco palabras que sabía decir en español (las otras eran cuánto, muérete y adiós).

Poco a poco, Mariya se dio cuenta de que la compra llegaba bien a sus manos, en perfectas condiciones y en la cantidad justa de piezas que había pagado en caja. Empezó haciendo una compra de tres productos muy pesados. Cuatro cajas de detergente. Cinco barriles de cerveza. Siete kilos de chuletas de cordero (era previsora y disponía de un buen congelador). No hubo ningún problema. Fue ampliando el número de artículos y el género aterrizó en casa sin incidentes ni sustracciones sospechosas, de modo que con el tiempo se confió y ya apenas si revisaba por encima las facturas de la compra.

Le agradaban las tiendas de la zona, y apreciaba que aquélla no fuese una urbanización de ricos, siempre más remilgados y fisgones.

Solía sorprenderla, especialmente, la carnicería del supermercado. Carne fresca envasada en bandejas cubiertas de plástico por todas partes y de todo tipo y, aunque echaba de menos los sacos de patatas y de zanahorias apilados a ras de tierra, se conformaba con lo que había a su alcance, exageradamente abundante, higiénico y carísimo.

Al fin y al cabo, hacía más de cuarenta años que no había vuelto por la ciudad que la vio nacer y quizás el sentimiento de semejanza que le producía Arroyo del Tranco respecto a Tashkent no era más que imaginaciones suyas. Un cierto olor en el aire seco del verano, o la nieve en la sierra. Y qué más daba, en cualquier caso.

Por si fuera poco, en invierno nevaba en Arroyo del Tranco. Desde luego no como en Moscú, donde al respirar el aire se le congelaban a una las narices, que después se ponían azules y brillaban igual que un trozo de vidrio agrietado, recién pisoteado en la acera por un tacón afilado. La nieve no crujía bajo los pies igual que en Moscú. Allí, en el corazón de la amada Rusia, la temperatura solía bajar de los quince grados bajo cero, y en Arroyo del Tranco parecía de chiste; no se veía obligada siquiera a usar el gorro de piel, al que se acostumbró en Moscú y que formara parte natural de su atavío durante décadas, una prenda tan imprescindible como las botas o los guantes. A pesar de todo ello, a Mariya le gustaba la nieve española cuando la había (no solía nevar todos los años, o no lo suficiente para que cuajara de verdad).

La mujer no se acostumbraba al lujo, del que hacía poco tiempo que disfrutaba, apenas veinte años. Poca cosa en el trayecto de su ya larga vida. Pero lo agradecía de corazón y lo aprovechaba cada día en la medida en que era capaz de hacerlo, con alegre torpeza, con infantil avaricia, con un poso de temor por si alguien venía de pronto en mitad de la noche y le arrebataba todo lo que creía suyo.

Aún recordaba el duro invierno del año 1998, por ejemplo. Entonces la supervivencia fue casi tan difícil como en los viejos tiempos: después de muchos meses sin cobrar ni un *kopek*, millones de rusos estuvieron al borde de la exasperación, del hambre.

Constantemente el hambre, tan segura como la noche sobre la madre tierra rusa, esperando caer y envolverla con su manto de oscuridad y dientes afilados.

Misha era un ladrón de ley importante.

Ya estaba viejo, y Mariya lo notaba cansado. No tenía las fuerzas de pantera joven que había derrochado no tanto tiempo atrás. Pero a ella nunca le faltaba nada. Los tres frigoríficos de la cocina siempre estaban llenos a rebosar. Para Mariya, ésa era su idea del paraíso.

Polina y Kakus

Kakus era un ruso joven, grande y fuerte, con el aspecto de un boxeador medio sonado. Sus ojos encogidos, como los de un oriental pero de un verde lóbrego, casi negro, que recordaba la piel de un sapo, guardaban la realidad dentro y ya no la dejaban salir. Polina temía que aquel hombre la mirase y se quedara con ella dentro de sus ojos, que la metiera allí para siempre.

Trató de hacer lo mismo con él, con su rostro duro, inconmovible, la cara descubierta de su negro corazón.

Se dijo que no lo olvidaría. Lo tatuaría en su mirada y en su memoria de la misma manera en que él se había tatuado la piel del cuerpo.

Kakus no la violó —ella era para él una mercancía demasiado valiosa, una galga virgen—, no la tocó exceptuando aquellas caricias espeluznantes en el pelo que le hacían sentir que no podría contener la orina si él seguía manoseándola un segundo más.

Pero, a lo largo de su vida, el rostro de Kakus encarnó para Polina la imagen del verdugo. De todos sus verdugos. Primero, hizo un esfuerzo para memorizarlo al detalle, para escribir cada línea de su cuerpo en el folio blanco de su recuerdo. Más tarde llegaría un tiempo en que trató de olvidarlo con todas sus fuerzas, pero ya no pudo. Y luego vino el día en que se resignó a la idea de que Kakus viviría con ella para siempre.

Kakus las vendió al Comprador (la niña pensaba así en él, con mayúsculas que resaltaban su papel en aquel negocio, como si fuera un apellido o un destino en su asquerosa existencia). Polina intuyó de una manera vaga pero desesperada que ella, o su virginidad, o ambas, habían sido el incentivo que llevó al tipo a cerrar la operación.

El nuevo amo no resultó mejor que los anteriores.

Distribuyó a las siete chicas restantes en un par de prostíbulos de la ciudad. Pisos cerrados, vigilados por celosos guardianes que no dejaban salir a las muchachas.

«La piel blanca es un bien muy preciado en Turquía —les dijeron—, mejor que no os queméis con el sol de las calles.»

Y a Polina la vendió a su vez a otro hombre que se la llevó «durante un par de semanas, según lo acordado».

Pasados quince días, la devolvió a uno de los burdeles del Comprador.

El hombre que compró a Polina la trasladó a una casa tan bonita que parecía sacada de un cuento oriental. Aunque, en honor a la verdad, habría que decir que no compró a la niña, sino solamente su virginidad, puesto que pensaba deshacerse de ella en cuanto perdiera su principal atractivo. De manera que quizás no compró a Polina, sino que la alquiló.

El individuo tendría unos cincuenta años y no miraba a los ojos de su interlocutor cuando estaba hablando.

A ella nunca la miró a los ojos. Ni a ninguna otra parte de la cara. La cara de Polina no le interesaba a aquel hombre. La eludía la mayor parte del tiempo. Claro que tampoco hablaba con ella. Polina llegó a fantasear que quizás aquel señor pensaba que era muda, dado que Polina apenas ofrecía muestras de que supiera hablar.

En cualquier caso, no importaba si él la creía muda o se hacía el sordo. No la había comprado para mantener con ella una conversación, o para preguntarle qué tal se encontraba, si necesitaba algo.

Polina tampoco sabía en qué idioma hablaba, de todas formas. No había oído hablar turco lo suficiente para lograr diferenciarlo de otros idiomas que conociese. Aquel hombre podría venir de cualquier parte, ¿quién lo sabía? ¿Qué más daba? Para ella el asunto carecía de importancia, como a un pastor le daría lo mismo conocer el color de los dientes del lobo que le había destrozado una oveja a mordiscos.

La casa era un precioso *yali* a las orillas del Bósforo. El hombre la llevó allí, auxiliado por el conductor del coche. Polina hizo el trayecto encerrada en el maletero de modo que no pudo, esta vez, regodearse en el paisaje de aquella espléndida ciudad entreviéndolo al otro lado de la ventanilla de un vehículo en marcha.

El maletero era grande, y su cuerpo pequeño y encogido se estrellaba una y otra vez contra las esquinas angulosas y metálicas. El olor a combustión se colaba dentro y le daba náuseas. Intentó forzar la portezuela, con ningún éxito. Ya imaginaba que sería imposible abrirla desde dentro, y sus captores también debían saberlo porque ni siquiera se preocuparon de maniatarla.

Lanzó unas patadas débiles, de niña pequeña asustada, y arrojó sus puños a diestro y siniestro, sin saber qué estaba golpeando. Pero no consiguió más que magullarse y sentir más miedo, si es que era posible. Pararon algunas veces. Polina supuso que retenidos por la luz roja de un semáforo. Aprovechó para gritar. Gritó con todas sus fuerzas, sintiendo que las palabras con que pedía socorro eran gramos de veneno que así expulsaba de su garganta. Pero sus lamentos sonaron apagados en sus propios oídos. El ruido de la ciudad lo envolvía todo. Voces, pasos, chirriar de neumáticos en la calzada, pitidos, las convulsiones sonoras de una metrópoli palpitante de actividad a cualquier hora del día o de la noche. Sus lamentos se perdían en la caprichosa indiferencia del cuerpo vivo de Estambul, con asuntos más urgentes que atender que el simple pánico de una adolescente moldava cautiva.

Cuando la sacaron por fin de su encierro era de noche, pero no se le escapó la belleza del lugar. Estaba medio atontada por el humo que había tragado encerrada en el maletero, por sus hipidos de impotencia y la confusión que le había provocado rodar como un bulto durante tres cuartos de hora.

La casa era pequeña; vista desde fuera parecía de juguete. A la orilla del agua, con una fachada simétrica de colores fuertes. No tuvo tiempo entonces, ni lo tendría más tarde, de fijarse bien en los detalles, de apreciar el delicado trabajo arquitectónico de herencia otomana, los postigos que se abrían horizontalmente buscando el mar con la mirada en la fachada trasera. No supo que estaba en Yeniköy, en la orilla europea, ni que la casa disponía de un embarcadero propio para los caiques, esas embarcaciones mediterráneas, ya en desuso, que tal vez recordaban a una versión reducida de los barcos griegos que en la antigüedad transportaban trigo por el Egeo y el Mármara.

Tampoco pudo recorrer los pasillos de la casa ni asomarse a sus balcones para ver el mar, sus colores llamativos, sus secretos ocultos, su extraña agitación que se espesa con el anochecer, su misterio brutal de cosa viva.

La metieron en la casa a empujones. Ya era de noche. Atravesaron el vestíbulo y bajaron unas escaleras en dirección a lo que Polina supuso que era el sótano. Percibía la presencia del mar bajo sus pies, quizás debajo del edificio, y aunque intuía vagamente que eso no era posible se dijo que tal vez podría cavar un agujero en el suelo con las uñas de sus manos —nunca se había comido las uñas, al contrario que su amiga Svetlana, y las tenía fuertes y duras—, que tal vez conseguiría perforar el suelo de la mazmorra, a la que seguramente la estaban conduciendo, y encontrar debajo las aguas de aquel mar que sentía por todas partes.

Pensó que, de esa manera, el mar entraría a borbotones y sería una pena que inundara aquella mansión tan bella, y que también sería una lástima (aunque no tanto) que ella, Polina, se ahogara dentro de un modo tan estúpido. Polina no deseaba morir, desde luego, pero en esos momentos se le ocurrió que morir no podía ser tan malo, que tampoco sería para tanto.

Abrieron una habitación tras otra, todas lúgubres, impregnadas de humedad y con aspecto de trastero, o de almacén de baratijas domésticas inscrvibles, y penetraron por fin en una habitación oscura, con olor a cerrado.

El hombre que la había comprado encendió la luz, la forzó a que entrara y, una vez que ella traspasó el quicio de la puerta, cerró con llave.

Oyó a los tipos, al hombre que la había comprado y al conductor, barbullar en algún idioma que no entendía. Seguramente se estaban despidiendo. Se quedó mirando la puerta sin atreverse a mover ni un músculo de la cara. No sabía si el hombre volvería. Hubiera apostado a que sí.

Los ecos de las voces se fueron apagando dulce y lentamente igual que una vela que consume sus últimos posos de cera, y Polina no oyó nada más. El silencio era angustioso allí dentro. Su respiración se le antojaba un estruendo ronco y masculino en medio de la nada de aquella habitación, semejante a una burbuja de realidad recortada en el tiempo y lanzada al vacío.

Se volvió a mirar, con mucho cuidado.

Las paredes eran de ladrillo visto, recio y antiguo, con algunos trozos de moho que otorgaban destellos de reluciente verdín al penoso escenario.

Un *sedir* bajo, un diván de estilo otomano forrado de un terciopelo azul que algún día debió de ser resplandeciente, recorría tres de las paredes. No había nada más, salvo una argolla de grueso hierro negro incrustada en una de las paredes, por encima del diván, como si fuese una anilla preparada para que alguien atase allí a su caballo o a su camello. Algo improbable, dedujo Polina, porque nadie sería capaz de bajar una montura hasta aquel sótano.

En la pared que carecía de diván había dispuesta una palangana con agua, un trozo de jabón de aspecto rústico, una toalla blanca de apariencia inesperadamente nueva y limpia, y una especie de bacinilla con desconchones de óxido.

Y, por toda decoración, un almanaque que a Polina le encogió el corazón.

La niña no sabía que estaba compuesto por doce estampas que reproducían pinturas de Siyah Kalem, apodado *La Pluma Negra*, un antiguo autor enigmático, de identidad desconocida, que pintó guerreros, gigantes de proporciones míticas, chamanes, mongoles, derviches extasiados en su postura descoyuntada y etérea que elevaban sus ojos hacia un cielo glacial e indiferente, monjes cristianos y escenas de la vida cotidiana de su época, influenciado por la pintura china y estimulado por su cultura nómada, la misma que impregnaba con su aliento los parajes que atravesaban aquellas gentes desde Asia Central hasta Asia Menor.

Sobre la lámina del mes en curso había estampados unos versos de Yunus Emré, el poeta místico turco, un derviche de la Anatolia medieval, que rezaba:

«Tú no podrías atravesar el país de Karaman, no hay puentes por donde cruzar los ríos.»

Si Polina hubiese podido leerla y entenderla, quizás en medio de aquel inhóspito calabozo habría sabido apreciar la ironía.

La imagen que ahora contemplaba Polina correspondía al mes de octubre. Ni siquiera sabía qué día era. Los números de los días del mes estaban ilustrados con la imagen de una de las criaturas de Siyah Kalem. Un demonio subterráneo. Demonios de la Ruta de la Seda, la fantasía más malvada que probablemente cabría en la mente de un uigur, o en la de Polina. Un diablo asesino de garganta roja y colmillos afilados, con cuernos pequeños, gruesos y retorcidos como los de un corzo, llenos de rugosidades fuliginosas, semejantes a troncos corrompidos de un árbol largo tiempo muerto. Con su nariz canina, sus brazos de luchador con pelo colgando de los fornidos codos, y pies con forma de garras que harían entrar el temor en la mente más templada.

Demonios bailando, ejercitándose en la lucha libre, con la mirada brusca y despiadada de una fiera saliendo de sus ojos inequívocamente humanos.

Los demonios de la Ruta de la Seda.

Los demonios de las pesadillas de Polina.

La Pluma Negra los había retratado con todo lujo de detalles. Hacía cientos de años que dio cuerpo de hombre insaciable y zarpas de bestia a los temores más íntimos y espantosos de Polina.

La chica miró una por una todas las hojas del calendario y sintió que se mareaba de miedo.

El lugar bien podría ser un siniestro harén. Antaño únicamente las esposas, concubinas y esclavas cristianas —estas últimas, especialmente escogidas entre las más bellas, y sometidas a un riguroso escrutinio por matronas que probaban su irrefutable virginidad— tenían el privilegio de habitar en el harén de los sultanes. Las albergaban en hermosos recintos con paredes revestidas de azulejos de Iznik y mármoles tan blancos como la piel del pecho de las esclavas, perfumándolas con los vapores del *hammam*. Los eunucos las vigilaban de cerca y mediaban en sus intrigas, que no eran pocas en un territorio cerrado al mundo exterior y abarrotado de mujeres que competían entre sí como serpientes hambrientas. Las *kadin*, las esposas, soñaban con darle un heredero al sultán que las convirtiera en *haseki sultán*. Si después lograban la hazaña de que uno de sus hijos heredara el trono, podían alcanzar la categoría de sultana madre, de *valida*. Para conseguir su objetivo pasaban casi toda su vida confabulando entre ellas, peleándose, enredando, urdiendo tramas de traición y, en ocasiones, incluso de asesinato.

Pero el desdichado y vergonzoso harén de paredes rezumantes de agua sucia al que había ido a parar Polina no contaba con ninguna esclava a la vista, salvo ella misma.

Retiró la mano justo en el momento en que un ruido en la puerta anunció la presencia del hombre.

El sultán.

O el demonio de la Ruta de la Seda.

Dio un respingo y se pegó contra la pared.

Cuando entró en la habitación, el hombre ni siquiera la miró. Le señaló la palangana. Evidentemente, quería que se lavara. Polina pensó que la dejaría sola unos momentos mientras se aseaba, pero no fue así. Se tumbó en el diván y se dispuso a mirar cómo Polina obedecía sus órdenes. Por las expresiones de su cara, la niña comprendió que empezaba a irritarse con su tardanza y su torpeza. Se apresuró a lavarse, sumisa como una mascota cuya raza lleva en sus genes largos siglos de entrenamiento en el arte de lamerle los pies al amo.

Se agachó sobre la palangana. El agua estaba fría, como el resto de la habitación, y tenía residuos de algo oscuro en el fondo, como trocitos de piedra. No pudo contener la orina de nuevo. Tenía tanto miedo que su vejiga se negaba a obedecerla cada vez más a menudo.

Se lavó lo mejor que pudo con el agua que ella misma había contaminado y se secó unas lágrimas con el codo cuando hubo acabado.

Polina había pasado gran parte de su vida compartiendo casa con otras familias. Sabía lo que era el sexo, apenas se engañaba al respecto. El exceso de intimidad al que unas circunstancias miserables la habían obligado, le hizo aprender muchas cosas antes de tiempo. Cosas que hubiera preferido no saber. No todavía. Sabía cosas, muchas cosas, las sabía antes de llegar a Estambul, al hotelucho donde se consumaron las violaciones de sus compañeras de viaje. Sin embargo, aún era virgen. Su espantosa imaginación le hacía intuir que lo que le esperaba esa noche sería bastante peor que la peor de sus pesadillas.

No se equivocaba.

Sigrid

Sigrid cruzó la calle y volvió a entrar en la comisaría.

Subió al despacho del comisario. Cuando estuvo delante de la puerta entornada miró el reloj para asegurarse de que era la hora en punto. A Férriz no le gustaba que sus citas llegaran tarde, pero tampoco que se presentaran antes de tiempo, decía que en ambos casos demostrarían una considerable falta de educación.

Quedaban dos minutos para la hora exacta. Sigrid tomó un vaso de agua de un expendedor situado unos metros adelante, en el pasillo. Lo apuró hasta el fondo. El agua estaba fresca y le reconfortó la garganta y el ánimo.

Cerró los ojos y llamó con firmeza a la puerta. Asomó la cabeza cuando oyó a Férriz dándole permiso para entrar.

—¡Adelante!

Por su cara, Sigrid juraría que el jefe no había pasado buena noche. A esas horas, las dos de la tarde, ya debía de haber almorzado, según su costumbre más europea que española, y encontrarse un poco más repuesto y animoso que con las primeras luces de la mañana.

Sin embargo, la pequeña cicatriz de su sien izquierda mostraba un aspecto amoratado, las bolsas de sus ojos eran dos ventanas abiertas a la oscuridad y el conjunto de su rostro hacía juego con el mobiliario viejo y destartalado del despacho.

—Buenas tardes. —Sigrid permaneció de pie, en espera de órdenes.

—¡Siéntate!

Ella obedeció.

Férriz hojeaba un montón de papeles acumulados sobre su escritorio. Ni siquiera alzó la vista.

—Puedes levantarte.

Sigrid lo escudriñó, confundida.

—Pero si me acabo de sentar, Majestad...

—Venga, cierra el pico, que te vienes conmigo.

El comisario agarró su chaqueta, eludiendo aún la mirada de Sigrid, se enfundó en ella, se palpó los bolsillos del pantalón y luego buscó en un cajón las llaves de su coche.

—¿Adónde vamos? —se atrevió a preguntar Sigrid, con toda la amabilidad de que fue capaz.

Sabía que el jefe estaba molesto con ella por su reacción ante la propuesta de trabajar con el grupo policial que llevaba la nueva operación contra las mafias del Este. No quería irritarlo más de lo que, evidentemente, ya estaba.

Férriz ni siquiera respondió.

Salieron de la comisaría. El coche estaba aparcado enfrente, en los apretados espacios reservados para la policía. Subieron al automóvil, un Renault Megane

Gran Tour Confort de color vino tinto que, como Férriz gustaba decir, sólo tenía doscientos cincuenta y ocho mil kilómetros, y los que le quedaban.

Subieron por la calle Leganitos hasta Santo Domingo y allí Férriz giró y volvió a encaminarse a la Gran Vía, que tomó hasta enlazar con O'Donell.

No dijo ni una palabra durante el tiempo que duró el trayecto hasta el Tanatorio M-30, en la calle Salvador de Madariaga del barrio de la Concepción, no muy lejos de la gran mezquita de Madrid.

Una vez en el edificio, Férriz se hizo acompañar de una empleada de mediana edad, con cara tranquilizadora y amable. Su piel, la piel de aquella mujer, pensó Sigrid, parecía que hubiese pasado horas sumergida en agua caliente.

La señora los acompañó hasta una sala donde se guardaban los cadáveres refrigerados.

Siguiendo las indicaciones de Férriz, abrió un par de cajones y mostró su contenido.

Eran dos jóvenes asiáticas. La rigidez de la muerte no había conseguido borrar cierta dulzura en la comisura de los labios de una de ellas, que parecía una niña.

—Míralas, Azadoras. Empápate bien mirándolas.

Sigrid tragó saliva y se asomó al primer cajón. Inmediatamente se echó hacia atrás como si le hubiesen dado un golpe en medio de la cara. No quería mirar ahí dentro. No, si no era estrictamente necesario.

Procuró disimular su malestar.

La empleada que los había guiado hasta allí salió silenciosamente de la estancia, dejándolos a solas, rodeados de muerte.

«La muerte —pensó Sigrid— es una pésima compañía.»

—Te he dicho que las mires, Azadoras. Deja de intentar escaquearte o te meteré de hocicos en el cajón.

A regañadientes, Sigrid volvió a mirar.

La chica tenía el pelo corto, muy negro, con mechones teñidos de color mostaza.

—No entiendo... —murmuró Sigrid.

—Calla y observa.

La segunda mantenía los puños cerrados, y era mayor que su compañera. El pelo, recogido en un moño deshecho, llevaba la raya en medio, y un flequillo muy corto e irregular le enmarcaba las cejas como el trazo inquieto del rotulador manejado por un niño.

Ambas tenían el cuello amoratado sobre las arterias carótidas. La piel casi negra, un tiznajo; seguramente señales de estrangulamiento, pensó Sigrid.

Se acordó de la chica de la pastelería cercana a su casa, la que le servía buñuelos, *baguettes* calientes incomestibles y palmeras de chocolate empalagosas, la que siempre estaba dispuesta a ofrecer una sonrisa junto con el cambio de los diez euros.

—Vale, jefe. No sé a qué viene esto, pero he tenido bastante.

—¿Has mirado bien? ¿Puedes decirme cómo crees que han muerto?

—Yo diría que las han estrangulado, señor. Con una cuerda, un pañuelo, incluso un golpe de judo o de jiujitsu. Pero no estoy segura. No soy forense. ¿Podemos salir de aquí?

—No, Azadoras. Quiero que las mires un ratito

más. Diez minutos. Voy a contarlos a partir de ahora mismo. —La mirada de Férriz era severa y caía sobre Sigrid como la lluvia sobre el césped. Sus ojos se habían endurecido.

—Pero...

—Ni peros ni gaitas, joder... —El comisario bajó la voz instintivamente—. Te quedarás aquí, mirándolas diez minutos más. Voy a salir al pasillo. Cuando haya pasado el tiempo entraré a avisarte.

Se encaminó a la puerta y salió dejando a Sigrid en aquel vasto espacio, sola frente a dos chicas muertas, una de las cuales probablemente no había cumplido los veinte años.

Sigrid presumió que, allí dentro, sin reloj ni ninguna otra orientación, nadie podría calcular qué hora sería. La luz fluorescente era de un tono frío, a juego con la temperatura. El silencio resultaba doloroso. Se trataba de un sitio ajeno al mundo, suspendido en el espacio y en el tiempo. El agujero de gusano de la muerte.

En las tarjetas de identificación de los dos cadáveres solamente figuraba un número y la fecha aproximada del deceso. Ni nombres ni fechas de nacimiento ni lugar de origen. Todavía. Con suerte, se completarían las fichas. Con toda probabilidad, no.

No resistió la visión de los dos cuerpos desnudos, aunque púdicamente cubiertos por una sábana tan rígida como los miembros de las difuntas. Se dio la vuelta y respiró con la barriga mirando al techo y luego cerrando con fuerza los párpados, dejando que sus pulmones expulsaran el miedo, la aversión y la culpa junto a cada una de sus espiraciones.

¿Qué consejo daría en alguno de sus libros José Castro de Luz para soportar una situación como aquélla? Quizás: «Al aspirar aire, calmo mi cuerpo. Al exhalar, sonrío...».

Aquellas dos pobres crías ya no sabrían lo que era el aire, junto con ellas se iba todo lo que las dos habían sido alguna vez.

Notó una vibración en su bolso y agradeció la excusa para distraerse. Era su teléfono. Lo buscó con dedos nerviosos hasta que logró cogerlo a tiempo, aunque sólo se trataba de un mensaje. Un mensaje de texto, de su madre.

«Te espero esta noche en casa, como quedamos. Bs.»

Sigrid se entretuvo toqueteando las teclas del aparato. Respondió al mensaje confirmando la cita y después hizo limpieza de los acumulados en la bandeja de entrada, que ya no le servían para nada.

Cualquier cosa con tal de no pensar en esos dos cuerpos jóvenes, arrogantemente lozanos pero tan inertes como el invierno pasado.

Tiempo muerto. Solamente eso eran ya.

Anduvo rápida en cuanto oyó movimiento en la puerta y se volvió sobre el cajón más cercano justo en el instante en que el comisario entraba, como una niña sorprendida por su maestra.

—Nueve minutos y contando —dijo con voz agria el comisario.

Polina

El hombre era viejo.

Muy viejo para Polina.

De piel mortecina, lo que le daba aspecto de agotado o enfermo. Con la gente tan mayor, Polina no sabía calcular la edad. Ella hubiese dicho —si le hubieran preguntado— que tenía ochenta, cien años. Tal vez mil años. Más o menos. En realidad había cumplido cuarenta y siete no hacía mucho. Su pelo era abundante, había sido oscuro en algún momento, pero las canas le daban ahora un aspecto ceniciento.

Si entrecerraba los ojos y lo miraba desde una prudente distancia, la niña tenía la sensación de que su cabellera era un montón de papel higiénico pisoteado. Se peinaba con una relamida raya en el lado izquierdo. Unos grandes surcos le escoltaban la nariz y le llegaban por debajo de la boca, formando un delta de carne flácida que desembocaba en la papada más que incipiente. La boca no tenía forma definida, aunque transmitía una sensación áspera, autoritaria. Podría ser la boca informe de un alto ejecutivo, de un ladrón, de un noble y cansado maestro de escuela, de un padre de familia. Podría ser la boca de cualquiera, pero en su cara resultaba repugnante. Sus orejas eran pequeñas y bien formadas, casi femeninas, elegantes, ni siquiera tenían pelos tal y como suele ocurrirles a los hombres de cierta edad. Las cejas serpenteaban hacia arriba, dispuestas a invadirle la despejada frente; de un color mucho más oscuro que el del pelo. Llevaba gafas de lentes segmentadas para corregir su presbicia, unas gafas de pasta de esmalte oscuro, anguladas. En conjunto mostraba un aspecto respetable, que infundía seguridad, control de sí mismo y de todo aquello que estuviese a su alcance. Vestía un traje marrón de corte impecable, quizás cosido a medida, y una corbata azul sin dibujos ni adornos, simplemente azul.

Con la camisa puesta como único atuendo, estuvo violando a Polina durante horas, hasta que la niña comenzó a sangrar de una manera escandalosa y dio muestras de sentirse incómodo.

Entonces se levantó, semidesnudo y manchado, se encogió de hombros y encadenó a Polina a la argolla con una cadena que permitía a la niña tumbarse en el *sedir*, pero no levantarse. Cuando Polina creía que se iría y la dejaría en paz al menos lo que quedase de noche —pero ella ni sabía qué hora era—, el hombre que la compró pareció pensarlo mejor, se acercó de nuevo al candado, lo abrió y liberó a Polina.

Se llevó consigo su ropa, la cadena y las llaves.

No había dicho ni una sola palabra en todas aquellas horas, pensó Polina antes de cerrar los ojos con fuerza.

Quince días después, el hombre que compró a Polina decidió que ya era suficiente, y la devolvió al lugar del que la había sacado.

El tratante de esclavas que las adquirió a través de Kakus, el ruso cuyo rostro nunca olvidaría Polina, ya había distribuido al resto de las chicas en un par de prostíbulos. Cuando vio el aspecto de Polina, masticó la punta del puro que fumaba en aquel momento, lo apartó de su boca y escupió en el suelo, a los pies de la chica.

Polina no se sentía bien. Había comido muy poco y había sangrado mucho durante los días de encierro. Por las noches, mientras se sujetaba la entrepierna con una toalla empapada de su propia sangre, soñaba con grandes festines. Trucha ahumada, pepinos frescos, berenjenas en salmuera, pastelillos de carne, cientos de tartas, tartas de queso y de fresa.

Ahora miró al hombre que era su dueño y se pasó la lengua por los labios agrietados.

—No tienes buen aspecto. —El hombre que la había comprado al ruso cuyo rostro nunca olvidaría Polina se acercó a la muchacha y la examinó con más repulsión que interés—. ¿Crees que tiene que verla un médico o que se curará sola? —le preguntó a su ayudante, un joven nervioso y delgado que lo seguía a todas partes igual que un perro lazarillo.

—Podemos llamar a nuestro médico —respondió el otro.

Dejaron que Polina se tumbara en un catre estrecho, en una habitación del tamaño de un escobero que había en la vivienda. El apartamento, grande y destartalado, era un prostíbulo en mitad de Estambul, no muy lejos del puente de Atatürk y la mezquita de los Curtidores.

Polina había vuelto a perderse las vistas deslumbrantes que probablemente ofrecía el trayecto porque de nuevo la transportaron oculta en un maletero.

El médico llegó cinco horas después, cuando caía la tarde. Polina había pasado aquel tiempo con una sensación de somnolencia y dulce malestar, de agradable abatimiento. Agradecía el hecho de poder pasar unas horas tranquila, sin que nadie asomara la nariz detrás de la puerta. Ni siquiera le incomodaban los ruidos de los clientes mientras fornicaban con las mujeres y tenía la impresión de que su alma colgaba del techo prendida de un hilo, como la desnuda bombilla del cuartucho donde dormitaba.

El médico interrumpió su descanso.

La examinó con cuidado. Ladró algunas palabras que no sonaron amables, pero el comprador de esclavas le cerró la boca gritando con más fuerza todavía.

—¿Qué le habéis hecho?... No es más que una criatura. Si le hubiesen realizado una episiotomía con un hacha mellada le habrían practicado un trabajo más fino. —El médico hablaba en turco, parecía enfadado, parecía un buen hombre, pensó Polina, que no entendía ni una palabra de lo que decía.

—No es de porcelana, ¿no? —protestó el tratante de esclavas—. Es de carne y hueso. Es joven. Se curará.

—Que Alá te perdone —masculló el médico escrutando fijamente al explotador.

Polina apenas sentía sus manos. Era muy delicado, un hombre cuidadoso, amable, delicado, nunca hubiese imaginado alguien así en los alrededores de aquel cuchitril, y menos a su lado.

—Necesita ir a un hospital o se desangrará en pocas horas. Ya ha perdido mucha sangre. Yo aquí no puedo atenderla. Debes llevarla a un hospital.

Cuando concluyó su exploración, se quitó los guantes y los guardó en una bolsa de plástico que luego metió en su maletín. Era un señor alto, de tez clara, de movimientos refinados, tenía un aire distinguido que contrastaba de manera efusiva con la ruindad del ambiente.

—No somos animales. No sois animales... —dijo en voz baja, con ira contenida. Y luego se marchó dando grandes zancadas.

No había mirado a Polina a la cara ni una sola vez.

Cuando el médico se fue, Polina oyó al hombre que la había comprado hablar en ruso con su esbirro.

—¿Crees que merece el dinero que nos va a costar? —masticó un poco más su puro cuya punta estaba chafada y húmeda de babas.

—Es joven. Yo creo que puede ser una buena inversión.

—Es mucho dinero. Un hospital cuesta mucho dinero. Estas putas no valen el dinero que pago por ellas. Si dieran tantos beneficios como problemas y gastos, este que te habla sería un gran potentado.

—¿Quieres que la dejemos que se desangre?

Tendría que hacer unas llamadas para deshacernos del cuerp...

—*Niet, niet!* Podríamos encargarnos nosotros. No es preciso que hagas esa llamada.

Durante algo más de un minuto, Polina oyó los pasos nerviosos del más viejo de los hombres, el jefe, arriba y abajo por el pasillo.

Hacía cuentas. Sumaba y restaba. Añadía los intereses. Rumiaba números junto al puro mordisqueado entre sus dientes amarillos, su mandíbula se movía como la de una cabra. Cuánto le rentaría la vida de Polina y cuánto había ganado ya con ella. Si podía permitirse, o no, dejar que muriera en un charco de sangre. También debía facturar mentalmente los gastos que le ocasionaría deshacerse de la niña, una vez fallecida.

—No me salen las cuentas. Necesito que trabaje al menos un par de años más —se aclaró la garganta y suspiró, contrito—. Llévala al hospital. Procura que los médicos no hagan muchas preguntas. Reparte unos billetes si es necesario, pero no abras mucho la mano. La generosidad es el principio de la ruina para un hombre sensato.

Sigrid

Sigrid trató de sacarle alguna explicación sobre aquella fúnebre excursión, pero Férriz prefirió continuar haciendo mutis hasta que hubieron llegado de nuevo a la comisaría.

El tráfico comenzaba a espesarse y tardaron más en la vuelta que en el viaje de ida. Aparcaron de nuevo en la calle y no entraron en la comisaría. Saludaron desde la acera de enfrente al agente de la puerta, que respondió con desgana apurando un cigarrillo.

—¿Te apetece merendar? —le preguntó con un gesto algo menos adusto.

—Gracias, pero no tengo apetito.

—No te pongas quisquillosa. He dicho que vamos a merendar. Y punto.

Sigrid lo siguió hasta una tetería en la cercana plaza de Santo Domingo, un local que con anterioridad, en poco más de un año, había sido una zapatería y antes de eso una agencia de viajes.

Se sentaron en una mesa. El ambiente era oscuro, rojizo en algunos rincones iluminados por una suerte de farolillos chinos de papel plegado. Férriz pidió un té verde y Sigrid un *kukicha*, un té de invierno japonés.

Cuando les sirvieron, mientras esperaban a que la bebida se enfriase, Férriz por fin se decidió a hablar.

—Mira, Azadoras, te voy a hablar como te hablaría tu padre...

«¿Mi padre? —pensó Sigrid—, ni siquiera sé quién es mi padre. Ni mi madre. Y hace tiempo que el asunto me trae sin cuidado.»

No tenía ni idea de lo equivocada que estaba, de lo cerca que andaba de poder averiguarlo, pero en ese instante ni se le pasaba por la cabeza que fuera posible saber algo así.

Sigrid se sirvió el té y acarició la taza empapándose de su calor. Empezaba a hacer frío y aquel tugurio no estaba bien aclimatado.

—Adelante —animó a Férriz.

—¿Cuánto tiempo llevas en la policía? —preguntó el hombre.

—Diez años. Desde los veinticinco.

—Y eres oficial todavía.

Sigrid arrugó el ceño, dio un sorbo a su bebida para evitar responder.

—Claro... —continuó Férriz—. Aquel incidente. *Incidente.*

Sigrid tosió un poco y miró para otro lado. No era el lugar apropiado para hacer terapia. Ya tenía más que suficiente con sus sesiones de grupo.

—Azadoras, el Razia, te acuerdas del programa informático del que te hablé, ¿no?

—Sí, y como le dije: vaya nombre, eso de *Razia*... ¿No se les pudo ocurrir bautizarlo con un término un poco menos... violento, como *Holocausto* o alguna otra lindeza?

—Más que irónica, yo diría que cres bastantc ca-fre, cariño.

—Pues bueno.

—Vale, olvídalo. No creo que el chico que lo inventó sepa ni siquiera lo que significa.

—Pues que mire la Wikipedia, al menos. *Razia* quiere decir incursión, ataque contra un asentamiento enemigo. Lo usan los terroristas de la *yihad* y lo usó Hitler.

—Mira, si te vas a poner tiquismiquis...

Sigrid soltó una suerte de bufido, una interjección de desagrado.

—Pues, como iba diciendo, el Razia te encontró cuando alguien de arriba pensó que sería bueno buscar una poli que pudiese acercarse a un mafioso al que van siguiendo los pasos desde hace tiempo, pero que ha demostrado ser tan escurridizo como un billete de tres euros.

—No me diga.

—No quiero que montes de nuevo en cólera ni que me atosigues con tus prejuicios raciales.

Sigrid soltó una carcajada.

—¿Prejuicios raciales, *yo*...? Vamos, hombre.

—Sí, tú, Azadoras. Solamente tú. No quiero que me montes un numerito igual que la otra noche en tu casa porque te abriré un expediente disciplinario al primer gemido de contrariedad o de queja que salga por esa boquita. Empiezo a sospechar que te tengo muy consentida y que por eso me tomas el número cambiado.

—Qué maravilla.

—Lo que trato de decirte es que el tipo detrás del

cual va la unidad policial que lleva la operación contra las mafias del Este, por cierto un grupo joven, como sabes, que se creó en el año 2000, el tío al que están intentando dar caza es un cabronazo de primera, y que tú puedes ayudar a que caiga. No se trata de infiltrarte, eso suena demasiado fuerte, y además es imposible, quizás me expliqué mal la última vez. Esa gente no deja que nadie se infiltre entre ellos. Es más difícil meter a un infiltrado en una mafia del Este que lograr que un rico entre en el reino de los cielos, por decirlo en un lenguaje bíblico que te resulte comprensible, so meapilas.

—Muchas gracias por entender mis límites y...

—¡Chitón! Para infiltrarte de verdad tendríamos que haberte vendido a los de la trata hace al menos diez años, porque ahora ya eres demasiado mayor para eso.

—Muy gracioso, señor. Usted siempre tan sensible al pensamiento feminista.

—Y, por supuesto, no disponemos de diez años para cerrar la operación.

—Si no pueden infiltrarme, ¿para qué me quieren?, si es que puedo saberlo.

—Mira, Azadoras, ese tipo está enfocado en la mirilla de un rifle. Sólo nos falta alguien que sea capaz de apretar el gatillo. Por lo que sé, él no es el objetivo principal, pero sí un jugoso cebo gracias al que picarán peces muy gordos. Sólo hay que hacer ¡pum! y...

A Sigrid se le descompuso el gesto.

—Ah, joder, tranquila, Azadoras. No es como si tuvieras que matarlo tú misma. Aquí nadie tiene que matar a nadie. Queremos a este pájaro vivo, para que pague. Quizás no mucho en la cárcel, pero sí al contado. Con billetitos calientes. Los de la Agencia Tributaria ya se están relamiendo. —Férriz echó una mirada distraída a su alrededor y se decidió a servir té en su tazón—. Es una simple manera de hablar, Azadoras, que eres más literal que un anuncio de tráfico. Verás, no hace mucho que alguien en una cárcel habló sobre ese tipo que estamos buscando. Buscamos a un jefe, un ladrón de ley que tiene toda una tintorería de dinero negro en España, y que ha sustituido a otro que cayó hace un tiempo. Y mira por dónde un pipiolo ruso, que lo conoce bien, habló un poco en el trullo. Detalles sin importancia. Ésas son cosas que pasan a veces cuando uno no está muy cuerdo a según qué hora del día, cuando tiene necesidades y resulta que no se ha afeitado los pelos de la lengua por la mañana, como debería haber hecho. Esta gente es muy dura, ¿sabes?, prefieren cortarse la lengua antes que decir una sola palabra de más. Saben que si no se la cortan ellos mismos llegará alguien que se la arrancará de cuajo y sin anestesia. Pero el tipo que habló de más es joven, unos veintisiete años, un tal Barbala. Y es yonqui. De caballo. Los yonquis, ¡ah!, yo no les confiaría siquiera la contraseña de mi teléfono móvil...

Sigrid escuchaba atentamente mientras se calentaba las manos con la taza de té.

—Los detalles son importantes, Sigrid —era raro que Férriz la llamara por su nombre de pila, de modo que ella lo miró a los ojos entre los vapores olorosos de la infusión—, así hemos sabido algo que te parecerá insignificante, pero que no lo es: a ese tío le gustan las mujeres de color.

Sigrid resopló, con disgusto.

—Ya empezamos, jefe...

—¡No, no, escúchame!... Tú eres karateca, ¿cierto?

—Cierto.

—Nuestro hombre también practica kárate.

—Algo habitual entre la gente del Este, hombres sobre todo. Por un lado los estimulaban a practicar artes marciales y por el otro los empujaban o los condenaban al hurto y a la mentira. No sé cómo se pueden combinar ambas prácticas, pero por lo visto no resulta imposible.

—A ti te dejará *acercarte*, Azadoras. Y sólo necesitamos acercarnos a él un poquito. Tú eres un hilo muy pequeño, pero un hilo del que podemos tirar, a ver qué pasa.

—¿Y cómo voy a acercarme *un poquito* a él? —Sigrid no pudo evitar cierto soniquete de burla en su voz—. ¿Cuando coincidamos en clase de baile?...

—No, pero de vez en cuando el tío va a uno de esos gimnasios, uno que está relativamente cerca de donde vive. Frecuenta el lugar porque allí hay un maestro rumano que da clases, y un español por el que siente cierto respeto.

—Un *dojo* no es un gimnasio. Un maestro es un *sensei*. Y el kárate no es un deporte, es un arte marcial —lo corrigió Sigrid.

—Tú lo has dicho. ¡Si es que sabes muchísimo de este tema, Azadoras!... —exclamó Férriz—. Tú vas a ir a ese *dojo* o como se llame, y te vas a lucir delante de este barrigón moscovita. Eso, contando con que aceptes la proposición. Nadie puede obligarte porque todo esto escapa a la competencia de nuestra comisaría y a tu trabajo en particular. Si fuese una investigación que dependiera de mí, no te habría dado ninguna explicación, sino una orden. Pero no es el caso, por eso no puedo obligarte. Ten en cuenta, además, que hay un juez en la Audiencia Nacional que sería un hombre mucho más feliz si te avinieras a proceder como una buena policía realizando el trabajo que se te solicita. Créeme: sería feliz.

—Hacer feliz a un juez de la Audiencia Nacional siempre ha sido la ilusión de mi vida, señor. Me pone muchísimo la idea. Dígaselo la próxima vez que hable con él por Skype.

—Cuando te decía que te hablo como un padre es verdad, Azadoras. Si aceptas, esto puede suponer un gran paso adelante en tu carrera. Te lo hago notar, por si no te habías dado cuenta por ti misma. Tu carrera es una mierda, Azadoras. ¿No habías reparado en ello? Estás estancada y no vas a ir a ningún sitio si continúas así. Yo te estoy brindando una oportunidad. De ser una oficial muerta de asco sacando adelante un desagradable trabajo de oficina en una comisaría, puedes pasar a ser... ¿subinspectora? Quién sabe. Incluso inspectora. Y no me digas que no tienes ambición porque ya me matas. Hazlo aunque sea por salir de ese cuchitril donde te estás consumiendo diez horas diarias por un sueldo miserable. ¡Hazlo por mí, joder!...

Sigrid tenía la duda grabada en su mirada tan verdosa como el té que saboreaba lentamente su jefe.

—Y si no quieres hacerlo por eso, si las cosas materiales no te importan, si el dinero y el estatus y tu carrera y tu comodidad no te interesan y, además, incluso gozas de tu situación actual como buena masoquista que eres, como buena puritana que eres, como buena católica que eres, si sueñas con seguir recreándote en tu tormento laboral diario y no te importa nada perderlo de vista..., al menos piensa que lo haces por las dos chicas muertas que te he enseñado hace un rato. Ése no puede parecerte un mal motivo, Azadoras.

—No veo qué tiene que ver...

—Mafias, Azadoras. ¿Qué más da de dónde procedan? ¿Has visto a esas dos chicas?

Ella asintió lentamente.

—Prostitutas. Esclavas. Dos oficios por el precio de uno. Su precio, Azadoras, por si no te habías dado cuenta, su precio es... nada. Para sus amos son sólo carne. Ganado humano. De cuando en cuando, sacrifican una res. Un par de ellas. Nunca faltan repuestos. No me digas que te da igual. ¡No me digas que vas a quedarte de brazos cruzados pudiendo hacer algo! Ya sabes de dónde viene el dinero sucio del tío ese que están buscando los de la comisaría de Cuatro Caminos que tanto empeño han puesto en que colabores con ellos... Procede de negocios turbios, de la explotación de una industria criminal que funciona a toda máquina, y en cada uno, tras cada uno de esos negocios, hay al menos un par de chicas como las que has visto esta tarde. O un par de docenas. O un par de miles. Al principio o al final de su cadena de negocios. Si no son mujeres, son víctimas de cualquier edad y condición. No me digas que ya no crees que hay que luchar por una cierta dignidad humana, Azadoras, no me lo digas porque me matas.

—Por Dios, jefe. No me eche el sermón. Hace cinco años que dejé de ir a misa, y ahora viene usted a darme la homilía...

—¿Sermón? Y un huevo. ¿No te hierve la sangre con estas cosas? A mí, sí.

Sigrid pensó que a Férriz le hervía la sangre por cualquier cosa, pero se abstuvo de hacer ningún comentario. Y claro que notaba el malestar en su estómago, dando vueltas igual que una tenia insaciable.

Ya lo creo que lo percibía. No era agradable.

—Déjeme pensarlo un par de días. ¿Estaría sola en esto? Quiero decir, supongo que tendría el apoyo de los chicos del grupo policial de Mafias del Este, ¿verdad?

—No tenemos tiempo, Azadoras, no le des más vueltas de las que ya le has dado. Sólo contesta sí o no. Tendrás que decirme algo pasado mañana, sin falta. Sentiré mucho que tomes la decisión equivocada pero, si estás segura de no querer participar en esto, no me quedará más remedio que enfundármela y dejarte en paz. —Férriz apuró el té y se limpió la boca con la servilleta casi tan transparente como el papel de fumar—. Y claro que no estarías sola, tienes a toda una unidad detrás de ti, apoyándote. Tienes a un juez de la Audiencia. Me tienes a mí... Pero deberías moverte como el llanero solitario. Ellos serán invisibles. No puedes dar el cante. No puedes ir en todo momento en pareja como la Guardia Civil de Tráfico, si es a eso a lo que te refieres. —El hombre se estiró disimuladamente, se llevó la mano al bolsillo interior de su chaqueta y sacó una agenda—. Te voy a dar el teléfono del juez. Me ha dicho que le gustaría hablar contigo.

—Ah, qué juego tan emocionante, jefe...

—Si te decides, quiero que lo llames. Puedes telefonearlo antes incluso de darme tu respuesta. Si te entran ganas..., que yo no quiero presionarte. El propio juez ha interpuesto una denuncia hace poco, que en principio no tenía nada que ver con la investigación pero que ha resultado sorprendente: dice que una amiga de su madre, viuda y vecina de su misma urbanización, ha desaparecido, y que la vieja estaba obsesionada con unos rusos con los que comparte un lado de la valla de su jardín, que le parecían muy sospechosos. Al principio, el juez se tomó el asunto de la señora un poco a chufla porque ella se quejaba de que los vecinos habían hecho desaparecer a sus gatos, pero luego la propia señora desapareció también y él hizo un par de llamadas sólo por asegurarse y... ¿Adivinas quién vive junto a la viuda, quiénes son los rusos que tanto la preocupaban?

Sigrid asintió intuyendo lo que venía después.

—Exactamente. La casa está a nombre de una rusa, mayor y con los papeles en regla. Pero nuestro hombre ronda por allí. Todavía no han puesto vigilancia en la casa, aunque si entras en esto, se montará un dispositivo. Llama mañana al juez y habla con él. Quizás eso te ayude a tomar una decisión.

—No sé...

—Bueno, ya sabes que no quiero presionarte. Que no te estoy presionando, ¿queda claro?

—Clarinete, jefe.

—Así me gusta.

Férriz se puso en pie, fue a la barra y le pagó la cuenta a una camarera joven con acento argentino y aspecto adormilado.

Sigrid y él salieron a la calle cuando anochecía y allí se despidieron. Fueron cada uno por su lado.

Ella bajó otra vez hasta la zona de la comisaría, arrancó su moto, una Honda Econo Power azul y blanca, y se fue en dirección al Paseo de Recoletos, a visitar a su madre.

Férriz, por el contrario, se perdió en los callejones aledaños de la plaza. Se fue hacia la calle de Torija y luego giró en la de Fomento. Entró en un garito que no gastaba mucho en iluminación. Dentro no se veía un carajo. El sitio parecía árabe, oriental, quién sabía. Férriz no era muy bueno para reconocer esas cosas. Saliendo de España y de lo español, todo le parecía más o menos lo mismo. Hasta la música ambiente le sonaba a chino.

Dio una vuelta por el local con la excusa de buscar el baño. Quería asegurarse de que no se trataba de una encerrona. Pero el bar estaba casi vacío excepto por una parejita de adolescentes que se hacía arrumacos en un rincón, sentados ambos sobre unos cojines enormes tirados en el suelo. Un camarero mayor, de aire torpe y cegato, trajinaba con movimientos lentos y cansinos, procurando poner un poco de orden.

Había llegado con mucha antelación, pero quería concederse unos minutos de reflexión a solas. Ofrecerle a su conciencia la oportunidad de dar algunas señales de vida.

Tropezó varias veces antes de lograr acomodarse en la barra, como un bebedor solitario. Estuvo fumando sin parar, y bebiendo un whisky tras otro durante casi una hora.

Tenía la cabeza como un bombo.

La confusión lo estaba martirizando.

Nunca se había visto en una situación igual. Si hace poco le hubiesen planteado la hipótesis, habría respondido sin titubear cuál creía que sería su respuesta. Pero —ahora lo sabía— nadie puede estar seguro de cómo reaccionará ante la tentación. Nadie. Excepto algún iluso, o alguna meapilas puritana del estilo de Azadoras. Sonrió tibiamente al recordar la cara de la mujer policía. Su rostro como un poema grabado en un libro abierto. Con lo mayor que era y seguía pareciendo una niña... Lo invadió una oleada de simpatía al pensar en ella que le hizo sentirse todavía más incómodo.

¿Quién puede decir de esta agua no beberé?, ¿quién puede poner la mano en el fuego por su integridad? ¿Y qué es la honradez, al fin y al cabo, sino la falta de oportunidades?

«Como telas de araña son las leyes, que prenden a la mosca y no al milano.» Recordó la sentencia, enmarcada en un cuadro de plástico barato, que había leído en el despacho del juez Drabina. Una perla producto de las cavilaciones de un tal Joaquín Setanti. A saber quién era el tío ese.

Férriz se preguntó si él sería una mosca, o un milano.

Su contacto fue puntual y se acomodó junto a él, en la barra. Pidió una cerveza y dejó un grueso maletín pegado al taburete de Férriz, rozando la pierna del comisario. No intercambiaron ni una sola palabra. Apuró su trago y se largó, abandonando el maletín donde lo había puesto al llegar.

Férriz dejó que transcurriera otra buena media hora. Estaba agarrando una torta de campeonato con tantas copas como se estaba metiendo entre pecho y espalda.

Se dirigió de nuevo al baño, dando traspiés. Se llevó el maletín con él. Entró en el excusado y cerró el pestillo. Abrió la valija con manos temblorosas. Por el alcohol, quizás.

Cuando vio el dinero estuvo a punto de marearse. Nunca en su vida había tenido ante sus ojos una cantidad así. Era demasiado, una suma casi obscena. Un precio muy alto.

Sacó, de uno de los muchos montones atados con gomas elásticas, un billete de cien euros para pagar las consumiciones que había tomado, que sumarían más de esa cantidad, sin duda, aunque él llevaba algo suelto en el bolsillo.

Cuando iba a meterse el billete en la cartera se dio cuenta de que estaba manchado. Acercó los ojos y lo miró al trasluz de la bombilla del retrete. Gruñó, un tanto disgustado. La salpicadura parecía sangre seca.

Se mojó el dedo con saliva y trató inútilmente de limpiar el dinero, pero sólo consiguió extender el borrón. Así que lo introdujo en el bolsillo de su pantalón. Salió de nuevo al bar, pidió la cuenta, le dio al viejo camarero el billete sucio y unas monedas y abandonó el local con paso cansado.

Polina y Ahmet

Curaron a Polina en el Hospital Internacional, Istanbul Cad. N.º 82 Yesilköy. La atendieron en el servicio de emergencia. Los médicos no hicieron preguntas, y en cualquier caso nadie hablaba ruso, o mucho menos moldavo o rumano, para poder entenderse con ella.

Sin embargo, alguno de ellos debió de avisar a la policía porque la cuarta noche de su estancia hospitalaria, cuando Polina ya había recuperado la consciencia, en plena madrugada —el esbirro que habían dejado para que la acompañara no rondaba por allí desde hacía horas—, un hombre se presentó en la habitación y acercó una silla hasta el borde la cama de la muchacha, que sintió su presencia y abrió los ojos con cuidado, muy quedamente, dolorida aún por la realidad más que por sus heridas.

Polina pasaba todo el tiempo que podía con los ojos cerrados. Como si así fuese capaz de borrar todo el mal, la suciedad, la parvedad, todo aquello que la esperaba, implacable y ávido, cuando los abría. Ni siquiera el entorno aséptico y tranquilizador del hospital la confortaba.

—*Merhaba. Iyi geceler* —dijo el hombre, susu-

rrando. Hola. Buenas noches—. *Niçin, neden?...*
—¿Por qué, por qué?, le preguntó en voz queda,
señalándola, queriendo saber el motivo por el que
Polina se encontraba en tal estado.

Ella se limitó a observarlo con los ojos desaguados
y no dijo nada. No lo entendía, pero aunque hubiese
podido hacerlo, tampoco habría hablado. No tenía
mucho que decir. No sabía qué decir. Únicamente le
apetecía llorar a solas, aunque no tenía lágrimas, y
pensar en su madre, y quizás comer un poco cuando
los médicos se lo permitieran y recuperase el apetito.
Chucherías y tartas. Y carne guisada, sobre todo.

El hombre que la compró, el Comprador, le había
dado instrucciones muy claras y severas: si se atrevía
a hablar con alguien, si tenía los arrestos de contarle
un cuento, de alguna manera, a la policía..., ellos se
encargarían de que no volviese a abrir la boca nunca
más. Y su madre, aquel despojo humano que aún se
arrastraba por la vieja y sucia Moldavia, tampoco
podría volver a utilizar la boca ni siquiera para bos-
tezar de hambre.

Polina sabía que el Comprador no bromeaba.
Tampoco, en toda su vida, había conocido a nadie
que bromeara, especialmente con ciertas cosas. De
modo que se quedó muy quieta, esperando que el
hombre que había ido a visitarla y que seguramente
era policía se aburriese y se largara.

Todos los hombres terminan por aburrirse en un
momento u otro. Polina había aprendido eso en las últimas dos semanas.

Ciertamente, Ahmet Sarhos era policía. Un buen policía. Se había instruido en la OIM, la Organización Internacional para las Migraciones, el grupo que se ocupaba de la trata de personas en territorio turco; allí le habían enseñado a reconocer una esclava en cuanto la veía.

Y ahí tenía una, pensó mientras observaba tristemente a Polina.

Sabía que la suya era una batalla perdida. Y una guerra perdida. Aun así, continuaba luchando. Luchando contra los mandos policiales de su unidad, que no prestaban atención al comercio sexual porque daban por sentado que se trataba de un negocio como otro cualquiera, de cuyos productos también ellos se servían en más de una ocasión.

Según los últimos informes que había leído al respecto, más de doscientas bandas trataban con mujeres y niñas en Turquía. Perfectamente localizadas y localizables.

Suspiró con desilusión y abatimiento entretanto observaba fijamente a la niña, arropada en la cama igual que una muñeca con las extremidades rotas, incompletas. Podía identificar perfectamente al azerbaiyano que dirigía el negocio del cual provenía aquella melancólica polichinela que habían estado a punto de hacer pedazos y que ahora lo miraba con sus ojos azules grandes como platos y tan vacíos como el plato de un pobre.

Se preguntó cuánto tiempo tardaría el matón que la había comprado y revendido en llamarlo y entregársela, igual que material defectuoso, para que fuera él, Ahmet Sarhos, quien se encargase de expatriarla.

Era la historia de siempre.

Apenas presentaba variaciones. Aquellos ojos que lo miraban pero no lo veían eran los mismos ojos a los que él se había asomado en cientos de ocasiones tratando de hacerse entender, intentando enviar una cuerda que llegara al fondo y rescatara el alma de su propietaria, la sacase a la luz, al aire, a la vida.

Pero sabía que no habría manera.

Manoseó con desasosiego los documentos de la chica que le había entregado la jefa de enfermeras. Su pasaporte, sus papeles. Parecían auténticos. Seguramente lo eran: comprados a algún diplomático corrupto que emite pasaportes auténticos sobre documentación auténticamente falsa. En ellos se decía que era mayor de edad, pero Sarhos no se lo tragaba. Le calculaba dieciséis años, como mucho. No podía llegar a los diecisiete, no con aquella cara, con sus bracitos delgados y la tristeza de un folleto satinado y lujoso, recién estrenado, que alguien acaba pisotear y de arrojar a la papelera.

No contaba con medios para conseguir un traductor, y él no entendía una palabra de búlgaro, de rumano, de moldavo, de ruso o de lo que fuese que hablara aquella chiquilla. Los idiomas que solían hablar las que eran como ella.

Le habló con dulzura en francés pero sólo obtuvo la misma hueca mirada, el entrecejo levemente estirado, de sobresalto y alarma, de quien contiene el miedo.

«Otro pajarito enjaulado —pensó el policía—, asomado al quicio de la ventana, otro pajarito que sospecha que, o vuelve a la jaula, o se precipita al vacío, porque no tiene ni idea de que un día tuvo alas.»

El hombre suspiró ahogadamente. Siempre le pasaba lo mismo. Su mujer decía que era demasiado sentimental para hacer bien un trabajo como el suyo. Quizás llevara razón. Pero nadie que no fuera demasiado sentimental estaría dispuesto a hacer un trabajo como el suyo, de modo que no le quedaba más remedio que seguir tirando.

«Pobrecilla, pobrecilla —pensó Sarhos—. Y pobre de mí, que no conseguiré hacer nada para ayudarla hasta que dentro de unos años sus verdugos me la planten en la puerta. A ella, o a lo que quede de ella. A sus pedazos.»

Ésa era la manera de operar de los tratantes de mujeres: cuando las chicas llevaban demasiado tiempo en el negocio empezaban a cansar a los clientes, de modo que sus amos las llevaban a la policía para que las repatriaran. Así se ahorraban los gastos del viaje de vuelta. En el puerto de destino, alguien las recogería y las llevaría a nuevos prostíbulos donde pasarían un tiempo hasta que otra vez se repitiera el proceso. Las mujeres que tenían mucha suerte, vivían para contarlo hasta los treinta y cinco años más o menos, cuando eran demasiado viejas para el oficio y sus dueños les daban la patada de modo que ellas pudieran largarse y empezar de alguna manera en otra parte. Las que tenían menos suerte, cuando cumplían la edad de la jubilación, hacia la mitad de la treintena, se las ponía a trabajar en otras labores propias de una esclava: la mendicidad, el trabajo agotador en una fábrica clandestina... Y las que no tenían suerte ninguna, morían mucho antes de cumplir los treinta. Aunque, ahora que Sarhos lo pensaba, quizás estas últimas no fuesen, realmente, las más desafortunadas de todas.

El policía pasó casi dos horas hablando con la niña, aunque sabía que ella y él eran incapaces de entenderse.

Polina pensó que el hombre sentado al lado de su cama que no dejaba de hablarle con voz baja y paternal, era mayor, pero guapo. Que olía bien, que olía a hombre limpio, que tenía una bonita tez clara y una voz amable y afectuosa, y que el bigote le confería un aspecto gracioso y romántico. Su compañía le gustó pese a que no fuese capaz de comprender ni una palabra de las que decía. Podía sentir que sus intenciones eran buenas, que él nunca le haría daño.

A partir de entonces, Polina siempre intuiría, durante el resto de su vida, quién le haría daño y quién la dejaría en paz. No se equivocaría nunca, aunque tampoco pudiese jamás prevenir el mal.

Sarhos habló y habló. Lo hacía en voz muy baja, para no molestar al resto de los pacientes de la sala. La luz del pasillo penetraba con violencia y vibraba cada vez que desfilaba por delante de la puerta una de las enfermeras, con sus andares decididos y vigorosos. Le habló sin esperar respuesta, pues era consciente de que no la habría. Le confesó sus miedos. Miedo a que el mundo en realidad no fuera el mundo, sino simplemente el infierno. Un infierno musulmán o cristiano, qué más daba. Él no era creyente. O por lo menos sólo era capaz de profesarle una fe entregada al suplicio eterno del averno.

Sacó una tarjeta de visita con su nombre y su número de teléfono, y apuntó detrás el número de la línea telefónica de atención a las víctimas de trata, que llevaba funcionando unos pocos años en Turquía. Unas organizaciones sin ánimo de lucro se encargaban del proceso de rescate una vez que recibían la denuncia. Aunque Sarhos no confiaba en los retornos, pues según su experiencia —no dejaba de repetírselo a sí mismo, entre indignado e impotente— eran una manera de subvencionar a los esclavistas que así se ahorraban los pasajes de avión, o de autobús, más que de rescatar a las víctimas, que en cualquier caso caían en el mismo pozo en cuanto regresaban a casa. Pero muy dentro de su corazón, el policía siempre albergaba la esperanza de que alguna vez tanto esfuerzo, tanta aflicción, tanta decepción y tanto dolor sirvieran para algo. Que alguna vez una chica fuera liberada, rescatada para siempre del infierno.

Con una sola vez, a Sarhos le hubiese parecido suficiente.

En esta ocasión, Sarhos se equivocó: Polina no apareció en su oficina, empujada por sus captores a la expatriación y a repetir el ciclo de la esclavitud inevitablemente.

Nunca más volvería a ver a Polina.

Y pasados los años, a pesar de que el policía jamás olvidaba a ninguna víctima de la trata a quien hubiese visto o conocido —tenía un archivo personal con fichas abiertas para cada una de ellas, con la poca o mucha información que lograba recabar—, sí llegaría un momento en que la falta de noticias le llevase a dar su caso por concluido. No le quedaría otro remedio.

Si bien, cada noche, en su casa y ya metido en la cama, al lado del tibio y sereno cuerpo de su mujer, hacía un repaso a todas ellas antes de dormir. Eran muchas. Y su número aumentaba cada día. Un ejército de esclavas silenciosas. Esa lista, de caras más que de nombres, era su ferviente, desesperada oración nocturna.

Sigrid

Fernanda, la madre de Sigrid, había celebrado su cincuenta y seis aniversario un par de meses antes. Apenas era veinte años mayor que su hija. Las relaciones entre ambas nunca habían sido fáciles. El hecho de que Sigrid fuese adoptaba —pensaba ella a menudo—, añadía dificultad a un parentesco de por sí complejo como el de las madres y las hijas.

Fernanda vivía en un edificio de postín de una zona noble de Madrid. Era la propietaria del inmueble, que heredó de sus padres. Ocupaba un amplio apartamento de más de cuatrocientos metros cuadrados, y el resto de los pisos —nueve más— estaban alquilados, la mayoría a empresas. La construcción era una de las pocas en las que se apreciaba a ojos vista el buen gusto, junto con el dinero y el poder, en cada línea de la fachada, lo que resultaba insólito teniendo en cuenta que Madrid no había tenido una burguesía decimonónica o una antigua nobleza dada a derrochar elegancia arquitectónica, ni a despilfarrar ninguna otra cosa, en realidad.

Podría haberse deducido, contemplando la bella estampa del inmueble, que el arquitecto que lo diseñó había leído a Catón, a Varrón y a Columella, a todos los viejos autores que habían escrito o se habían interesado por la arquitectura. O que tenía presente, como Palladio, que las villas se construían a semejanza de sus propietarios.

El edificio era clásico, pero con personalidad, decorativo y ornamentado sin ser estridente. Digno del más exquisito modernismo barcelonés. O de una joya con tintes de palacio veneciano. Resultaba espinoso clasificarlo porque había sido obra de un artista atípico de principios del XIX, un poeta, y único heredero de una adinerada familia de comerciantes, que no pasó a la historia por su lírica, mediocre sin duda, y que no entendía nada de arquitectura pero que dictó sus sueños a un buen amigo (corría el rumor de que quizás también amante) y sólido ingeniero. Entre ambos levantaron aquella hermosura que, sin saberlo entonces, sería una construcción que parecía hecha a la medida de Fernanda, la madre de Sigrid, y un perfecto ejemplo de lo que podría ser la armonía del mundo en caso de que algún día el mundo lograra alcanzarla.

El conserje ya no estaba cuando Sigrid aparcó la moto sobre la acera y se plantó frente a la puerta de entrada, y no quiso molestarlo tocando el timbre de su casa, de modo que llamó a su madre pulsando el interruptor del portero automático.

Fernanda contestó al cabo de unos segundos.

—Sube. ¿Hace frío?

—No, madre. No mucho todavía.

Y allí estaba Fernanda, erguida, vestida como una estampa de otro siglo —del siglo XX—, viviendo sola en un espacio digno de un aristócrata sensual, de un cardenal, de un general del ejército prusiano.

Rodeada de óleos con escenas bíblicas, bodegones y piezas de caza.

Sigrid aún recordaba cómo su abuelo, cuando era niña, le había enseñado a admirar dos cuadros *menores* de Murillo colgados en las paredes de color chocolate de la salita del té, bañada por la luz del mediodía, con la naturalidad y el sereno abandono con que otros lucen en su comedor unas láminas enmarcadas de Ikea.

Su madre adoptiva había sido bellísima, eso testimoniaban todas las fotos escondidas que Fernanda no permitía que estuvieran a la vista, no las quería enmarcadas ni decorando los muebles señoriales de la casa, sino que las guardaba como un secreto que, entre paños, conserva mejor su lozanía. Todavía era muy hermosa. Y lo bastante joven para encontrar una pareja, aunque una cosa así no entraba siquiera en la imaginación de Fernanda.

Fernanda había sido monja novicia desde los diecisiete a los veinte años. Hasta pocos meses antes de que volviera de Santo Domingo con una niña recién nacida en brazos —a la que bautizó en Madrid, en los Jerónimos, con el nombre de Sigrid—, y dejara los hábitos colgando en alguna percha olvidada de un convento del Nuevo Continente, allá por la costa norte de la República Dominicana, entre la península de Samaná y Puerto Plata.

La madre de Sigrid no le había dado muchas explicaciones sobre el lugar del cual la *sacó* a ella, y Sigrid había superado ampliamente la edad en la que eso tenía para ella una vital importancia.

Probablemente fue otra huérfana abandonada recién parida. Había muchas por entonces, cuando ella nació y, por lo que Sigrid sabía, continuaba habiéndolas. En todo el planeta. Las niñas sobran por todas partes. No hacía mucho que se enteró por el periódico de que la descompensación numérica entre sexos que existía en Asia producía ya graves problemas: cada vez nacían menos niñas y más niños. Cuando en una sociedad no hay suficientes mujeres para todos los hombres disponibles, aumentan los disturbios, los crímenes, la delincuencia. Eso decían los sociólogos. Eso había aprendido Sigrid en la facultad. Eso enseñaba la experiencia policial de medio planeta. ¡Pero es que las niñas siempre son una carga!, no valen tanto como los niños; de modo que el feminicidio continúa a la orden del día. Desde que la ecografía se democratizara, los fetos de niñas eran abortados sin un titubeo. Y muchas de las que nacían, porque sus madres no podían pagar siquiera el aborto, eran abandonadas en un hospicio, o desamparadas en cualquier vertedero hasta que morían. Las hijas son una carga para las pobres economías familiares del pobre Tercer Mundo. Lo mejor es deshacerse de ellas cuanto antes, o venderlas cuando están algo crecidas a cambio de unas monedas que permitan a sus familias hacerse con una choza de cemento provista de televisor y karaoke.

Las mujeres y el mundo.

¡Qué difícil correspondencia se establece entre las mujeres y el mundo!

El mundo no quiere a las mujeres, pese a lo mucho que las necesita. La religión, la economía, la superstición... Todo juega en contra de las mujeres. Débiles, costosas, peligrosas. ¿Qué hacer con ellas?

Matarlas es una opción barata. Esclavizarlas al menos rentabiliza su inútil existencia.

Sigrid era consciente de que su madre, al adoptarla, la había salvado de la muerte o de la esclavitud. Así y todo, no siempre le resultaba fácil expresarle su agradecimiento. Recordó por un instante las caras de las dos chicas del Tanatorio de la M-30 y se le erizó la piel del cuello. Cerró los ojos con fuerza mientras le daba un beso rápido, en forma de saludo, a Fernanda.

Debería hablar de todas esas cosas con su madre, pensó. Hablar con ella de todo lo que le pasaba por la cabeza. No limitarse a conversar sobre las cuatro tonterías de siempre, fingiendo ambas que el mundo es perfecto y sus vidas invulnerables, y luego volver a casa con la sensación del deber cumplido pero con un agujero de ansiedad y de impotencia royéndole las entrañas.

—¿Qué tal estás? —preguntó Fernanda—. Te veo más delgada.

—No estoy más delgada. Peso lo mismo que la semana pasada.

—Se te nota la cara chupada. ¿Tomas leche?

—Tengo intolerancia a la lactosa, madre. Desde que era niña, ¿recuerdas?

Fernanda hizo un gesto de quitarle importancia con la mano, como queriendo dar a entender «Eso son tonterías», pero sin atreverse a iniciar una discusión por un tema tan banal.

—Clarisa te ha preparado algo de cenar —dijo, por el contrario—. Vamos a la cocina y hablamos un rato.

Clarisa era la criada. Una sirvienta como las de antes, de esas que ya no quedan. Pasaba todo el día con Fernanda, desde las ocho de la mañana en que abría sigilosamente la puerta para no molestar a la señora y se disponía a hacer las faenas menos ruidosas hasta que la dueña de la casa despertaba; a las seis de la tarde se despedía y se iba a dormir a su casa, un piso de dos habitaciones en el barrio de Lavapiés.

—¿Tú no vas a cenar, madre? ¿No me acompañas?

—Cariño, yo no tengo hambre. Ya sabes que detesto las cenas. Me conformo con verte comer a ti. Me engorda más que si comiera yo.

—No está bien cenar sola mientras otra persona te está mirando, y tú siempre haces lo mismo —se quejó Sigrid.

—No seas gruñona. El consomé es una exquisitez. Tienes la cara pálida. Hay paté casero. Deberías vigilar tu dieta. Haces un trabajo horrible para el que necesitas conservar tus energías. Nunca he entendido por qué no te dedicaste a la enseñanza, por ejemplo.

—Tengo la cara de este color porque éste *es* mi color, madre...

Fernanda hizo como que no la oía.

La enorme cocina había sido redecorada pocos años antes con muebles vanguardistas. Una isla central de tonos tostados servía de mesa para realizar comidas informales.

Sigrid se acomodó en su silla de siempre mientras observaba cómo su madre la servía con su aire elegante y distraído.

—¿Querrás un poco de vino? No tengo esa cosa japonesa que te gusta.

—Una cerveza está bien.

Fernanda sacó una gran copa de cristal azul de la Toscana, comprado en Colle di Val d'Elsa por ella misma. Se dispuso a abrir una botella de vino.

—¿Madre? ¿No me has oído? —Sigrid se removió nerviosa en su asiento. No entendía por qué siempre terminaban peleándose por frivolidades—, te acabo de decir que me gustaría tomar una cerveza.

—Pero la cerveza engorda. Tiene todos esos gases...

—Hace un momento te parecía que estoy demasiado delgada.

—No quiero que te salga tripa como si fueses un hincha del fútbol.

—Madre. Madre...

Sigrid se llevó las manos a la cabeza y se apartó el pelo con un movimiento brusco.

De repente sintió que no podía soportarlo, y se echó a llorar. Primero suavemente, igual que lo haría una niña pequeña recién abandonada, con hipidos débiles y enfermizos. Al poco, con berridos lastimeros.

Fernanda la miraba sin dar crédito, con la botella de vino en la mano aún esperando ser abierta. Sigrid supuso que ni siquiera era capaz de acercarse a ella para consolarla. No estaba acostumbrada a hacerlo. Desde el principio delegó esa tarea en sus padres, los abuelos de Sigrid, y ellos se ocuparon de la niña hasta que, uno después del otro, murieron dejando a Fernanda con una joven de casi veinte años que, cada vez que pensaba en la palabra «madre», todavía imaginaba a su abuela.

Cuando se calmó lo suficiente para poder hablar,

cuando pudo sacar fuerzas de sí misma —Fernanda no se había movido del sitio, no había hecho el más mínimo ademán de consolarla y ni tan siquiera daba la sensación de seguir respirando—, Sigrid se limpió las lágrimas y se sonó los mocos con la exquisita servilleta bordada que su madre había dispuesto para la cena. Sin poder evitarlo ni reflexionar en lo que hacía, se desahogó.

A borbotones, de forma inconexa y acuciante. Le contó todo lo que había dentro de ella, cosas que nunca le había dicho. Si no todo, al menos una buena parte. Le habló de su sensación de orfandad, de su síndrome, su complejo casi físico de huérfana pobre recogida en los brazos de la caridad de una mujer rica; de sus tormentos íntimos, del quinto mandamiento, de las pesadillas de cada noche, con el raterillo al que había matado como espectro invitado y protagonista principal de sus sueños. De las dos chicas estranguladas que visitara junto a su jefe aquella misma tarde. De *Los hermanos Karamázov*, que le había resultado una novela de pesada lectura que, sin embargo, le dio la vuelta a su conciencia como si fuera un calcetín y la dejó conmocionada durante meses; de su ateísmo reciente que la llevaba a contemplar el mundo con el desánimo de quien examina una sábana sucia en mitad del desierto. De las nuevas mafias del crimen que llegaban del Este, cuyos código secretos, cuyo lenguaje moral, ella no comprendía. Le habló de su jefe, el comisario Férriz, que la trataba unas veces de manera implacable y dictatorial y otras como un padre putativo asquerosamente tolerante y condescendiente. Le contó que el brazo izquierdo se le dormía cuando al fin conseguía conciliar el sueño durante unas horas. Y que su pelo ingobernable, al peinarlo, le provocaba la sensación de estar desenroscando una tapadera oxidada, soldada por el tiempo y la herrumbre al bote de cristal ahumado de su cabeza.

—¿Qué?, ¿no dices nada? —preguntó cuando fue capaz de poner unos puntos suspensivos en su larga lista de tribulaciones.

Fernanda tomó asiento, se miró las manos vacías como si estuviera buscando algo que se le acabara de escapar.

—No tengo cerveza.

Sigrid movió la cabeza rítmicamente, incrédula.

—¡Oh, madre!...

—Quédate a dormir esta noche en tu habitación. Sabes que está preparada para ti. Clarisa cambia la ropa de cama puntualmente. Necesitas descansar. Estás nerviosa, cariño. Tienes que serenarte. Tienes que olvidar todo lo que te preocupa, ¿de qué te sirve llevarlo contigo, siempre presente?...

Sigrid se puso en pie, dispuesta a marcharse.

—Será mejor que me vaya —se pasó las manos por las mejillas de forma torpe—. Se hace tarde.

Fernanda se levantó y la siguió con pasos rápidos hasta la entrada.

—Sigrid... —dijo con voz forzada.

Su hija la miró a los ojos, le temblaban un poco las manos y se rascó el cuello hasta que se dejó unas afiladas marcas rojas que parecían el anuncio de inminentes cicatrices de por vida.

—¿Sí, madre?

—Antes de salir a la calle abrígate y recógete bien el pelo, hija.

Polina

Polina permaneció tres años en el burdel de Estambul. Tuvo suerte, era una chica afortunada.

Pudo haber terminado en un antro de Diyarbakir, o en un *puticlub* mugriento de Aksaray, pero acabó dando con sus huesos en aquel prostíbulo. No estaba tan mal. No era lo peor que le pudo haber pasado.

Tenía suerte, mucha suerte.

Un día asistió a la paliza que uno de los hombres que las cuidaban le dio a una prostituta vieja. La mujer tenía más de treinta años, fumaba sin parar, estaba ajada y no tenía ganas de nada, decía que ya no le venía la regla y eso que ni siquiera estaba embarazada.

—Cariño, ¡¿qué cojones haces, so zorra?! —le gritó el hombre mientras le reventaba la cabeza con una botella y con los puños porque la mujer le había mordido el pene; ella decía que sin querer.

Sí. Polina era afortunada. Ya lo creo.

Los clientes pagaban doscientos euros sólo por tomarse tres cervezas en aquel local. Polina ni siquiera lograba imaginar cuánto gastarían para poder hacerle a ella esas cosas que le hacían.

Durante aquellos años se sometió a tres abortos

clandestinos. Aproximadamente uno por año. Una vieja comadrona, supuestamente amiga, y desde luego cómplice, del hombre que la había comprado, del Comprador, era la encargada de practicarlos. La mujer sabía lo que se hacía; pocas veces hubo problemas con eso, y los pocos que hubo los solucionó ella misma. Así se ahorraban la hospitalización y las temidas preguntas de la policía.

Pero no abortaba únicamente Polina. Muchas otras chicas lo hacían a menudo. La comadrona siempre tenía trabajo. Se la podía ver con frecuencia por los pasillos del burdel, muy de mañana, a las horas en que escaseaban los clientes.

—*Iyi, iyi*!... —«Bueno, bien», gruñía, y su cara se arrugaba un poco más, si eso era posible—. *Evet, evet* —. Sí, sí. Asentía siempre delante del jefe.

Era una trabajadora infatigable, que cobraba por ejercer a destajo. El jefe estaba contento con ella y a veces le hacía regalos. Albaricoques. Una cesta de almendras. La *gül reçeli*, la mermelada de rosas que tanto le gustaba. O las *zeytinyağlı dolmalar*, unas deliciosas verduras rellenas de cebolla, arroz y aceite de oliva. A la mujer le encantaba la buena mesa, era golosa y apreciaba los detalles. Estaba contenta y se llevaba con ella los restos de las operaciones a que sometía a las chicas. Era limpia y cuidadosa. Lo decía el jefe:

—Esta *kadin* se merece lo que le pago, no como otras... Es una mujer buena en lo suyo. Y no deja desperdicios.

Lo mejor de abortar era que a Polina le concedían unos días de descanso. Así podía tumbarse en su cama y contemplar el techo hasta que le dolían los ojos, además del vientre. El dolor de las cuencas de los ojos le hacía olvidar a ratos el que sentía en la barriga. No pensaba en nada. Estaba olvidando poco a poco a su madre. Ya era mayor de edad, y la figura de su madre se difuminaba en sus recuerdos como la cara de una de esas muñecas que se tienen en la niñez y que al cabo de los años resuenan en la memoria vagamente, sin contornos definidos, plagadas de sombras y perfiles ilusorios. Al pensar en ellas, por casualidad, nos parece que no es muy seguro que alguna vez hayan existido.

Qué curioso, recapacitaba Polina, que la cara de su madre, con la que había vivido los quince primeros años de su vida, se fuese desdibujando en su memoria mientras permanecía inalterada, tal como ella se había prometido hacía tres años, la del hombre que la vendió. Kakus. Llevaba sus facciones pintadas en su cerebro con una tinta especial para recuerdos. Su retrato colgaba de su mente igual que una medalla.

«Kakus, nunca te olvidaré.»

Polina fue vendida de nuevo y trasladada a Atenas. En Estambul llevaba algo más de tres años, empezaba a ser demasiado conocida. Los clientes gustan de la novedad. Si la carne es nueva, les parece fresca aunque haga tiempo que comenzó a marchitarse en otra parte.

Las putas eran cada día más baratas. Crecía el comercio sexual de esclavas, la mano de obra sexual había roto las barreras del bajo coste. La prostitución, como las nuevas líneas aéreas, se convertía en *low cost*. Al aumentar la oferta, y abaratarse de manera brutal, también la demanda crecía sin parar. Hombres que jamás habrían recurrido a los servicios de una prostituta, ante los tentadores precios se preguntaban: «¿Por qué no?, es mucho más económico que intentar ligar en un bar, y a veces lleva una copa incluida en el importe final...».

Polina había tenido una media de veinte clientes diarios. Ella, como todas las chicas del prostíbulo, ofrecía rebajas sin competencia de las que se lucraba el jefe, el Comprador. Estaba permanentemente de saldo. Su mercancía tenía éxito. Su cuerpo, su alma, eran un artículo con excelente salida entre unos consumidores ávidos e insaciables, que valoraban la cantidad por encima de la calidad, que apreciaban la juventud por muy apaleada que estuviera.

Se dio cuenta de que el jefe iba rotando a las chicas. Unas salían, otras llegaban procedentes de distintos países. Algunas —al igual que ella— debutaban en aquel prostíbulo siniestro, en el que jamás penetraba la alegría de la ciudad a pesar de los tristes esfuerzos de iluminación para intentar crear ambientes festivos, invitadores, sensuales.

No entendía la lengua de casi ninguno de sus clientes. Ni sus compradores la entendían a ella. Así y todo, aprendió algunas frases en turco. Lograba comprender conversaciones que oía por ahí. Pero seguía sin tener muchas ganas de hablar. Hablar le parecía una pérdida de tiempo. Hablar sólo confunde más las cosas.

Al principio, Polina estaba convencida de que aquellos hombres que la aplastaban con su peso, o pagaban por otras formas de sexo que no fuesen la penetración, sabían lo que ella era: una esclava. Menor de edad, y triste. Poco a poco se fue dando cuenta de que probablemente no tenían ni idea de cuál era su situación. Que quizás imaginaban que ella lo hacía por gusto, por voluntad propia, y que acaso pensaran que la complacían incluso, que ella sentía placer estando con ellos. Claro que también era posible que, de haberlo sabido, de haber conocido la verdad de su situación, a una gran parte de ellos probablemente no le hubiese importado lo más mínimo.

Un domingo —ese día le tocaba descansar, lo hacía una vez cada dos semanas—, mientras se bañaba se pasó la esponja por la entrepierna, en una zona en la que había empezado a notar un picor desagradable hacía unos días. Pensó que serían pulgas, y había usado polvo de talco para aliviar el escozor. Ahora descubrió una úlcera que no ofrecía buen aspecto. No tuvo más remedio que decírselo al jefe, al Comprador.

El hombre se sorprendió, pues la chica rara vez abría la boca. A veces, tenía la impresión de que había perdido la capacidad de hablar.

—Si me quieres decir que estás embarazada otra vez, te diré que en esta ocasión cargaré a tu cuenta el doble de los gastos de la operación —gruñó el jefe—. ¿Qué te has creído que es esta casa? ¿Una organización de caridad?

Hablaba por hablar y Polina se daba cuenta. Sabía tan bien como ella que, después del último aborto, la matrona le había dicho que difícilmente podría volver a quedarse embarazada otra vez. El raspado se había llevado por delante algo que Polina no quiso saber con detalle.

El médico turco —otro médico, pues aquel que la atendió el día que llegó al prostíbulo no había vuelto jamás por allí— diagnosticó una sífilis en fase temprana. Le administró una inyección enorme y dolorosa cargada de penicilina, le dio unas medicinas para aliviar el chancro y le dijo que tuviera cuidado.

«Ten cuidado», le recomendó en un ruso con acento imposible, y después le soltó una perorata en un francés rápido, nervioso. Mucha gente en Moldavia hablaba francés; no era el caso de Polina. La joven estuvo a punto de reírse en su cara. Lo habría hecho de no ser porque hacía tiempo que había olvidado cómo reír. Se limitó a mirarlo fijamente y permaneció muda, sin mover ni una pestaña.

La enfermedad fue el revulsivo que el jefe necesitaba para trasladarla. Venderla era la mejor opción. Hacía tiempo que venía rumiando la idea, y si no la había puesto en práctica era sobre todo porque Polina era muy joven, menor de edad hasta hacía pocos meses, y por lo tanto con mucha carrera por delante. Una muchachita. *Genç kiz*. Eso gustaba a los clientes. La juventud era un valor muy apreciado entre los habituales del local, lo era en aquel rincón del mundo y en todas y cada una de las restantes esquinas del planeta.

Así fue como el Comprador vendió a la joven, y se la quitó de encima.

Dicen que viajar a Atenas es como volver al hogar, a pesar de que antes jamás se hayan puesto los pies en ella. Cuna de la civilización occidental, de la democracia. Yacimiento maravilloso del mundo antiguo. Ciudad universal. Pequeña, pero inconmensurable Atenas. Indestructible e inmortal.

En muy pocos años, la capital griega se había transformado; un número incalculable de inmigrantes, tanto legales como sobre todo ilegales, le estaban cambiando la fisonomía. Refugiados de los Balcanes, procedentes de la antigua Unión Soviética, albaneses, afganos, oriundos de Bangladesh, Irán, Irak... La Atenas de Pericles y de Solón, de Sócrates y de la Academia de Platón, la que dominó Alejandro, la que recibió el perdón de Julio César y se convirtió en provincia romana, la que subyugó el Imperio otomano hasta el punto de convertir el Partenón en una mezquita, la que se liberó del dominio turco y abrazó la modernidad de Europa..., se convertía en punto de encuentro de refugiados del Este, de inmigrantes que llegaban de Asia en busca del sueño europeo, en una ciudad de restaurantes con cocinas exóticas, coloreada por el jolgorio de sus nuevos habitantes de procedencias lejanas. Era bella, prodigiosa y animada, y a Polina le hubiese gustado pasear por sus calles ruidosas, curiosear en las tiendas de antigüedades, echarse una siesta y cenar tarde, a las once de la noche; seguir el ritmo tranquilo y sensual de los atenienses, los viejos y los nuevos, disfrutar de una sopa de pescado en alguna taberna del barrio de Plaka, escuchar música en directo en la plaza Monastiraki, contemplar desde la Acrópolis el templo de Hefesto una calurosa noche de verano y recoger flores silvestres hilvanándolas en forma de corona para celebrar la llegada de la primavera.

Le hubiese gustado hacer todo eso, y muchas cosas más, de haber sabido que eran posibles.

Sin embargo, para Polina Atenas sólo significó un prostíbulo más en su trayecto hacia la nada, como una rata de laboratorio que recorre el itinerario previsto por un científico loco sin saber que el derrotero final de su periplo salvaje sólo conduce a un precipicio. Y eso, con suerte, siempre que se sorteen correctamente las pruebas en el camino.

A pesar de todo, Atenas no fue demasiado mala con Polina. Estuvo cinco años allí, todo un récord, alternativamente encerrada en una casa de apariencia burguesa e inofensiva en el barrio de Syntagma y en un discreto piso de lujo cerca del hotel St. George Lycabettus.

Cuando dejó la vieja metrópoli había cumplido veintitrés años. Sentía que se estaba haciendo vieja, pero al menos las enfermedades de transmisión sexual cada vez la visitaban con menos frecuencia: su cuerpo era duro igual que una piedra del río Prut. Empezaba a ofrecer resistencia. Se había acostumbrado a la mala vida, y pretendía seguir viviendo. No había vuelto a quedarse embarazada, ya no podía, y eso era otra ventaja.

Durante aquel tiempo, su nuevo amo le hacía pruebas de sida, como a todas sus compañeras de trabajo, cada seis meses. Polina no se contagió, aunque sabía de otras pupilas que sí habían contraído la enfermedad y que habían mantenido relaciones sin protección con algunos clientes porque así lo exigían ellos.

Dos años después de su llegada a la ciudad, con veinte años, conoció a un chico que había conseguido entrar en Grecia procedente de Pridnestrovia, o Transnistria, como les gustaba decir a los europeos, si es que alguno de ellos sabía dónde estaba aquel lugar perdido, olvidado del mundo.

Se llamaba Mihai y era amable. Acababa pronto, además. Nacido en Tiráspol, no era ruso ni ucraniano sino moldavo, a pesar de algún pariente lejano de origen gagauzo. Le dijo que había hecho el servicio militar en el ejército ruso y que se había escapado, que había desertado hacía dos años mientras combatía en la segunda guerra de Chechenia. Dijo que le contaría cosas de la guerra, cosas que él había visto o había hecho en las montañas del norte de Chechenia, pero Polina no quería escucharlas.

Mihai dijo que su cabeza, durante meses, no había estado bien pero que ya se sentía mejor, que Atenas lo había curado. Polina lo oía hablar, pero todo le daba un poco igual. Era un hombre joven, bien parecido. Estaba lleno de tatuajes, «me los hice allí; la mayor parte de ellos me los hizo un compañero siberiano. Él murió, pero sus tatuajes viven en mi piel», dijo.

Ahora sobrevivía con cierta fortuna en Atenas. Trabajaba en una tienda de artesanía de la calle Kodru y estaba aprendiendo a tatuar bajo las enseñanzas de su reciente propietario, un ruso medio loco que había dejado cinco años antes el FSB, la agencia de seguridad rusa que sustituyera al antiguo KGB, y que al igual que Mihai encontró refugio en la vieja Atenas.

Mihai le dijo a Polina que, si no estaba allí por voluntad propia, podía fugarse, que él la ayudaría.

Polina respondió que iba a pensárselo.

Intercambió con él muchas más palabras de las que había cruzado desde hacía años con el resto del mundo.

Lo pensó detenidamente y resolvió que sí, que le diría a Mihai que estaba dispuesta a escaparse con su ayuda.

El chico no la atraía sentimentalmente.

Hacía años, desde su llegada a Estambul y su bautizo de sangre en el mundo de la prostitución, que Polina había desarrollado una repulsión aterradora por el sexo. Aliviaba su miedo cerval mostrándose solícita: estaba convencida de que, si se resistía o se mostraba desganada, el daño sería mucho mayor, el coito más largo, la náusea más acerba, la huella más penetrante e intensa. Por eso concentraba todas sus fuerzas en tratar de complacer a los clientes para que se aliviasen cuanto antes y la dejaran tranquila. La mayor parte de las veces, lo lograba. Los casos en los que no lo conseguía, prefería olvidarlos. Su aversión al sexo le impedía ver a Mihai como una posible conquista, una pareja ocasional que la sacara del apuro —de su cárcel—, una relación normal muy parecida a la que tendría cualquier chica de su edad.

Sin embargo no creía que fuese mala idea cambiar a un solo hombre, que al final era amigable y limpio, por miles de ellos.

Tomó la decisión. Sin alegría, pero sintiéndose segura.

Se dispuso a aguardar el regreso de Mihai, que solía visitar el prostíbulo cada veinte días aproximadamente.

Pero el joven no volvió.

Polina no tenía un número de teléfono donde poder localizarlo, y tampoco podía salir a la calle a tratar de encontrar la tienda de la calle Kodru de la que él le había hablado.

De modo que lo estuvo esperando durante tres años, pese a que él no regresó jamás.

Kakus, Barbala y Gorilla

Kakus, Barbala y Gorilla compartían un apartamento en un antiguo y ya destartalado complejo de pisos de protección oficial, no muy lejos del centro del pueblo, en Arroyo del Tranco. Lo bastante cerca de Madrid pero lo suficientemente lejos como para que el alquiler fuese modesto. Había proximidad respecto al polígono industrial donde se encontraba la funeraria, y se encontraban casi al lado de la residencia habitual de Misha. Era cómodo. Y, al repartir el coste, podía decirse que el alojamiento les salía a precio de ganga.

La vivienda estaba amueblada cuando la alquilaron. Disponía de tres dormitorios diminutos en los que cabía escasamente un armario pequeño, una cama de hierro de noventa centímetros de ancho y una silla con el asiento de tela lleno de manchas aceitosas. Ejercía de elemento decorativo, en todas las habitaciones, el mismo cuadro con lo que se suponía era un paisaje marino nocturno, en cuyo centro se perfilaban las siluetas de dos amantes fundidos en un envarado abrazo que se recortaban contra un sol atardecido y gigantesco. Las tres alcobas lucían un cuadro idéntico sobre el cabecero de las camas. Una mesita de noche de formica desportillada hacía juego con los armarios, que carecían de llave, excepto el de la habitación de Barbala, que aunque daba a un patio interior había tenido más suerte con el mobiliario.

El salón comedor disponía de un aparador para poner la tele, una mesa extensible y cuatro sillas. Todo ello de aglomerado en color nogal. Y un sofá tapizado con una basta tela de grandes cuadros verdes, rojos y azules.

El cuarto de baño no tenía bañera, sino ducha, pero ellos lo preferían así.

En el balcón se podían ver tres macetas de barro llenas de tierra y con algún hierbajo espigado y de color marrón, en forma de palo amenazador: ni las malas hierbas prosperaban en aquellos tiestos. Al lado de ellas, se oxidaba lentamente un triciclo de niño con aspecto de haber sido fabricado en los años sesenta.

Cuando Misha no los necesitaba, los hombres pasaban el tiempo en el gimnasio dándoles quehacer a sus músculos hiperdesarrollados, o bien tumbados en el sofá jugando con la Play-Station.

Kakus tenía novias. Prostitutas que ejercían el oficio en algún club de la carretera de Burgos, por la zona. Iba cambiando de novia cada pocos meses. Normalmente, eran ellas las que lo abandonaban, pero él no sentía ni frío ni calor.

Barbala tocaba sus instrumentos, aunque cada día menos. Mejor para los vecinos, que a pesar de que sin duda odiaban el ruido, nunca se habían quejado. La vecindad era estupenda. Jamás protestaban tampoco si los tres hombres llevaban a algunos amigos y bebían allí dentro durante unas horas. Era inevitable hacer un poco de alboroto, pero nadie parecía oírlos. Los españoles y los latinoamericanos que vivían en el bloque los respetaban. Eso era bueno. Los tres estaban muy a gusto en aquel edificio.

Entre los compañeros que acudían por la casa de los tres *toros* de Misha, de sus guardaespaldas y esbirros, se encontraban dos moldavos que Barbala había conocido en la cárcel española donde pasó una breve temporada no hacía tanto. ¿*Bandity*?, ¿matones, como diría la pasma soviética?... No, ni siquiera eso. Simples ladronzuelos. Hacía años habían reventado cabinas telefónicas con un éxito increíble. Tenían pasaportes comunitarios de Rumania. Venían desde Moldavia a España y hacían una batida: Barcelona, Zaragoza, Madrid, Sevilla y de nuevo Barcelona. Después, vuelta a Moldavia. Igual que un circuito turístico, pero limitándose a frecuentar cabinas de teléfono. Algunos podrían suponer que eso no les reportaba grandes beneficios. Se equivocarían. La gente habla mucho por teléfono, y no todos disponen de móviles. En cada viaje recolectaban de cincuenta a cien mil euros limpios de polvo y paja.

E hicieron unos cuantos *tours*. Más de los que muchos supondrían.

Era un negocio fácil, lucrativo y seguro. Hasta que la compañía Telefónica de España, muy preocupada, tomó cartas en el asunto. Corrían rumores de que algún alto ejecutivo de la empresa, bastante cabreado, incluso se reunió con el ministro del Interior. De modo que no tardó en crearse un grupo de la policía que trabajó día y noche para cazar a los reventadores de cabinas. Los pillaron enseguida. Dos de ellos dieron con sus huesos en la cárcel. Aunque el encierro valió tanto la pena que lo celebraron: estuvieron en el *maco* poco tiempo, y la ganancia había sido asombrosa. Vasile y Theodor, los dos componentes de la banda que pagaron por todos los demás, decían que la cárcel no era mala porque ahí dentro se hacen buenas relaciones, y además *iti da putere*. Te da poder. El poder era algo que estaba de moda entre los jóvenes moldavos. Si bien los dos compañeros de prisión de Barbala ni siquiera se consideraban moldavos, sino rumanos. Así lo decían sus pasaportes comunitarios. Ahora trapicheaban la mayor parte del tiempo en España. A juicio de Barbala, eran buenos elementos: gracias a aquellos dos arrapiezos hacía tiempo que gran parte de las cabinas de teléfono españolas funcionaban únicamente con tarjeta. Las de monedas habían sido sustituidas poco a poco después de que Vasile, Theodor y sus amigos demostraran que adolecían de muchísimos fallos. Podía decirse que aquellos dos tenían poder para influir en las costumbres sociales. No había duda de que sabían hacer un buen trabajo. Por eso, Barbala los respetaba.

Barbala y Kakus les encargaban a los moldavos algún que otro negocio, de esos que ellos mismos no harían.

Una noche, los dos jóvenes moldavos, Vasile y Theodor, fueron a la vivienda de Barbala y Kakus y pasaron la noche bebiendo juntos. Serios y concentrados desde la primera hasta la última copa. Gorilla no estaba en casa.

Vasile tenía el pelo y los ojos oscuros, la cara afilada, los pómulos altos y la mirada torva, pero se encontraba relajado en tan buen ambiente y con ganas de hablar, se mostraba comunicativo y agradecido a sus anfitriones, que siempre le daban buenos soplos y le hacían encargos fáciles, que pagaban al contado.

Barbala salió a la calle junto con Theodor para comprar bebida en un bar del pueblo. A esas horas, las tiendas ya estaban cerradas pero conocía un bar donde le venderían unas botellas a precio de oro.

Vasile y Kakus se quedaron sentados frente a la tele. Bebían lo que quedaba en sus vasos, con el aparato encendido a todo volumen.

—Ese Barbala es un chico con futuro, un *tat*, un ladrón de primera calidad —dijo, por decir algo—. Uno de esos *pajany*, chicos que hacen carrera andando el tiempo.

—Le gusta tocar esa cosa que tiene en su cuarto —respondió Kakus, lacónico—, pero por lo demás está bien.

—Sí, está bien.

—No hay ni que mencionarlo.

Un nuevo silencio entre ambos, que el atronador sonido del televisor hacía menos incómodo.

Vasile iba vestido con unas prendas que sacó de un contenedor de basura del centro de Madrid, en una esquina muy cerca de la Plaza de Callao. La gente se pasaba el día tirándolo todo, haciendo sitio para comprar cosas nuevas, como si no tuviera bastante. El jersey acrílico de rayas rojas y blancas no olía muy bien, pero a él le encantaba. Se miró una manga, complacido.

—Lástima eso. Ya sabes, hermano. Lo único malo que tiene el bueno de Barbala. Ya lo sabrás —se relamió el labio superior ante la mirada intrigada de Kakus—. *Kaif*, las drogas... No es buen asunto —sonrió Vasile con la mirada fija en la pantalla del televisor—. Le hacen a uno hacer y decir cosas que a lo mejor uno no debería hacer ni decir. Le pasa a todo el mundo. Un *kalol*, un pico, y la vida se viste de otro color, hermano. Y ya no recuerdas quién eres, no quieres saber quién eres. Es lo mejor que existe, por eso hay que ir con cuidado. Una cosa es beber, otra cosa es el polvo de la amapola. Te saca de esta tierra y te lleva al cielo. El cielo, que está muy lejos de aquí. Pero hay que vivir aquí, porque la entrada al cielo se paga muy cara. Yo lo he probado, hace mucho tiempo, y te digo que...

Kakus, que estaba abstraído unos segundos antes, ahora lo miró con ojos furiosos, llenos de curiosidad.

—¿Qué estás diciendo, perro?

Vasile arrugó el ceño, enfadado.

—¡No me llames perro, perro! —protestó, rabioso, agarrando con fuerza su vaso hasta que aflojó la presión para no romperlo. Lo depositó con cuidado sobre la mesa camilla.

—¿Qué has dicho de drogas? ¿Heroína, hablas de heroína? ¿De Barbala y la heroína?... —preguntó Kakus.

Vasile empezó a ser consciente de que quizás había hablado más de la cuenta, también él.

Se negó a decir nada más.

Kakus lo golpeó.

Era mucho más fuerte que él. Vasile era un saco de huesos puntiagudos. Tenía ángulos por todas partes, desde la cara hasta los pies pasando por las caderas. Kakus lo manejó como si fuera un muñeco de trapo hasta que Vasile le contó lo que sabía. Creía que no era ningún secreto, y se trataba de simples especulaciones que quizás carecían de todo fundamento. Barbala solía fumar heroína, y de vez en cuando se picaba en la vena, cerca de la axila. Pero lo estaba dejando. Pese a que era sabido que sólo la tumba puede enderezar a un camello. En la cárcel, cuando estuvieron juntos, se rumoreaba que alguien le había ido pasando dosis que Barbala no tenía que pagar. Decían que se pinchaba en el despacho del director, y que en un momento dado, durante su viaje al cielo, hablaba, contaba cosas.

—Nada importante, creo yo —terminó Vasile, al borde del sollozo, con el rostro manchado de sangre—, chismorreos nada más. Es un muchacho todavía, no puede saber muchos secretos sobre Misha...

—¿Misha? —Kakus lo penetró con la mirada. Soltó al moldavo con asco y se fue al baño.

Cuando regresó al salón, Vasile se había largado y nunca volvió por aquella casa.

A partir de entonces, Kakus extorsionó a Barbala con una mezcla de verdades y mentiras que terminaron por acongojar al joven. Prácticamente todo el dinero que llegaba a sus manos, terminaba en el bolsillo de Kakus. La presión fue tan insoportable que llegó el día en que Barbala estuvo a punto de enloquecer mientras soñaba despierto que estrangulaba lentamente a Kakus con sus manos.

Sigrid

Para no perder la costumbre, Sigrid durmió mal esa noche, de modo que se levantó de mal humor.

Pasó la mañana como pudo, entre montones de expedientes y bebiendo sorbos de agua cada par de minutos con la delicadeza y el nerviosismo de un pajarito.

Poco antes de la hora del almuerzo, cerró la puerta de su cuchitril por dentro, se desvistió y se puso el *karategui*. Aprovechaba dos días por semana su tiempo para comer y se acercaba a Tora, un clásico *dojo* en la calle Andrés Borrego.

Como no quedaba lejos, se colocó la gabardina encima y cruzó la Gran Vía; iría andando.

Cuando llegó, el *sensei* Dani estaba calentando subido a una bicicleta estática mientras movía arriba y abajo, lentamente, una pesa en cada mano. Dani era rumano, menudo y simpático. Sigrid pensaba a veces en lo fácil que le habría resultado a aquel joven dedicarse a desvalijar viejecitas utilizando un solo dedo meñique. Sin embargo, se buscaba la vida dando clases de artes marciales a niños de preescolar. Y a ella. En los turnos del mediodía no había muchos alumnos, aparte de Sigrid. La gente prefería acudir a las clases de cinco a diez de la noche.

—Oss... —saludó nada más entrar en la sala, mientras se quitaba la gabardina y la metía dentro de su bolsa de deportes, un viejo saco que había comprado hacía años en una tienda Penny's, en Dublín, y que pese a haberle costado cuatro euros aún seguía aguantando.

Se subió a una bicicleta que ofrecía el aspecto de un herido vendado, pues alguien la había obsequiado con unos arreglos que tenían mejor voluntad que acierto, sujetándole ciertas piezas poco firmes con cinta aislante blanca.

—Oss —respondió Dani, inclinando un poco la cabeza, observando atentamente cómo Sigrid se colocaba el *obi*, el cinturón. Siempre la reñía un poco porque no le quedaba perfectamente simétrico, pero ese día no le pudo hacer ningún reproche.

Tras el calentamiento practicaron distintos *katas*, aunque Sigrid prefería el *kumite*, las técnicas de combate. Los *katas* se le antojaban una especie de ballet para samuráis con un toque demasiado femenino.

Llevaba más de cuarenta minutos sudando cuando Dani accedió a dar unas cuantas patadas de verdad sobre el tatami.

Sigrid se sentía culpable porque en el kárate, al igual que en el catolicismo, no conseguía cumplir al pie de la letra todos los mandamientos. Había faltado al quinto de su religión («no matarás»), y algo parecido le ocurría cuando se enfrentaba al Bushido, al código samurái inspirador del kárate, que enseñaba los principios de rectitud, coraje, bondad, cortesía, sinceridad, desprendimiento, honor, autodominio, modestia, lealtad, amistad, integridad, serenidad, paciencia...

¡Uf!... Demasiadas exigencias.

Ella no andaba bien de paciencia, ni de serenidad, ni de autodominio. Por lo menos ese día.

Practicaron unos minutos de combate libre hasta que Sigrid hizo un contacto brusco en las costillas de Dani con el pie derecho (su mejor arma), y lo derribó. El chico puso una involuntaria mueca de dolor, aunque trató de que no se notara mucho.

—No, Sigrid, no así... ¡Cálmate, vale! —Dani se estiró en el tatami, boca abajo, con los ojos cerrados, respirando profundamente, intentando llenar de aire calmante y fresco sus pulmones y su cerebro.

Sigrid notó cómo se le encogía el estómago de preocupación.

—¿Estás bien, *sensei*?

Tuvo una breve e intensa visión, muy desagradable, del chico al que había matado, y sintió que se le doblaban las piernas de debilidad. Se sentó al lado de Dani, dejándose caer con desánimo, e inclinó la cabeza cuando él se levantó, dolorido.

—Se supone que encuentras el equilibrio aquí, no que me haces perder el equilibrio a mí —Dani lucía una sonrisa algo forzada—. Si quieres jugar así, un poquito sucio, creo que yo puedo darte lo que buscas —estiró el brazo y señaló la puerta de salida—. Ahí está tu camino. Vete. Síguelo.

—Sí, *sensei*. Perdona, *sensei*. *Arigato gozaimasu*. Gracias, gracias...

Sigrid se encaminó a la puerta, se inclinó saludando y salió sin darle la espalda a Dani, según el protocolo. Se calzó las zapatillas en el estrecho y frío pasillo. Recogió su bolsa al vuelo y bajó los escalones de dos en dos hasta la callejuela. Mientras subía hacia la calle Luna se secó unas lágrimas estúpidas que se empeñaban en salir de dentro de sus ojos y se fue poniendo la gabardina, andando a paso ligero.

Estaba sudando y ni siquiera notó la fresca temperatura del otoño, que por fin se había decidido a calmar los ardientes rigores del verano madrileño.

Una vez en la calle San Bernardo siguió a buen paso hasta la Gran Vía. Antes de llegar, entró en el café Faborit y tomó un bocadillo vegetal y un zumo de naranja y limón naturales. Comió atropelladamente, pero cuando volvió a salir a la calle, con el estómago y los nervios algo más calmados, se dirigió a la comisaría con paso más sereno. Encendió la Blackberry y llamó al número del juez que le había dado Férriz. Mientras subía por la Gran Vía se cruzó con un par de carteristas que tenían unas fichas tan largas y emocionantes como la Biblia. Ella los conocía a ellos y ellos la reconocieron a ella, pero todos hicieron como si tal cosa.

El juez respondió a la llamada a los dos timbrazos, y se mostró encantado de verse con Sigrid al día siguiente. Le dijo que precisamente tendría que estar por la zona donde ella trabajaba para dar una charla en la Asociación de Escritores, sita en la calle Leganitos.

«Desde que publiqué un libro, me confunden con un escritor», se excusó débilmente. Podían verse allí, una vez que él hubiese concluido la conferencia. Cerraron la cita y, cuando el tal Marcos Drabina Flox, insigne juez de la Audiencia Nacional, colgó su teléfono, ella se quedó mirando la pantalla de su aparato con cara de boba.

Buscó entre sus contactos el teléfono de Dani *sensei* y lo llamó sin darle más vueltas. No contestó. Lo intentó un par de veces más, y tampoco obtuvo respuesta. Para entonces ya se encontraba delante de la puerta de la comisaría. Antes de entrar, le envió un mensaje de texto: «Lo siento, de corazón. Discúlpame, Dani *sensei*. No volverá a pasar. Palabra de honor». Añadió una carita triste y amarilla de su biblioteca de iconos y, suspirando ruidosamente, entró en el recinto. Aquélla sería su última jornada con el ritmo y los horarios de una oficinista estresada. ¿No había ansiado tanto un poco de movimiento en su vida laboral, algo de la antigua excitación que le producía ser poli, una existencia llena del horror del que carece la monotonía?... Bien, pues allí estaba: su buena ración de emociones fuertes.

Esperándola al día siguiente.

Trabajo policial. ¿Por qué y para qué?...

Bueno, qué más daba.

Polina

Cinco años eran mucho tiempo para vivir en una sola ciudad. Aunque hubiese repartido su estancia entre dos prostíbulos, terminó siendo demasiado conocida.

Con veintitrés años, la llevaron a Roma. En un vuelo de Easy Jet, acompañada de tres mujeres más, a una de las cuales nunca había visto, y de un matón que las escoltó hasta el aeropuerto de Fiumicino y las entregó junto a sus equipajes a un tipo con la cara picada por las marcas de un viejo acné y una gorra de militar que tapaba un cráneo tatuado. Su acompañante en el vuelo, una vez depositada la mercancía, sin mediar demasiado protocolo, se dio la vuelta y se dirigió de nuevo a los mostradores para sacar una tarjeta de embarque que lo llevase de regreso a Atenas.

Para entonces, Polina contaba con un falso pasaporte rumano. ¡El soñado pasaporte rumano! Los documentos eran de verdad, oficiales, y a todos los efectos válidos y legales, unos codiciados papeles comunitarios que decían que Polina era ciudadana de la Unión Europea y que acababa de cumplir dieciocho años. En realidad, los aparentaba. Su cara era la máscara de una niña congelada en el tiempo. Pero tenía veintitrés, aunque sentía que había cumplido los cien hacía mucho.

En Roma también tuvo suerte, la sacaban de compras de vez en cuando, siempre en grupos pequeños para que los matones pudiesen controlarlas. Dos o tres chicas. En ocasiones, una o dos de ellas estaban demasiado borrachas o drogadas para tenerse de pie de modo que se quedaban en el coche —por lo general de alta gama: Porsche Cayenne, BMW, y una vez hasta un McLaren MP4—, así que Polina se paseaba con el matón a su aire, viendo cosas. Había tantas cosas por todos lados... Nunca hubiese imaginado que el mundo estaba tan repleto de objetos, de comida y de personas.

Un día, mientras estaba dando una vuelta acompañada por su cancerbero de turno por una de las tiendas de la Via Nazionale, Polina se miró en un espejo y sintió que era como si se contemplara por primera vez. En su fuero interno, junto a la imagen indeleble de Kakus, el hombre que la vendió, permanecía la suya propia, la de una niña que salió de Moldavia en busca de un mundo mejor. Una niña que quería cuidar niños para ganar muchos y buenos dólares y volver a su casa rica. No importaban las veces que se había visto en el espejo mientras se peinaba o se secaba la cara recién lavada durante todos los años pasados desde que salió de su patria: porque se miraba pero no se veía.

No había vuelto a vislumbrar su propia cara desde que tenía quince años. Y, aquel día, en una lujosa tienda de Gucci, se vio.

Se le antojó que estaba examinando a una perfecta desconocida. Casi se llevó un susto. ¡Pero cuánto había cambiado! Ya no era tan delgada, ni estaba tan pálida. Su piel despedía un brillo nacarado, el óvalo de la cara se ensanchaba siguiendo la misma tendencia que las caderas. Tenía las piernas más largas. Probablemente había crecido unos centímetros. Mediría algo más de un metro setenta. El pelo, ahora que lucía flequillo, parecía más espeso y con más brillo, aunque se descubrió una cana y tiró de ella con disgusto y una mueca de asco hasta que logró arrancarla. Los pómulos eslavos se redondeaban bajo las cuencas de sus ojos, que habían ganado en profundidad, también en oscuridad. Ya no eran tan claros y livianos y ella sintió como si ahora guardasen dentro un dolor punzante, mohoso y antiguo.

Su nuevo prostíbulo era lujoso —para estar con ella había que desembolsar doscientos cincuenta euros, una cifra que quedaba muy lejos de las que pagaban sus clientes en Estambul o en Atenas— y le daban ropas bonitas y sexys para que se engalanase y los hombres creyeran que era alegre y frívola y que estaba contenta con su suerte, con ser joven y disponible para cualquiera que pudiese pagarla.

Y, en verdad, tenía suerte.

No se veía obligada a ejercer la prostitución en la calle, como sabía que hacían otras. Lo sabía porque una de sus compañeras, una ucraniana de pechos generosos y ojeras violetas, se lo había contado. En Roma, muchas chicas, del Este y de África sobre todo, hacían la calle en Via Salaria y Via Apia. Si no conseguían clientes, sus chulos no les daban de comer. Se paseaban por las noches semidesnudas, con el culo congelado, y se asomaban a los coches —todoterrenos con una sillita de niño de vivos colores amarrada en la parte trasera, rancheras o utilitarios eléctricos—, donde los clientes las esperaban anhelantes.

Al menos, Polina estaba a cubierto. No se veía obligada a soportar el viento y la lluvia o el granizo del duro invierno romano. Le bastaba con las inclemencias del viento, la lluvia y el granizo de los veinte o veinticinco hombres que satisfacía a diario.

En Roma, el jefe se llamaba «el protector» y apenas si aparecía por el prostíbulo. Polina ni siquiera sabía de qué nacionalidad era. Los matones y una *madame* se encargaban de todo. El negocio funcionaba como la seda. Había chicas rusas, bielorrusas, albanesas... Las africanas estaban muy cotizadas. Muchas nigerianas, eso sí, algunas menores de edad. Las nigerianas no estaban vigiladas, los chulos las dejaban salir y entrar a su aire. Antes de marchar de Nigeria las obligaban a someterse a unos ritos juju, les cortaban vello púbico y uñas y añadían un poco de su sangre y, delante de un altar, esclavizaban a las mujeres mediante la amenaza de que no pagar su deuda supondría el fin para sus familiares. O, al menos, eso había oído decir Polina, porque las nigerianas no hablaban, no daban detalles. Lo que sí era cierto es que jamás se escapaban, que eran dóciles, que el terror a lo que fuera que temían las había domesticado como a cachorritos.

Otra vez, Polina tenía suerte.

El prostíbulo donde vivía se anunciaba en los principales periódicos de Italia. Avisos discretos y selectos del tipo: «Natasha, 20 años, sexy y tímida. Acabo de llegar a la ciudad».

Los parroquianos eran de toda confianza y solvencia. Rara vez se producían altercados. Solían ser jóvenes, una buena parte de ellos. Les gustaba soltar monólogos delante de las chicas, que casi nunca entendían ni media palabra, y tomar una copa; a menudo concluían con una sesión de sexo, aunque no siempre.

Polina agradaba mucho a los habituales de la *maison*. Su tristeza se confundía con altivez eslava. Su silencio con misterio. Su mirada torva con fiereza voluptuosa. Su envaramiento con elegancia. Su miedo con prudencia y discreción.

Tenía tanto éxito que los encargados aumentaron sus tarifas. «Lo escaso es caro, lo abundante es barato», alegaron con astucia capitalista cuando algunos clientes se quejaron del encarecimiento de las precios.

Por aquel tiempo la comenzó a frecuentar un hombre. Le dijo que se llamaba Vladímir Rókotov y que procedía de Tbilisi. Le contó que viajaba habitualmente a Roma por negocios pero que vivía en España, en una ciudad cuyo nombre era Barcelona, al lado del mar. Que la temperatura era agradable casi todo el año, aunque en invierno él prefería bajar al sur, a Orihuela, donde disponía de una casa con piscina y vistas al mar Mediterráneo.

El georgiano era astuto, se daba cuenta de cómo

la palabra «mar» impresionaba a Polina, así que la susurraba a menudo en lengua rusa, quizás tratando de excitarla.

Era un hombre mayor, feo como un día de niebla, con la cara ancha y el pelo muy negro y bien recortado. La nariz achatada, los ojos un poco oblicuos. Solía vestir trajes de Armani y corbatas poco discretas, probablemente muy caras. Cuando pasaba una semana en Roma, iba a ver a Polina todos los días. Le contaba cuentos y trataba de hacerla reír. Le dijo que una vez vio en el teatro *Las siete bellas*, un ballet de Karáyev cuya acción transcurría en un pueblo de Azerbaiyán, protagonizado por un cazador fornido y luchador.

—... Y cuando lo vi, supe que ese héroe era mi alma gemela —confesó al concluir su historia—. Ése soy yo. ¡Un guerrero, pequeña, mi pequeña! ¡Yo te libraré del malvado *sha* del pueblo! No temas.

El georgiano estaba encaprichado de Polina y la joven se dejó agasajar por sus lisonjas durante meses. No creía que nadie la pudiese ayudar a escapar. Después de lo de Mihai no se hacía ilusiones, si es que alguna vez se permitió tenerlas.

Durante una de sus visitas, Vladímir le propuso ir con él a España.

—Te llevaré a Orihuela. Es el paraíso, ya lo verás.

—No puedo salir de aquí —comentó Polina en voz baja mientras se disponía a vestirse.

—No hay nada que yo no sea capaz de conseguir, pequeña. Te he traído *shokolád,* chocolate. Te dejaré un poco de dinero. ¿Sabes lo que es el dinero? —suspiró ruidosamente al ver la cara asombrada de Polina—. *Kotory chas?* — «¿Qué hora es?», le preguntó mientras se anudaba la horrible corbata—. Tengo una cita muy importante. Se me hace tarde. Piensa si quieres venir conmigo. Si ése es tu deseo, se cumplirá. Tu vello íntimo es suave como la piel de un conejo silvestre del Cáucaso. Mereces correr al aire libre.

Polina torció el gesto mientras lo despedía.

Cualquiera habría pensado que trataba de sonreír.

El georgiano demostró ser un sentimental. Le explicó a Polina que no la ayudaría a huir porque tal cosa no era posible, pero que podía comprarla.

Polina asintió en silencio.

Cuando les propuso el trato a los matones, éstos se echaron a reír, si bien eran conscientes de que el georgiano no bromeaba, que aquel tipo jamás hablaba en broma. Prometieron que informarían de la oferta a su jefe, al protector.

—Pero la chica es muy valiosa. Los clientes se la rifan —dijeron, componiendo una mueca de disgusto.

—Tú dile a tu jefe que Vladímir Rókotov quiere comprar a esta mujer, y que pujará alto —concluyó antes de dar media vuelta y dirigirse a la salida con el paso firme y decidido de un cosaco al amanecer.

Vladímir compró a Polina por veinticinco mil euros. Los llevó al prostíbulo envueltos en papel de periódico manchado de grasa. Los billetes eran nuevos, relucientes.

Los matones entregaron a Polina, pero ya le habían advertido al georgiano que tendrían que retener su pasaporte. Eran papeles buenos, auténticos papeles rumanos, podrían volver a usarlos mañana mismo para que otra chica se desplazara a cualquier lugar de la Unión Europea sin problemas.

De modo que Vladímir consiguió un pasaporte ruso impecable y un permiso de residencia, ambos a nombre de Polina, que facultaban a la muchacha para vivir y, en teoría, también para trabajar como secretaria y traductora en España, en una empresa fantasma de las docenas de ellas que gestionaba Vladímir en territorio español.

Subieron a un avión de Iberia, acomodados en clase *business*, que los transportó sin incidentes a Madrid. En la capital de España, enlazaron con otro vuelo a Alicante.

Mientras esperaban en el aeropuerto, entre un vuelo y el siguiente, Polina gastó seis mil euros de la tarjeta Master Card de Vladímir haciendo compras en las tiendas de Barajas instaladas a lo largo de la lujosa, incómoda, moderna e imponente Terminal 4.

Al georgiano le gustaba ver cómo la chica apretaba los labios intentando sonreír.

La casa era preciosa, a pesar del terreno en desnivel sobre el que había sido construida. Estaba orientada frente al mar, y nada se interponía en aquellas vistas de ensueño que semejaban una pantalla gigante de cine. El edificio se integraba con naturalidad en el paisaje. La calle tenía árboles altos, viejos; era pequeña, de pocos vecinos. Se había construido sobre una finca antigua y el arquitecto aprovechó las piedras de los viejos muros, las recuperó, y forró con ellas los arcos de puertas y ventanas de las paredes exteriores. La piscina desbordante estaba diseñada en forma de alberca, y se recortaba en un primer plano como si sostuviera la línea marina del horizonte. Era de color verde, con depósitos de riego a la antigua. Un decorador indecentemente caro, pero con un gusto exquisito, se había encargado de disponer las vigas vistas que remataban las bovedillas del techo, los colores de un blanco sucio de las paredes, los suelos de cemento pulido sin teñir y las piezas de mobiliario de inspiración clásica que no desentonaban al lado de las sillas Panton y los detalles coloniales.

Polina nunca había puesto los pies en un sitio igual. Apenas podía respirar de la emoción mientras lo iba mirando todo con ojos maravillados.

Notó una punzada de nerviosismo que logró que se le encogiera la vejiga.

—¿Voy a vivir en esta casa? —preguntó con un hilo de voz.

—Si tú quieres, señorita...

Vladímir

Vladímir Rókotov había sido la mano derecha de Zájar K., considerado por el FBI y la CIA como uno de los siete principales jefes mafiosos de Rusia. Juntos, habían vivido buenos tiempos. Vladímir pensaba que compartir responsabilidades con una autoridad como Zájar —mejor dicho: con una autoridad muy respetada—, era todo un privilegio.

Vladímir había nacido en Tbilisi, en 1953, y comenzó su carrera a los diecinueve años, asesinando por encargo. Los años noventa los pasó en Moscú, perfectamente integrado en la mafia georgiana y ocupándose de negocios lucrativos como la venta de coches robados y el tráfico de drogas. Por entonces, fue coronado *ladrón de ley* y se hizo sus primeros tatuajes en la cárcel, aprovechando que la policía rusa lo había obsequiado con una larga temporada a la sombra.

La cárcel no le sentó mal, le proporcionó reputación y un ascenso plasmado en forma de estrellas tatuadas en su pecho. Una pequeña constelación de galones, su mérito de buen ladrón. Desde la cárcel dirigió con mano de hierro sus negocios de tráfico de armas en Osetia del sur. Disponía de *grev*, dinero a montones. No le faltaba la *calefacción*, si bien, como todo buen ladrón de ley, no poseía nada a su nombre.

No figuraba como propietario de ninguno de sus apartamentos de lujo en los mejores barrios de Moscú, o de sus villas en el mar Negro, pero todas las llaves estaban en su bolsillo cuando las necesitaba. Mantuvo buenas relaciones con los rusos de la Sólntsevskaya y la Izmáilovskaya, y gracias a estos últimos terminó fugándose de la prisión rusa una bendita mañana. Así empezó a operar para los rusos.

Dio el salto a Rumania y finalmente aterrizó en España. Se escondió durante un tiempo en un lujoso chalet de Playa Flamenca, en Orihuela Costa. Allí organizó varias fiestas muy sonadas. Le gustaba el sol y le parecía agradable vivir en un país donde nadie se enteraba de nada y todos semejaban tener caras de inocentes y confiados corderos, a pesar de que estaban convencidos de tener más mala leche que nadie.

Pasado un tiempo, allá por el año 2005, decidió instalarse en una mansión de la Avenida Pearson, en el barrio de Pedralbes de Barcelona. Aunque no había terminado de entender *El Capital*, de Karl Marx, cuando hubo de estudiarlo en el instituto, comprendía de una manera tan certera como sutil el asunto de la «expansión infinita de la producción», y sus negocios florecieron más y mejor que nunca. Desde muy joven había interiorizado la lección que proponía aquel viejo chiste soviético: «Pregunta: ¿cuál es la diferencia entre capitalismo y comunismo? Respuesta: el capitalismo es la explotación del hombre por el hombre; el comunismo es a la inversa».

Él disfrutaba desencadenando pasiones especulativas, como alguien habría dicho en los viejos tiempos.

Y conservaba un sano espíritu internacionalista: le daba igual robar a un ruso, a un uzbeko, a un italiano, a un georgiano o a un español.

Se casó con una georgiana, madre de tres hijos ya bien crecidos, de distintos padres, y viajó por Europa y Oriente utilizando pasaportes falsos, cuidando de sus muchas empresas. Todo fue bien hasta el día en que, saliendo de un hotel de Dubái, en los Emiratos Árabes Unidos, lo detuvieron, esposaron y, pocos meses más tarde, fue extraditado a España, desde donde era reclamado por Suma Gestión Tributaria debido a que no se había preocupado mucho de atender sus obligaciones fiscales.

Mandó asesinar a su contable y le hizo llegar el cadáver a Misha Astrov, experto en la desaparición de cuerpos, que se encargó de que no quedase de él ni el recuerdo.

Vladímir aún seguía en la cárcel cumpliendo una condena, y tenía dos juicios pendientes. Eso lo enojaba profundamente. Había dejado de tatuarse, él ya había estado hombro con hombro con los más grandes, y la piel se le irritaba con la aguja. Las cárceles españolas no eran como las rusas, y empezaba a notar el peso de la rutina. Por la noche, mientras se rascaba la abultada barriga y cerraba los pesados párpados tratando de relajarse e invocar al sueño, recordaba los gritos de los *opuscheny*, violados en prisión, que conoció en sus años jóvenes en la cárcel soviética. ¿Era posible que sus ecos llegaran hasta aquí, hasta la prisión en la que ahora mataba el tiempo a falta de una cosa mejor que matar, en otro país, lejano y distinto de la vieja URSS? No estaba muy seguro.

A veces se veía obligado a meterse el dedo en el oído y apretar fuerte, intentando sacar esas antiguas voces que parecían haberse escondido ahí dentro.

Hacía poco, un educador de la prisión le había preguntado qué se sentía al matar a un hombre. Vladímir se encogió de hombros.

«La muerte, ¿sabes?, tampoco es para tanto», le respondió. Pensó que el funcionario era imbécil. La muerte. No había testimonios que pudieran relatar la experiencia. Quizás no estaba tan mal como la pintaban, después de todo.

Mientras simulaba que comía la basura penitenciaria de cada día, rodeado de sus *byki*, sus guardaespaldas, auténticos toros —eran bastante más jóvenes que Vladímir, y se notaba a la legua—, Vladímir pensó que había matado a muchos hombres, y a algunas mujeres. No llevaba la cuenta. Lo fue dejando conforme pasaba el tiempo y él tenía menos necesidad de mancharse las manos. Nunca le había gustado hacerlo. No oponía reparos a las ejecuciones, pero jamás le entusiasmaron. La sangre estaba mal fuera del cuerpo, fuera de su sitio natural. Él no quería verla. Prefería no acordarse de sus víctimas, aunque él no las consideraba como tales, sino molestos inconvenientes que hubo que liquidar porque interrumpían el curso de los negocios.

No, no se acordaba, no quería acordarse.

Algunos nombres le venían a la cabeza con un pequeño esfuerzo, pero no tantos. Si uno está dispuesto a matar debe estar dispuesto a olvidar. Matar es fácil, olvidar no tanto..., si eres idiota. Vladímir era listo. Había cometido la mayoría de sus asesinatos en territorio ruso y rumano, pero si alguien le hubiera mencionado los nombres de Stelu Poenaru, Catalin Florea o Ilie Ceausu no habría sabido qué decir.

No significaban nada para él.

Sonaban a rumanos, sí. Probablemente algún tipo de mugre procedente de Calaradi, o Costanza o Bucarest... Nada que a él le resultase relevante.

Para Claudiu Iancu, compañero de prisión de Vladímir, sin embargo, aquellos nombres sí eran importantes: habían sido sus compañeros de banda, y la única familia que conoció jamás.

Vladímir ni siquiera había reparado en el delgado rumano. La cárcel estaba a rebosar, y él sólo conocía a los amigos y a los enemigos, nadie más le importaba.

Claudiu había nacido en 1968, medía algo más de un metro ochenta y cinco, era moreno, de piel terrosa y ojos aceitunados, con un ancho cuello bovino y unas cejas gruesas y encrespadas. Un hijo de Ceausescu, un hijo por decreto, consecuencia de los desvaríos demográficos del dirigente rumano que, un año después de ser nombrado Secretario General del Partido Comunista Rumano, impuso a las mujeres el «deber patriótico» de parir la mayor cantidad posible de hijos a través de la llamada *Ley de continuidad nacional*.

Claudiu fue la consecuencia de aquella política alucinada, uno de los miles de hijos no deseados, aborrecidos, despreciados y luego abandonados por sus madres en los siniestros orfanatos del Estado. En uno de ellos creció, en condiciones insalubres, rodeado de enfermedad e inmundicia. Pero era fuerte y salió adelante, junto con Stelu Poenaru, Catalin Florea, Ilie Ceausu y otros dos compinches. Todos más o menos de la misma edad. Sus hermanos de miseria. Y la miseria, que aún corría por sus venas, era para Claudiu más fuerte que la sangre.

Andando el tiempo, formaron una banda delictiva (poca cosa, robos con violencia, trapicheos con material procedente de sus saqueos...) que en algún momento molestó a los georgianos, en cuyo camino se cruzaron. Vladímir ejecutó a Stelu, Catalin e Ilie y lo dejó huérfano. Dejó a Claudiu sin familia.

Aunque ahora, Claudiu estaba preparado para devolver el golpe.

Vladímir y Zájar, el gran ladrón a cuya sombra había crecido el primero, físicamente se daban un cierto aire. Aunque Zájar era aficionado a vestirse a diario con un chándal de mercadillo y Vladímir se acostumbró a los trajes caros, que usaba sobre todo cuando viajaba al extranjero para hacer negocios.

Vladímir se había vuelto puntilloso en el vestir, ni siquiera concebía que su atuendo habitual pudiera no ser del todo apropiado en según qué lugar o momento del día.

Pero, en la cárcel, retomó la costumbre del chándal.

Y, desde luego, en ese mismo instante, le venía al pelo, dado que se encontraba practicando gimnasia en la penitenciaría.

Se sentó sobre una bicicleta estática —sus *byki* no andaban lejos, no había internos a la vista, la zona estaba asegurada—; se había encaramado a la bicicleta mientras terminaba de fumarse un cigarrillo y sudaba sólo de pensar en el esfuerzo que tenía por delante. Pedalear era una idiotez, pero el médico (no el de la prisión, sino su médico particular, que cobraba un sueldo escandaloso por darle malas noticias) le había recomendado que hiciera un poco de ejercicio.

Ese mismo día, muy temprano, Vladímir había hablado con Misha. Había algo que le preocupaba. Evidentemente, en la cárcel las comunicaciones estaban restringidas, y no eran de fiar. Incluso aunque la conversación transcurriera en ruso. Cualquiera sabía. Bien, pero Vladímir era un *vor*, tenía sus métodos para poder contactar con el exterior sin ser vigilado ni escuchado. Procedimientos nada baratos, por cierto.

Ahora recordó la conversación:

—Misha, Misha, hermano mío, necesito que me hagas un favor.

—Te escucho, Vladímir.

—Ya sabes que tengo a una dulce niña en una de mis casas, en la costa española. Es tan dulce, Misha...

—Te oigo. *Rasskazhí mnie!* Cuéntame.

—Veinte años, aproximadamente. Una de esas *suki*, pero una putita adorable. No como esos perros que nos traicionan y son hombres malos de corazón, que venden a sus hermanos. Esos sí que son unas putas. De esos he conocido a unos cuantos en la cárcel, Misha. Y fuera de ella. Traidores. Perros ingratos que, como dicen los españoles, muerden la mano que les da de comer —suspiró Vladímir ruidosamente.

—Tu puta... Me estabas hablando de tu puta... —lo interrumpió Misha, impaciente.

Vladímir era un ejemplo cargante de la proverbial hospitalidad georgiana: «Bebe conmigo para celebrar nuestra amistad, porque si te niegas a hacerlo te cortaré el cuello». No deseaba irritarlo, al buen Vladímir, pero había que reconocer que era un pelmazo.

—*Da, da*... Sí, sí... Mi puta... *Da*. Escucha, Misha, *ty moy luchshi drug*, eres mi mejor amigo.

Misha tosió nerviosamente.

Vladímir continuó hablando, quejándose.

—La tengo en mi casa de Orihuela. ¿Sabes de qué casa te hablo? Una de tus empresas se la vendió a otra de mis empresas. Es una casa preciosa, a juego con la niña. Se ve el mar. Los ojos de Polina..., se llama Polina, ¿te lo había dicho?

—Sigue hablando.

—Ella es dichosa allí. Y sus ojos parecen el mar que se pasa el día mirando. Gasta poco. Apenas sabe lo que es el dinero. Polina me hace feliz, aunque ahora estoy aquí y no puedo verla, y por eso ella no puede hacerme feliz.

—Comprendo.

—Quiero que la lleves a tu casa, a vivir con Mariya. Con Mariya estará bien, mi Polina...

—Pero ¿por qué? ¿Acaso no te hace feliz y gasta poco donde está? ¿Para qué quieres que la tenga yo? No necesito una puta.

—Puede ayudar en casa. Es muy diligente. Te lo pido como un favor de hermano. No hace ruido. No es habladora.

—Ya veo que es una buena puta, pero insisto en que...

—Misha, me debes varios favores. Nunca he querido cobrártelos. ¿Qué es el dinero? ¿De dónde sale? De una máquina. ¿Qué puede valer algo que sale de una máquina? ¿Sale un corazón de una máquina? ¿Sale un abrazo de una máquina? ¿Cuánto me debes, Misha, lo recuerdas?

—No lo sé, nunca me has querido decir la cifra. Hace ya muchos años. Supongo que habría que sumar los intereses. Tú eres quien debe decir cuánto, no yo. Yo tengo que pagarte cuando tú me digas. Mi palabra es como el oro. Es palabra de ley.

—Lo sé, lo sé...

—Recuerdo que me dijiste que algún día te cobrarías la deuda, pero nunca has dicho nada. Yo no lo he olvidado porque nunca olvido, quiero que lo sepas.

—Lo sé, Misha. No quiero tu dinero. Quiero que te lleves a Polina contigo. Que la cuides. Así, tu deuda conmigo estará saldada.

—No me explicas el porqué de tu petición.

—Polina está en Orihuela. Vivía tranquila. Pedía la comida por teléfono. Casi no salía de casa. Únicamente cuando yo iba a verla. Es como un pajarito enjaulado que no sabe volar. No sabe volar, mi Polina.

—No sabe volar, ya lo veo.

—Pero hace unos días, mi querida Valentina Mamedova, mi mujer, fue a Orihuela.

—¿Tu esposa? La viuda...

—Ya no es viuda. No, desde que se casó conmigo. Su primer marido no era un ladrón de ley como yo. Su primer marido no era nadie, en realidad. Y tampoco los otros dos padres de sus hijos. Por eso ella pudo volver a casarse. Estoy contento de que me eligiera a mí.

—No me interpretes mal, Vladímir...

—Se presentó allí, por sorpresa, mi Valentina. No entiendo qué fue a buscar en Orihuela. Tiene tantas casas que no sabía que recordara dónde está ésta.

—Ya.

—Y encontró a mi Polina dentro.

—El pajarito enjaulado.

—*Da*.

—Ya imagino que no sería agradable.

—La niña no supo qué decir. Olvidé contarle que estoy casado. Fue un error imperdonable por mi parte, debí prevenirla, pero ya está hecho. La vida nos hace cometer muchos errores, Misha.

—Muchos.

—Valentina la arrastró por los pelos y la sacó de la casa a patadas. Le tiró el bolso a la cara, menos mal que Polina pudo conseguir su pasaporte porque yo envié a un par de *patsani*, unos jóvenes criminales que rondan por la zona, para que recogieran sus documentos. Una situación desagradable, imagínate —Vladímir jadeaba al otro lado del teléfono—. Las mujeres no saben que sólo son mujeres.

—Es cierto. Igual que un pollo no sabe que existe la luna.

—Por fortuna, pude encontrar a alguien que se ocupara de ella enseguida. Ahora está en un apartamento, muy cerca de la casa donde residía tranquilamente hasta hace poco. Pero no puede vivir allí para siempre, Misha. No con mi Valentina al acecho.

—Hummm...

—Lo que te pido es que la lleves con Mariya hasta que yo consiga salir de aquí. Así saldas tu deuda conmigo.

Misha aceptó el encargo. Recibiría a la chica en la casa de Mariya al día siguiente. La protegería hasta que Vladímir saliera de prisión. Así se lo prometió, y así saldó su deuda con el georgiano.

—*Zhelayu tebié zdorovia* —«Te deseo buena salud»; se despidieron y colgaron.

Vladímir recordó ahora la conversación y procuró centrar su atención en el ejercicio que se disponía a realizar. Se sentía contento. Su Polina estaría bien, a salvo. Valentina no podría ponerle las garras encima hasta que él saliera de prisión, en libertad: *Na svobodie!* ¡Libertad!, qué ganas tenía de dejar el *maco*. Después, se ocuparía personalmente de Polina, la pondría a buen recaudo, lejos de Valentina. ¡Cuánto la echaba de menos! A Polina. A Valentina también, pero no tanto.

La vida era buena la mayor parte del tiempo, pensó, y pedaleó a duras penas. Ya estaba sudando a mares.

Su espalda se resentía con la postura; sin embargo, continuó pedaleando lentamente, animado.

Claudiu surgió de la nada. Vladímir nunca sabría cómo y por dónde entró. Por qué no lo habían detenido sus guardaespaldas. El rumano se dirigió silenciosamente a otra bicicleta y le arrancó el manillar como si tal cosa, sin esfuerzo; quizás estaba suelto desde hacía mucho. Lo sostuvo entre las manos mientras miraba a Vladímir. No sonreía. No parecía sentir ni la más mínima emoción. Únicamente miraba al manillar, y luego a Vladímir, como si eso fuera todo lo que él pudiera divisar en el mundo, lo único que le interesaba.

Se acercó rápidamente. La velocidad con que lo hizo sorprendió a Vladímir, que lo habría confundido con una estatua dos segundos antes. Una estatua que movía los ojos.

Claudiu estampó el manillar de la bici contra la cabeza de Vladímir, que, por extraño que parezca, no percibió el golpe. Ni siquiera le dolió.

Aquel perro rumano no debía de tener mucha fuerza. Lo más curioso fue que sintió daño en el hombro, no en la frente, de la que comenzó a manar sangre a borbotones que inmediatamente salpicó sobre su chaqueta de chándal azul con rayas rojas. Era un chándal nuevo, fabricado con una mezcla de algodón y poliéster que no picaba y le sentaba bien porque disimulaba su barriga. Lo había estrenado aquel mismo día.

Sí fue consciente, de algún modo, de que le faltaba oxígeno, aunque no habría podido asegurar si su tejido cardíaco empezaba a sucumbir o no a la necrosis. Esos detalles eran demasiado técnicos para él, un simple hombre de negocios, no de ciencia.

La última imagen que sus ojos guardaron, antes de cerrarse para siempre, fue lo que quizás podría haber sido catalogado como un indicio de sonrisa en el habitualmente impasible rostro de Claudiu.

Una sonrisa entre burlona e interrogante.

Sigrid

Volvió a levantarse cansada, pero su humor mejoró considerablemente cuando, mientras desayunaba de pie, en la pequeña cocina, unos cereales con leche de soja y un par de churros congelados que frió en una buena dosis de aceite de oliva virgen, comprobó en su teléfono que Dani *sensei* le había respondido con otro mensaje de texto: «Eres boba. T espero el próximo día. Llevo mi AK-47. Osssss».

Dedicó toda la mañana a hablar con Férriz y con los chicos de la unidad *del Este*. Arreglaron el papeleo necesario y hubo que solucionar el problema de encontrar sustituto para su trabajo. Afortunadamente, eso no dependía de Sigrid, de modo que logró desentenderse de la responsabilidad y, además, se quedó mucho más tranquila cuando su inspector le comunicó por teléfono el nombre de un colega al que ella apreciaba y que, por motivos familiares, se había mostrado encantado de pasar una temporada en el puesto de Sigrid, lejos de la calle y con un horario regular.

«Pobrecito —pensó, por otra parte, Sigrid—, no tiene ni idea de lo que le espera...»

La AEAE, Asociación de Escritores y Artistas Españoles, se hallaba en el número 10 de la calle Leganitos, casi al lado de la Comisaría de Policía de Centro, donde trabajaba Sigrid, situada en el número 19, de modo que le fue posible aprovechar hasta el último minuto para adelantar trabajo, establecer contactos y hacer llamadas.

A las ocho menos cinco de la noche bajó a la calle, saludó con una sonrisa y un movimiento de cabeza a los dos policías que hacían guardia en la entrada y daban la sensación de estar sosteniendo con la espalda las hojas de cristal de la puerta, enmarcadas en un hierro negro que tenía aspecto de madera.

Se acercó hasta el portal del número 10 de la calle. El edificio acogía en la planta baja un locutorio chino, una farmacia y el restaurante El Ingenio. La edificación colindante andaba en obras (¡cómo no!), envuelta en una nube de lonas polvorientas que ocultaban a duras penas la estructura de andamios que a su vez envolvía la fachada. Junto a los timbres de la portería automática, pegadas en la puerta de entrada de traviesas decimonónicas, se veía alguna pegatina de aviso de una conocida empresa de seguridad privada, como si los vecinos de la casa no se fiaran, con razón, de su proximidad a la comisaría a la hora de sentirse a salvo de los posibles desvalijadores de pisos.

El alumbrado público quedó a sus espaldas, tiñendo de un amarillo malsano la calle que se vertía hacia la Plaza de España.

Sigrid subió a la primera planta por la escalera, dando grandes zancadas, cuando ya pasaban unos minutos de las ocho de la noche.

La puerta estaba abierta. Entró por el pasillo y distinguió lo que creyó una antesala iluminada de la que salía algún que otro murmullo. Se acercó y miró dentro como si fuera una intrusa.

Un hombre en la mitad de la cuarentena, de cabello rubio apagado, más largo de lo que a ella le gustaba, se encontraba sentado tras una mesa antigua, en el atril, junto a un señor de cierta edad y aire respetable y distinguido.

Lo reconoció enseguida. Su cara aparecía ocasionalmente en la prensa, aunque siempre fotografiado de lejos. Nada de primeros planos por cuestiones de seguridad. Aquel juez se había encargado de algunos casos delicados y, durante un par de años, hubo de llevar escolta: las secuelas del proceso iniciado contra un conocido terrorista y contra una banda mafiosa rusa. Ahora no llevaba guardaespaldas, y miraba decidido al frente, como si no fuese a necesitarlos nunca más.

El aposento, decorado con profusión de cuadros antiguos enmarcados en dorado, contaba con un auditorio de cuatro personas. Tres señoras mayores y un señor de pelo cano y aspecto soñoliento, más o menos de la misma quinta que sus compañeras, formaban el respetuoso público oyente.

Sigrid se sentó en una butaca de la última fila, cerca de la entrada, con la misma discreción que si hubiese llegado tarde a misa.

El conferenciante, indudablemente el mismo señor juez de la Audiencia con quien ella se había citado, la miró durante unos segundos, Sigrid creyó que desconcertado o bien por la interrupción o por su aspecto de inmigrante caribeña, y titubeó antes de continuar.

Sigrid siguió la lectura con atención; de cualquier modo no tenía nada mejor que hacer y, aunque no era muy aficionada a las charlas culturales, no le desagradó la voz masculina y bien modulada de aquel tipo al que podía imaginar muchos siglos atrás, por ejemplo en la corte de Leonor de Aquitania, o en el Siglo de Oro pisando las callejuelas sucias y oscuras de un Madrid inhóspito, vestido con muchos menos lujos que ahora y ondeando sus greñas al viento, retando a la luna.

Sonrió mientras fantaseaba con aquellas imágenes, y al juez, que no la perdía de vista, se le atragantó una frase al ver cómo a ella se le dibujaba una risita en la cara.

Sigrid, especulando que tal vez el otro había pensado que se estaba riendo de él, adoptó una actitud profesoral y circunspecta y mantuvo el ceño fruncido y aire de feligresa intelectual hasta que se dio por concluida la lectura.

Unos tímidos aplausos de los asistentes pusieron el colofón a la velada. No había turno de preguntas.

Nadie se acercó a felicitar al juez, de modo que Sigrid se dirigió a la tarima y se presentó.

—Sigrid Azadoras —le dijo, extendiendo la mano—. Soy la oficial de policía que habló con usted por teléfono ayer. Quedamos en vernos aquí.

—Hola, Sigrid, ¿puedo tutearte? Llámame Marcos, por favor. Encantado de conocerte —respondió él, bajando del atril y aceptando la mano tendida.

—Claro.

—Si me disculpas —indicó con el mentón a su acompañante en la mesa—, voy a despedirme...

—Por supuesto, te puedo esperar en la calle, si no tienes inconveniente.

—Estupendo. Bajaré en cinco minutos. Gracias.

Sigrid lo vio acercarse hasta el señor que lo había escoltado durante el acto, que lo aguardaba sonriente con un cheque en una mano mientras con la otra señalaba un bolígrafo y un papel sobre la mesa.

Unos minutos después se encontraron en la calle.

—Perdona, tenía que firmar el recibo y cobrar la lectura.

Sigrid lo miró, divertida.

—La dura vida del juez conferenciante... —dijo.

—La vida del juez no es dura —respondió Marcos—, pero el oficio de juez es durísimo. Esto no tiene que ver con que yo sea juez, sino con que escribí un libro que nadie entiende. Ni siquiera yo —concluyó con una sonrisa turbada.

—Ya.

—¿Quieres que demos un paseo?

Marcos era alto, masculino, con cierto aire de refinamiento, despedía un suave y delicioso olor a L'eau d'Issey pour homme y parecía una persona fiable. Sigrid se sintió bien en su compañía.

Se encaminaron hacia el viejo y cerrado Hotel Plaza, que apuntalaba los cielos, de un violento azul oscuro, en medio de la Plaza de España.

Valentina y Misha

Valentina Mamedova, la afligida viuda de Vladímir, era un mar de lágrimas.

Apareció envuelta en un costoso abrigo de pieles teñidas de un rojo vino tinto, de Vinicio Pajaro, un modelo que había visto lucir a Jolanta Kwaśniewska en una revista, o quizás fue a Anna Vialitsyna, y que no tardó en comprar por Internet (su hijo mediano se encargaba de hacer las compras on-line para su madre, dado que Valentina se quejaba de que la luz de la pantalla del ordenador la hacía lagrimear: en realidad, los ordenadores la ponían nerviosa porque no entendía nada y nunca había sabido teclear).

Las lágrimas que ahora recubrían los carrillos de la señora traslucían un casi infantil desconsuelo.

La temperatura aún era bastante templada, por lo que Valentina sudaba copiosamente bajo su abrigo. El otoño de Madrid distaba mucho de requerir una buena pelliza, pero ello no había impedido a la viuda lucir sus mejores prendas en aquel encuentro.

Misha la contempló con tristeza, le agarró suavemente las manos y la besó en las húmedas mejillas mientras le daba el pésame.

La mujer hablaba en un ruso rápido y entrecortado, tal vez por la emoción, que en las expresiones de dolor recordaba al acento impostado con que se lucía Vladímir Putin en la serie de animación *Los Samso-nadzes*, la versión georgiana de *Los Simpson*.

—Era un buen hombre. —Misha asintió, mirando al suelo con respeto.

—El mejor, era el mejor. El mejor hombre, el mejor marido... —Valentina sacudió la cabeza y se sonó con fuerza—. Él hubiese querido celebrar la despedida en alguna de mis villas. A lo mejor en la de las afueras de Tbilisi, o en la de Abjasia, frente al mar Negro. Pero no ha podido ser... —Prorrumpió en un nuevo torrente de lágrimas.

Debajo de las pieles, iba vestida con un mono de gasa estampado, de tonos blanquecinos, con flecos de pedrería multicolor alrededor del escote. Era rolliza, una matrona sonrosada y temblorosa. Misha contempló su generoso pecho y desvió la vista como si acabara de quemársela.

—Me he enterado de que ahora tú ocuparás su sitio, Misha. Ya sé que no duermes en un granero, pero me alegro por ti. Brindo por ti, Misha. Aunque sé que no viajas en burro, no te vendrá mal el ascenso.

Dejó escapar una serie de nuevos y revitalizados sollozos.

Misha Astrov le dio unas palmaditas en la espalda. Sus dedos se erizaron al contacto con las pieles.

Se encontraban en el interior de un coqueto restaurante en una de las calles más nobles de Madrid, en pleno corazón del barrio de Salamanca. El cartel de la puerta decía «Cerrado». No había ningún cliente almorzando allí, como era habitual. En caso de haber preguntado a algunos vecinos de la zona, todos habrían coincidido en asegurar que nunca habían visto el restaurante abierto. Lo achacarían sin duda a la crisis económica, que se llevaba por delante muchos negocios y amenazaba con la quiebra a todos los demás. La puerta de entrada era discreta, parecía guardar un local pequeño en su interior. Nada más lejos de la realidad. La superficie disponible era de alrededor de cuatrocientos setenta metros cuadrados, casi atravesaba la manzana de norte a sur, aunque el espacio dedicado estrictamente a las mesas y a la cocina no suponía más de ciento cincuenta metros. El resto del espacio se utilizaba como oficina ocasional y almacén.

Estaba decorado con mucho gusto —sobrio, minimalista, carísimo— y el cocinero había preparado unas viandas en una mesa para cuatro, sobre un pulcro mantel de hilo bordado, que la viuda observaba con melancolía entretanto gimoteaba y charlaba con Misha.

Misha se dirigía al cocinero llamándolo «coronel». Lo había sido, en efecto. Estuvo destinado en Tashkent, Uzbekistán, cuando la zona aún formaba parte de la Unión Soviética, y en Chechenia. Sólo Misha, y pocos hombres más, sabían que el general había padecido neurosis de guerra. Pero eso no le impedía ser un excelente cocinero, al contrario: tal vez el mal había afinado sus talentos culinarios.

Kakus y Barbala vigilaban la puerta y, de cuando en cuando, atravesaban el comedor silenciosos como gatos, pisando levemente la tarima del suelo, que apenas crujía bajo sus pasos.

—Me he quedado sola, Misha. Una mujer sola, ¿qué haré?... —susurró entrecortadamente. Misha creyó adivinar ciertos dejes de picardía en su voz de abatida magdalena, aunque él no estaba para seducciones, nunca lo había estado—. Y ya no tengo treinta años. *Trídtsat liet!* Treinta años... ¡Quién pudiera, Misha, volver atrás! Tan triste es la vida que no le importa nada cuando pasa a nuestro lado, ¡no vuelve la cara para mirarnos siquiera! —se sonó con un pañuelo de papel—. Y ahora que soy la viuda de un *vor*, ya sabes que no podré volver a casarme. El honor de mi Vladímir así lo exige.

—Así es. Lo exige su honor. Él está muerto, pero su honor sigue vivo, y tú eres la encargada de custodiarlo. El honor de tu marido es ahora el principal de tus hijos. Tienes que cuidarlo como a tu hijo más querido.

—Lo sé, lo sé, Misha.

El hilo musical dejaba escapar los suaves, melancólicos y folclóricos balidos de un elepé grabado por Natasha Koroleva y Zolotoe Koltsó.

Cuando Misha entornaba los ojos casi podía ver a los componentes del coro bailando detrás de los intérpretes. La música lo distraía y ordenó que la bajaran hasta hacerla casi inaudible. Así pudo concentrarse en su acompañante, aunque malditas las ganas que tenía.

—Brindemos por la vida que le queda, Valentina. Que es mucha y muy atractiva. *Vy óchen molodóy.* Es usted muy joven. Todavía... —La viuda mostró una sonrisa torcida pero coqueta y Misha sirvió una generosa copa de vino para cada uno—. Mire. *Zakus-*

ki! Especialmente preparados para usted por el mejor cocinero del hemisferio norte. ¿Le gusta el arenque? Coma algo, no me gusta ver su linda cara tan triste. ¿Acaso prefiere otro vino? *Biéloye, rózovoye vinó?* ¿Blanco, rosado?... Lo que usted ordene, mi bodega está a su servicio. Cada una de estas botellas que ve cuesta trescientos euros. Me parecen pocos euros y pocas botellas para la viuda de Vladímir, mi amigo, mi hermano.

La viuda hizo un puchero y observó la comida con una mezcla de pena y deseo.

—¿Qué hizo mi Vladímir sino robar donde debía, como hace la gente honrada? ¿Sabe, Misha?, mi marido no era peor que el estiércol, no merecía morir así.

—¿Cómo fue? Me lo han contado, pero... —Misha se acercó a la boca un canapé frío de remolacha y setas marinadas y lo masticó sin ninguna muestra de placer. Le dio un largo trago a su copa que casi dejó vacía—. ¿Le sirvo más té? ¿Quiere otro vodka?

Sabía lo que ocurrió en la cárcel, pero preguntaba a la viuda por cortesía, y porque empezaba a sentirse incómodo. Tenía ganas de deshacerse de ella lo antes posible, aunque eso no le impediría comer a gusto, ya que había molestado al coronel para que preparase aquel banquete.

—Ese hijo de una perra faldera prostituida y un piojo rumano intentó matarlo con un manillar de bicicleta. Pero mi Vladímir no le dio el gusto...

—Hum...

—Murió antes, él solito. De un infarto.

Valentina insistió en su repertorio de suspiros,

sollozos y temblores. Misha pasó el brazo de un lado a otro de la mesa y trató de calmarla dándole unos golpecitos en el hombro. Sintió un ligero estremecimiento de desagrado al contacto con el abrigo de piel, que la viuda mantenía puesto, y se dio cuenta de que le había dejado pegado un trocito de col de los *zakuski* con el que seguramente se había manchado los dedos antes de tocarla.

Se dijo a sí mismo que ya bastaba de muestras fingidas de afecto y contempló glacialmente a la mujer con unos ojos distantes y tan negros como trigo sarraceno quemado.

La conversación languideció mientras masticaban, concentrados en las viandas.

Cuando terminaron la comida, la viuda retornó a su cantinela de llanto y nostalgia y Misha comenzaba a estar más que harto. Era lo de siempre: un *vor* moría, otro ocupaba su sitio, y no había que darle más vueltas. Así eran la vida y la muerte, y un ladrón de ley sabía qué tipo de vida había escogido, y por lo tanto qué tipo de muerte podía esperar. En aquel caso, una muerte idiota. Probablemente debida a la influencia del tabaco, el alcohol y las grasas antes que a la mano inmunda de un vulgar raterillo rumano. Vladímir se había quedado seco en su bicicleta estática. Su corazón había dicho basta. Y ahora Misha ocupaba su sitio. Así era el mundo. Y no pasaba nada.

Observó a la viuda con ojos tristes, asintiendo mansamente aunque sin prestarle apenas atención.

Por eso no era recomendable que un *vor* tuviese familia. Si bien aquel imbécil de Vladímir se había comprado el paquete completo: una mujer y tres hijos. Dio gracias por que los chicos no hubieran acompañado a su gemebunda madre.

La mujer continuó parloteando, durante un buen rato, alrededor del mismo tema. «Gira sin parar como el piojo que no quería ahogarse», decía el viejo refrán ruso.

Estaban terminando los postres, cuando oyeron un estrépito de cacerolas procedente de la cocina. El coronel maldecía a grito limpio. Kakus y Barbala entraron en tromba a ver qué pasaba, con sus pistolas desenfundadas.

Misha se limitó a alzar una ceja. No le sorprendían las rabietas del coronel. Si no fuese porque tenía unas manos extraordinarias, hace tiempo que le habría reventado la cabeza de un tiro con tal de no volver a soportar sus berrinches.

—¿Es tártaro? —preguntó la viuda señalando en dirección a la cocina.

—No. Está loco.

—Misha, quiero que tú te encargues del entierro de Vladímir. Prefiero que tus manos se responsabilicen de mi marido. Sé que tu funeraria es la mejor de Europa. He oído, sí... —la viuda empezó a abanicarse con la servilleta, que tenía restos de carmín y manchas de comida—, ¿quién no sabe que conoces el secreto de la momificación del padre Lenin? Quiero para mi Vladímir lo mejor, lo mejor. Él era el mejor, Misha, ¿cómo podría yo darle lo peor ahora que él ya no puede quejarse? Lo peor es cuando te acostumbras a lo bueno. Mi Vladímir se había acostumbrado. No puedo decepcionarlo en su última hora.

Misha asintió lentamente, animado porque parecía que la conversación concluiría pronto. Desde la cocina se oían las voces de Kakus, Barbala y el coronel, intentando arreglar el desaguisado.

—Tengo a buenos técnicos trabajando conmigo, Valentina. Ha oído bien. Gente preparada. Técnicos respetados. Algunos incluso han trabajado en el CTBM, el Instituto Científico de Estructuras Biológicas, el mismo que cuida de nuestra gran figura de cera, del padre Lenin. Sólo mis técnicos conocen el secreto de Vorobiov y Zbarski, los embalsamadores de Lenin. Le aseguro que no van a bañar a Vladímir en una sopa *borsch*, sino en un bálsamo celestial que lo mantendrá incorrupto por los siglos. Tanto que, si así lo desea, ni siquiera habrá necesidad de enterrarlo. —La viuda hizo un tímido gesto de negación. Misha apuró un trago y se limpió la boca con la servilleta, con una seca concentración—. También han reconstruido cadáveres que nos habían entregado dentro de una bolsa para guardar carne en el congelador. Personas sin piernas —hizo un gesto señalando a su alrededor, el luminoso y decorativo espacio que los rodeaba, con su agradable juego de espejos y neones de tibia luz—, cadáveres que se habían tropezado quizás con una bomba y cuyos cuerpos habían quedado pegados a las paredes como una capa de pintura, sin brazos ni cuello...

La viuda tragó saliva y dejó la cucharilla al lado de su *vatrushka* rellena de requesón dulce.

—Mi Vladímir está entero, Misha... No hace falta, le digo...

—Lo sé, lo sé, mujer.

—Quiero un ataúd de oro macizo, Misha.

El hombre asintió, comprensivo.

—No es para menos.

—Lo haremos aquí, no quiero llevarlo a Barcelona, ¿para qué? ¿Qué se le ha perdido a Vladímir en ese sitio? Si hacemos aquí su funeral, usted puede encargarse de todo. ¿En quién podría yo confiar más que en usted, Misha, Misha?... Vladímir siempre lo quiso a usted, ya lo sabe. Siempre habló bien de Misha. «Misha sabe jugar como nadie al *zhelezka*», «Misha tiene una cara digna de aparecer en los billetes de cien rublos», «Misha no es un traidor», «Misha esto, Misha lo otro»... Eso decía, Misha. Para él, Misha era más de fiar que los billetes verdes.

—Puede confiar en mí —respondió el hombre, tranquilizándola. No quería que volviese a su cantinela de lloros y suspiros—. Necesitará también una lápida con su imagen esculpida en el mármol. Un gran retrato de Vladímir. De un par de metros de alto. Tengo a un experto tatuador que nos hace trabajos especiales sobre lápidas. Dice que no hay mucha diferencia entre la carne y la piedra para un buen ruso. Una lápida de dos metros estará bien. No le aconsejo más altura porque luego es difícil que la piedra se mantenga de pie. ¿Ha comprado la tierra en algún cementerio?

—No, Misha, pero he adquirido una pequeña vivienda en la sierra. Nada extraordinario. Tiene seis mil metros de parcela. Lo enterraremos en el jardín. Así yo podré venir a verlo y él siempre me estará esperando en casa. Las cosas, como deben ser. Me gustaba tenerlo en casa, ¿sabe, Misha? Me gustaba...

Valentina se empeñó en enterrar a Vladímir en el huerto de su nueva casa, en medio de un parterre rodeado de fuentes, debajo de un cenador que protegería el mármol de su tumba de los rigores del invierno.

Con todo, no pudo salirse con la suya. Un vecino avispado se olió lo que planeaba y la denunció. La Policía Sanitaria Mortuoria impidió a la viuda enterrar a su Vladímir en la preciosa parcela serrana. Eso motivó que Valentina derramara otras cuantas lágrimas de dolor y frustración. Se enfadó tanto que decidió trasladar la momia de su marido a Moscú. Así, los empleados de la funeraria tramitaron el llamado «salvoconducto mortuorio», donde especificaron claramente la causa de su muerte, según constaba en el certificado de defunción, en francés, en inglés y mediante la cifra del código numérico de la OMS de Clasificación Internacional de Enfermedades.

Vladímir sería enterrado en Moscú.

El traslado de su cadáver embalsamado consiguió la aprobación de la Jefatura Provincial de Sanidad, y un avión alquilado para la ocasión lo trasladó a Rusia, en compañía de su viuda, sus tres hijastros y la lápida esculpida por Gorilla.

Obtuvo una plaza para el descanso eterno en el cementerio de Novodévichi, de sobras conocido por Misha, donde su viuda compró todo un panteón, por un precio astronómico, próximo a la tumba de la francotiradora Liudmila Pavlichenko, heroína del Ejército Rojo.

Al funeral asistieron más de mil personas. Vladímir era un ladrón respetado que había hecho negocios con mucha gente. Todos coincidían en que era de fiar.

Su honor se revistió de flores. Las coronas de rosas y claveles rojos y blancos llegaron por cientos. Suficientes para haber cubierto un buen trecho del río Moscova.

Sonó la canción de Tina Turner, *Simply the best*, mientras el féretro era introducido en su última morada y la hija menor de Valentina, una adolescente vestida como una estrella juvenil de la tele, leía una emocionada nota en la que agradecía a su padrastro todas las ocasiones en que ella se había sentido triste y él, para animarla, le había firmado un cheque de mil euros.

Su viuda, con una gran desazón estrangulándole la garganta, le lanzó un beso y, aturdida por la pérdida, se despidió de él en voz alta:

—*Ya tebiá liubliú!* ¡Te quiero! —se sonó con mano temblorosa—. *Zhelayu priatno provestí vremia!* ¡Que te lo pases bien!

Sigrid y Marcos

—¿Quieres que te invite a cenar? —preguntó Marcos, agitando un cheque—. Ahora mismo soy rico. Acabo de ganar trescientos euros antes de impuestos... Tengo el mundo a mis pies.

—Bueno... —Sigrid no supo qué decir.

Aunque sí sabía que, en ese momento, nada le apetecía más que cenar junto a aquel hombre que, siendo un juez maduro, se comportaba como un joven iluso.

Fue entonces cuando se dio cuenta de que lo que realmente le gustaba eran los hombres con aire soñador.

Y tenía a uno de ellos justo a su lado.

Si alargaba la mano podría tocarlo.

—Qué, ¿qué dices?

—Creo que es una excelente idea. Pero pagamos a medias...

—¿Cómo voy a poder invitarte si pagamos a medias?

—Bien, lo discutiremos cuando traigan la cuenta —accedió Sigrid.

Fueron a comer al restaurante Dantxari, en la cercana calle de Ventura Rodríguez. Sigrid había ido a pie al trabajo, dejando la moto en el garaje aquella tarde, así que no tuvo que perder el tiempo en recogerla y ponerla a buen recaudo.

—Cocina vasca —dijo Marcos una vez que saludó a don Eduardo, el chef, y se hubieron sentado en una discreta mesa del segundo piso—. Tienes que probar las setas colmenillas rellenas de *foie* con salsa de oporto.

—Se me está haciendo la boca agua —Sigrid se rio, estiró el mantel de cuadros rojos y blancos y se arrellanó en su asiento.

Lo cierto era que tenía hambre. Apenas mordisqueó un sándwich de atún macilento, que parecía de otro siglo, en su hora del almuerzo. Se dijo a sí misma que aquello, más que un encuentro por motivos profesionales, parecía una auténtica cita. Y luego se dijo que, si era así, más valía disfrutarla. No podía recordar la última vez que había tenido una relación sentimental placentera que durase más de tres semanas. No tenía suerte con los hombres. A su edad ya tendría que estar casada, o al menos emparejada. Eso le repetía todo el mundo.

Procuró deleitarse con la compañía del juez. Además, hacía mucho tiempo que su trabajo no le daba oportunidades de divertirse.

—¿Qué te gusta más, la carne o el pescado? —preguntó Marcos.

—Oh, me da igual. Ahora como de todo.

—¿Ahora? ¿Antes no?... ¿Eras vegetariana, o algo por el estilo?

Sigrid se removió inquieta en el asiento.

—No, pero seguía los consejos de la Biblia al pie de la letra.

Marcos la observó, divertido.

—No me digas que pertenecías a una secta...

—No, simplemente era muy estricta, muy puritana. En el capítulo once de Levítico hay un inventario de animales, peces, aves, insectos y reptiles cuyo consumo Dios prohíbe. Todavía tengo en la nevera, pegada con imanes, la lista que hice cuando estaba en el instituto. Aunque ya no la miro mucho, la paso a limpio de vez en cuando y vuelvo a colocarla en la nevera.

—No tenía ni idea de que Dios fuera gastrónomo.

—No te rías. Es verdad. Y por cierto que, desde el punto de vista alimentario, es bastante sensata. La Iglesia católica hoy día no obliga a cumplir esos preceptos, tampoco ha sido nunca muy integrista con el asunto de la comida, pero a mí se me antojaban mandamientos razonables. —Sigrid cortó un trozo del choricito del aperitivo que les acababa de servir el camarero, un joven y sonriente peruano que apenas hacía notar su presencia, tan discreto era—. La Biblia dice que todos los animales que tienen la pezuña hendida y rumian son limpios y su carne es comestible. Los demás son inmundos, excepto el camello, el conejo, la liebre y el cerdo, que sólo son «medio inmundos», pero que tampoco se pueden consumir. Durante años, yo no probé el cerdo. Muchas religiones prohíben comer cerdo, alguna razón debe de haber... En cuanto a los peces, indica que se pueden comer los que tienen aletas y escamas, tanto de la mar como de los ríos. Los demás, hay que tenerlos «en abominación».

Marcos se rio de buena gana.

—O sea, que adiós almejas, ostras, pulpo a la gallega...

—En el grupo de las aves prohibidas están el águila, el milano, la lechuza, la gaviota, el búho, la cigüeña, la garza... —Sigrid hizo memoria, iba contando con los dedos—, el murciélago... Y ya no me acuerdo de más. Hay muchos más. ¡Ah, sí!, ¡y el avestruz!, imagínate, ¡con lo de moda que se puso hace unos años comer un buen filete de avestruz!... Nunca lo he probado, si quieres que te diga la verdad.

—Nunca he degustado el murciélago. Tampoco se me había presentado la oportunidad, pero ahora me has despertado cierta curiosidad golosa.

—Lo que no le gusta nada a Dios como fuente de proteínas son los insectos. Los prohíbe todos, excepto algún tipo de langosta. Tampoco le hacen gracia las ratas, ni las ranas, las culebras, las lagartijas... Yo creo que son recomendaciones, u órdenes si quieres, muy prácticas. Para que no nos envenenemos y podamos salir adelante. Te aleja de la tentación de comer bichos carroñeros si te acucia el hambre, y por lo tanto te previene contra las enfermedades infecciosas. Es una guía alimenticia pensada para la conservación de la especie.

—Lo que me quieres decir es que antes no comías escarabajos, ni águilas, ni ratas, pero que ahora estás abierta a todas las posibilidades.

—¡No te burles! Hace unos años hice un viaje a México y probé unas hormigas fritas, con miel. Todavía estoy haciendo la digestión de aquello...

¿Y no has pensado que quizás Dios no existe?

—Sí. Lo he pensado. Ahora mismo, tengo mis dudas... —admitió Sigrid masticando una miga de pan—. Tal vez Dios no existe, pero resiste. Y continuará resistiendo. Eso creo yo.

Cenaron como lo hubiesen hecho dos amigos que no se veían desde hacía mucho tiempo. Se pusieron al corriente de sus vidas, a grandes rasgos. A Marcos le sorprendió que Sigrid fuese española «de nacimiento».

—Cuando yo era pequeña, fíjate —a esas alturas, Sigrid había bebido un par de copas de vino y tenía la lengua más suelta que de costumbre. Total, su casa no se encontraba lejos. En cuanto llegase, se metería en la cama. La jornada estaba más que cumplida—, entonces, en Madrid no había gente de color. Negros, mulatos, cuarterones, no sé... Aunque fuese sólo un poco de colorcito, ¿entiendes?, café con mucha leche como el mío... Nada. No se veía a nadie de color, sólo al rey Baltasar, en Navidades. Y a mí el resto del año.

—Qué cosas dices.

—Sí, de verdad. Yo me sentía bastante acomplejada. De no ser por mis abuelos, que en paz descansen, me hubiese muerto de la vergüenza. Por ser mulata. Pero ellos se empeñaron en que tuviese dignidad y no me avergonzara de ser como soy, de ser lo que soy, ¿sabes? Se empeñaron. Estaban acostumbrados a salirse con la suya.

—¿Quieres agua?

—No, ponme un poco más de vino.

—No, ya has bebido bastante.

Sigrid lo miró, desorientada. Pero lejos de mandarlo a freír espárragos y después servirse ella misma, lo que hubiese sido su reacción natural, se encogió de hombros y aceptó el agua sin rechistar. Marcos, a cambio, la compensó con una enorme y complaciente sonrisa. Sigrid se preguntó si no estaría consintiéndole a aquel hombre una actitud condescendiente y machista. Pero al instante se respondió que le importaba un bledo, mientras siguiera sonriéndole de esa manera tan agradable.

—Ahora, sin embargo, parezco una inmigrante. La gente se sorprende de que no sea inmigrante. Debería ser una inmigrante. En realidad, es lo que soy, una inmigrante adoptada.

—Todos somos inmigrantes en la Tierra.

—Y lo dices tú, qué morro.

Sigrid se quedó callada de repente, se apartó el pelo de la cara.

—¿Qué piensas? —preguntó Marcos.

Ella sacudió la cabeza y sonrió de medio lado.

—Pienso en lo extraño que es el azar, que nos ha reunido a ti y a mí. Una mujer adoptada y un hombre como yo... Mi padre murió hace unos años. Lo echo mucho de menos. Sé que no debería, que ya soy adulto y tendría que saber superar la pérdida, pero me acuerdo de él todos los días. Quizás tenemos más cosas en común de lo que parece a simple vista.

—«Tú estás intentando ligarte a esta mujer —pensó Marcos, no demasiado avergonzado—, pero procura ser un poco menos patético con tus tácticas, macho... ¡Huérfano!, Cristo bendito...»

Marcos se bebió de un trago su vaso de agua, que había perdido la frescura hacía rato.

—Es posible.

Habían encargado como postre una tarta de manzana casera que tomaron tibia, fina y crujiente.

Con los cafés, Sigrid se espabiló un poco y remontó el efecto del vino.

—Ni siquiera hemos hablado de la investigación en marcha, ni de la amiga de tu madre, de vuestra vecina, esa señora que ha desaparecido. Qué curiosa coincidencia, ¿no? Tú llevas un procedimiento abierto contra una mafia del Este de Europa y la amiga de tu madre, que tiene a unos vecinos rusos, desaparece sin dejar rastro... —dijo Sigrid, sintiéndose de repente culpable por no haber hablado de trabajo en toda la cena, por su «dejación de funciones» según la jerga de su jefe (ése era el eufemismo con que se refería a los que se escaqueaban del trabajo).

—Ha pasado más de una semana desde que desapareció la viuda Hergueta —Marcos se puso serio—. Estoy seguro de que el asunto es grave. Me preocupa.

Sigrid asintió con gravedad.

Marcos le contó a Sigrid todo lo que la viuda les había relatado a él y a su tía sobre la desaparición de los gatos, sus vecinos y sus recelos. Y que, al parecer, por la vivienda vecina rondaba un pájaro cuyos pasos la policía seguía desde hacía tiempo. De mala gana, Sigrid sacó su libreta de notas mientras lo oía hablar y fue tomando apuntes con una caligrafía indescifrable pero sugestiva y elegante. Vista desde una cierta distancia simulaba ser un desconocido lenguaje extraterrestre.

—Escucha, ¿tienes algo que hacer mañana? Se me ha ocurrido que quizás podrías acompañarme a hacer una visita a la Universidad Autónoma. Mi fiscal me ha recomendado que vaya a visitar a una profesora de origen ruso. Es prima de una traductora que trabaja habitualmente en los juzgados.

—¿Para qué quieres hablar con ella?

—Es una experta en Rusia. Socióloga. Da clases en una especie de centro de estudios rusos de nueva creación en la universidad. Ha dirigido al menos dos tesis doctorales sobre mafias. Hablar con ella puede ser ilustrativo. No nos llevará más de un par de horas, y después podemos acercarnos hasta Arroyo del Tranco; ¿te he dicho que mi madre tiene una copia de las llaves de la casa de la viuda? Me gustaría echarle un vistazo a la casa. Aprovechemos que soy juez y no necesito una orden judicial para entrar...

Mariya y Polina,
Kakus y Barbala

Mariya estaba cocinando.

Quería preparar *jachapuri* rellenos de queso picante y tenía las manos embadurnadas de masa. Había conseguido un queso duro y rancio que olía divinamente. Ya se relamía de gusto sólo de pensar cómo sabrían una vez horneados. Tendría suficientes para dar de comer a un pequeño ejército. Mariya arrastraba la manía soviética de hacerlo todo a lo grande. Grande, más grande que en cualquier otro lugar del mundo. Y si no lograba que fuese más grande, suplía la falta de tamaño con la cantidad. Hubiese sido la cocinera perfecta del antiguo Arbat de la Avenida Kalinin, un restaurante que podía acoger en sus tiempos, según se decía, a dos mil comensales servidos colectivamente con menús preparados en serie y tan apetitosos como el puré de piltrafas.

La cocina española de Mariya tenía muebles ultramodernos de un blanco resplandeciente y paredes de azulejo de color amarillo. La noche otoñal se había dejado caer al otro lado de las ventanas como un dolor suave sobre el cuerpo enfermo de la tierra del jardín. El fluorescente del techo les daba a las dos mujeres que se movían bajo ella la apariencia de tripulantes de una nave espacial.

Polina ayudaba sin muchas ganas en la tarea de preparar la cena mezclando la levadura y un poco de azúcar, y batiendo los huevos. Ya ni siquiera pensaba en el pobre y difunto Vladímir.

—No sabes cocinar, Polina. Niña grande y tonta... Ay, Polina, Polinochka... —gruñó Mariya, pero Polina sabía que la mujer no estaba enfadada con ella. Todo lo contrario, notaba que le caía bien desde el principio, cuando Misha la llevó a casa y se conocieron. Había pasado más de un año desde entonces—. Eres como la hija de un cucharón y una tetera. Tus manos son de metal. Pero tu boca tiene buenos dientes.

Polina sonrió tibiamente y la dejó quejarse.

—Estás engordando...

La joven se encogió de hombros. Normalmente no hablaba mucho, salvo lo imprescindible. Así y todo, le gustaba que la mujer mayor la envolviera con sus largas peroratas en lengua rusa, cuyo acento la acunaba y, a ciertas horas, incluso la adormecía, por muy enfadada que aparentase sentirse.

Terminó con los huevos y, en una fuente aparte, ralló unas zanahorias, picó tres ajos en pedacitos muy pequeños y agregó mahonesa y una pizca de sal. Lo revolvió todo. Ya tenía lista la ensalada favorita de Misha. Si es que esa noche se dignaba comer en casa. A Polina le gustaban las recetas sencillas y sabrosas, en la cocina y en la vida.

Cuando Mariya estaba a punto de meter los *jachapuri* en el horno, oyeron un ruido extraño que puso en guardia a las dos mujeres. Mariya se estiró cuan larga era y aguzó el oído.

Polina, más baja que ella, más esbelta y delicada, la miró con gesto interrogante. Igual que una «oficiante», una camarera, al jefe de sala.

—¿Qué ha sido eso? —Mariya se secó las manos en el mandil—. El alboroto proviene del garaje.

—Kakus y Barbala —Polina musitó los nombres como si estuviera contando un secreto.

Nadie habría notado la inflexión especial de su voz al pronunciar el nombre de Kakus, tan sutil había sido la diferencia de tono.

—¡Shsss!... ¡No me interrumpas, Polina Ivánovna! —la entonación de Mariya, como sucedía a menudo, era seca e impaciente.

Salieron de la cocina y se dirigieron ordenadamente al garaje del chalet, una detrás de la otra guardando la distancia con el escrupuloso rigor de dos soldados en formación. Una puerta interior lo comunicaba con la entrada de la casa. El portón blindado se abría hacia la cochera en el vestíbulo chapado de arriba abajo con verdes mármoles de Carrara que habrían hecho palidecer de envidia al sencillo mármol de Paros con que fue esculpida la Venus de Milo.

—*Styd!* ¡Vergüenza!... ¿Cuántos gramos de vodka os habéis bebido, ratas comedoras de champiñones venenosos? —bramó Mariya cuando entraron en la estancia.

Polina se mantuvo prudentemente bajo el quicio de la puerta. Desde allí miró detenidamente a Kakus y pensó en lo increíble que resultaba que, después de once años, apenas recordase la cara de su madre pero jamás hubiese olvidado la de aquel hombre, tal y como se había prometido a sí misma.

Agarrada al pórtico con aire ausente y tímido, Polina parecía una recreación de Yaroslavna, el personaje del siglo XII del *Cantar de las huestes de Ígor*.

«Yaroslavna llora su dolor en el muro...»

Hacía un tiempo, cuando Polina fue a parar a manos de Misha, se encontró por sorpresa con Kakus, ahora convertido en guardaespaldas y perro para todo. La coincidencia le produjo tal impresión que, durante un par de semanas, apenas probó bocado. Se pasaba las horas acostada, aterrada, en la habitación que Mariya le había asignado, en posición recta como una muerta esperando ser amortajada, respirando tan levemente que quizás su cerebro sufrió daños por la falta de oxígeno a que lo sometió durante interminables días y noches.

Por su parte, Kakus no la reconoció a ella, o no había dado muestras de hacerlo. Normal, había traficado con muchas mujeres, con incontables niñas. Sus caras debían de ser como granos de arena en el desierto de su memoria. Imposible distinguir a unas de las otras.

Además, Polina tenía otros papeles, falsos. Su nombre había cambiado. Su cara y su cuerpo ya no eran los mismos de aquella niña moldava que aún asomaba a sus sueños de cuando en cuando, agitando la mano para llamar la atención, y en la que Polina apenas se reconocía, pues, a esas alturas, estaba segura de que se trataba de otra persona. De alguien desvalido a quien ella abandonó y traicionó sin sentir remordimientos.

Había pasado el tiempo, sí. Polina se había transfigurado en una mujer mientras el adulto loco que fue Kakus iba camino de convertirse en un viejo loco a secas.

Lo observó con prudencia, como solía hacer, de medio lado. Kakus no le prestaba demasiada atención, lo que resultaba una suerte y una ventaja para ella. Al bruto esclavista le gustaban las putas de otras medidas, con otras caras, con otras carnes distintas a las de Polina. Además, en teoría, Polina era propiedad de Misha, aunque todo el mundo sabía que Misha apenas le hacía caso y que la conservaba con él porque así se lo había prometido al camarada que se la cedió, con la excusa de cobrarle una deuda pero, en el fondo, pidiéndole el favor de que la pusiera bajo su protección para alejarla de las garras de su esposa.

—*Niet, niet!* ¡¿Qué habéis hecho, asnos que nunca han visto una paloma?! —volvió a preguntar Mariya, muy enfadada, mientras observaba el cuerpo de la señora mayor, tendido en el suelo.

En el garaje, que hasta hacía unos momentos tenía la puerta entornada, se acumulaban los cadáveres de tres colombianos de rostro cerúleo, con aspecto de haber sido muy jóvenes hasta hacía poco y de estar muy agujereados por varias docenas de tiros de bala.

No muy lejos de ellos, yacía doña María Jesús Hergueta.

La falda plisada de tafetán rosa oscuro, casi del

color de la sangre, se le había subido por encima de las rodillas mostrando una especie de blanca enagua arrugada y parte de los rollizos muslos.

—¿Está muerta? —preguntó Mariya.

Kakus negó con la cabeza, afeitada al rape.

—Cálmate, mujer. No chilles tanto. No está muerta. Está desmayada... —habló despacio Barbala, con una voz escalofriantemente suave y relajada.

El chico era muy joven, vestía pantalones vaqueros de una marca carísima, calzaba unas zapatillas Reebok blancas con cordones de colores naranjas, a juego con la camiseta de Tommy Hilfiger, y tenía un aspecto de adolescente temerario que a Polina nunca le había inspirado la más mínima confianza. Ella le calculaba unos veintidós años, pero no estaba segura. En cualquier caso, el chico la intimidaba mucho menos que Kakus. El primer día que vio a Kakus rondando por el que ahora se había convertido en su nuevo hogar, Polina apenas pudo contener la orina, algo que no le sucedía desde hacía años.

—Pero... —Mariya se agachó sobre el cuerpo de la mujer y le volvió la cara para vérsela mejor—. ¡Pero si es la vecina! La pelma de al lado.

Se incorporó. Era tan alta que su sombra planeó sobre los rostros de Kakus y Barbala; por un momento fue como si hubiese tenido lugar un eclipse dentro del garaje.

—No está muerta —coreó Kakus—. Se ha desmayado porque he tenido que golpearla. Entró en el garaje y levantó la lona. Como puedes ver, tía Mariya, debajo de esa lona hay tres colombianos muertos.

—¿Y qué hacen, otra vez, unos cadáveres en mi

garaje? —quiso saber la mujer—. Estoy harta de que me llenéis la casa de basura. ¡Harta! Ésta es mi casa, no es un cementerio para mascotas. ¿Por qué no lleváis los fiambres a la funeraria, que es donde deben estar?

—Ya sabes, son *bultos* de los que hay que deshacerse. Los han traído sin avisar. Pero es un trabajo de limpieza bien pagado. Los porteadores tenían prisa y los han dejado aquí. Barbala y yo íbamos a llevarlos al crematorio justo cuando la vieja ha entrado y... No sé qué demonios hacía esta vieja de visita... Ni siquiera le gusta saludarnos, normalmente.

Los grandes labios de Mariya temblaban de indignación.

—Llévatelos de aquí... No me gustan los muertos en mi casa. No me obligues a...

—Tranquila, mujer.

—¡No quiero estar tranquila! Tu madre está mucho más tranquila que yo porque no te tiene a su lado, porque te perdió de vista hace mucho tiempo, quizás cuando te trajo al mundo. Seguro que vio tu cara y no le gustó, y te dejó en el hospital para que fueses un hijo del Estado. ¿Quién sino el Estado podría aguantarte a ti, Kakus? Además de mí.

—La vecina ha visto a los muertos, no podíamos dejar que... —intervino Barbala.

—Tú te callas, mocoso enredador —Mariya empezó a dar vueltas, nerviosa y preocupada—. ¡Ay, ay!, ¡esto es malo, es malo, es malo!...

—Deja que te explique, tía Mariya...

—No necesito explicaciones, quiero que limpiéis el garaje. ¡Ya mismo!

—Mira, mujer, no des tantas vueltas que me estás mareando, y deja de gritar. Esto tiene fácil solución.

—Escúchame bien, insecto que toca el kalashnikov en lugar de la balalaika, ¿qué le vamos a decir a la vecina cuando despierte? Si ella menciona los cadáveres, ¿le diremos que todo ha sido un sueño? ¿Que se desmayó en la puerta y la recogimos amablemente, como buenos vecinos que somos, y que lo debe de haber soñado todo? ¿Que se golpeó al caer al suelo? ¿Que seguramente será una bajada de tensión y que un mal sueño lo tiene cualquiera?... ¡Eres un perro estúpido!

—Podemos matarla. Así no hablará —dijo Kakus.

Mariya se volvió hacia Polina con ojos suplicantes.

—Llama a Misha. Él sabrá qué hacer —le ordenó—. Está en el sótano, en su despacho.

Polina se dio la vuelta y se dispuso a obedecer.

La joven aún no había comenzado a bajar la escalera del sótano cuando doña María Jesús abrió los ojos. Se incorporó con una inusitada rapidez, poco propia de su edad, y lanzó un grito ronco y desesperado mientras señalaba con una mano temblorosa los cadáveres de los tres colombianos muertos a tiros que reposaban a un par de metros de distancia de sus pies.

Barbala se acercó a su lado, sacó la pistola que solía portar encajada en la parte de atrás de la cintura y le sacudió un golpe con la culata al lado derecho de la cabeza de doña María Jesús, silenciándola de nuevo limpiamente.

Misha

A sus sesenta y dos años, cumplidos no hacía tanto, Iván Astrov, bautizado como ladrón con el nombre de *Misha*, tenía momentos de una gran debilidad, aunque él procuraba no darles demasiada importancia.

Se sentía en forma y no aparentaba ni mucho menos su edad. Pero, a veces, cuando se detenía un segundo a pensar en ello, a cavilar sobre lo muy viejo que era y lo muy lejos que había llegado en la carrera del vivir, contra todo pronóstico, se le doblaban las piernas como a un potrillo recién nacido. Si alguien le hubiese preguntado hacía treinta años, se habría atribuido a sí mismo una esperanza de vida de un par de años más.

Y, sin embargo, ahí estaba. Resistiendo.

Nunca había creído en Dios, ya tuvo bastante con perseverar a duras penas en aquella fe extrañamente fascinada en el Estado y en la santa madre Rusia; sin embargo, empezaba a pensar que tal vez sí existieran los milagros. Él era testimonio exacto de que así era. Nunca se le había ocurrido que pudiese llegar a ser tan viejo.

Contuvo un estremecimiento. Una sombra llena

de matices le recorrió el alma como un árbol que se sacude al ritmo del viento.

Ahora, irónicamente, no se sentía preparado para morir, aunque notaba que se iba acercando día tras día a la meta. Sospechaba que, a pesar de las numerosas oportunidades que había tenido de mantener tratos con la muerte, no la conocía lo bastante bien. Pero tampoco sentía miedo ante su presencia. Era un ruso blanco de pura cepa. Él no temblaba ante la muerte, de igual modo que no se arrastraba en la vida.

Suspiró con melancolía mientras hojeaba una revista francesa que desplegaba a doble página unas espléndidas fotos en color de la tenista francesa de origen ruso Tatiana Golovin. La chica le gustaba. Y eso que, según su opinión, ni siquiera era guapa... Y que, además, él las prefería oscuras de piel, no demasiado, por supuesto, lo bastante como para resultar *vistosas*. Hubo un tiempo en que buscaba putas de piel oscura de manera regular. En la calle Ballesta de Madrid vio una vez, por pura casualidad, a una con la que estuvo manteniendo tratos carnales cada semana. Aquello duró sus buenos seis meses. Podía decirse que ésa había sido la relación *sentimental* más duradera de toda su vida.

Pero ahora empezaba a quedarse sin ganas.

Cuestión de edad, tal vez.

Ya ni las negras ni las blancas le quitaban el sueño.

Claro que nunca se lo habían quitado, si había de ser sincero. En cualquier caso, sus hormonas le empezaban a dejar cada vez más tiempo libre. Alguna ventaja tenía que tener eso de hacerse viejo, que por todo lo demás era una mierda.

Las rubias no lo volvían loco. Eran vulgares, no llamaban la atención entre la niebla, de buena mañana. Y que llamasen un poco la atención era lo mínimo que se le podía pedir a una mujer.

«La gallina no es un pájaro como la mujer no es un ser humano», decía el refrán, sabiamente.

Mientras pasaba las hojas de la publicación, rememoró un instante su lejana tierra. Ahora se sentía en un lugar de nadie, como si el mundo más allá de Moscú fuese una construcción fantástica, una fatigosa tierra de los sueños imprecisa e inmóvil.

Acababa de volver de Francia, donde poseía un castillo al que se retiraba con frecuencia. La propiedad, lógicamente, no estaba a su nombre. No exactamente. Pero era suya. Nada de lo que *poseía* estaba consignado a su nombre. Un ladrón de ley desprecia esos detalles, que no significan nada. Tener o no tener. Estúpidos dilemas occidentales. Aunque, quizás por su edad, empezaba a apreciar algunas menudencias de ese tipo, que hacían la vida más agradable.

El castillo era pequeño, y él se había ocupado de que fuese también confortable con una reforma en la que empleó varios años, hasta que todo quedó perfecto. Lucía un aire solemne y militar, pero también invitador, con sus terrazas que se volcaban hacia los fértiles valles de la Dordoña, su recogida torre del homenaje y unos tejados de *lauzes* cuya rehabilitación le había costado más de lo que le gustaba recordar.

Contrató a un decorador de París que lo extorsionó con gran destreza pero que finalmente había llenado los aposentos con un precioso mobiliario de época, cuadros de pintores contemporáneos muy cotizados, armas de los siglos XV al XVIII y una serie de cortinajes que pesaban tanto como las armaduras de alguno de los antiguos propietarios del lugar.

Misha pensó que el coste de la reforma habría resultado mucho más barato si el decorador hubiese sido lituano en vez de francés, pero no quería darle más vueltas al asunto. ¿Qué era el dinero? Nada.

Le gustaba el producto final. Las fotos de su castillo habían salido en revistas de decoración de medio mundo. Le advirtió al decorador que si alguien, mirando las imágenes, deducía dónde se encontraba situado, él no volvería a ver otro cheque bancario en su vida porque Misha se encargaría personalmente de enviarlo a ese lugar en el que no se necesita *cash* para ir tirando. Si acaso, una última moneda metida entre los dientes para el barquero que lo llevase a la otra orilla.

Se sentía un noble feudal, inexpugnable allá en sus dominios de Belvés, y eso era todo lo que le importaba. El castillo se había convertido en la raíz, el tallo y el capullo de su vida. Pronto llegaría el día, se dijo, en que podría retirarse allí y vivir de verdad mientras esperaba la muerte, endurecido y preparado al fin para la postrera visita. No le asustaba la muerte, nunca le había tenido miedo. Los rusos quizás no sabían vivir, pero desde luego sabían morir. Eso nadie lo negaba.

Cuando pasaba unos días en *château Astrov* —así había bautizado a su refugio, obviando la vieja deno-

minación de *château fort de Villefranche*—, le costaba
volver de nuevo a casa. Mientras en Francia se sentía
un señor, sin la menor duda, en España todo se empeñaba en hacerle creer que era un bellaco, un simple *vor*, un ladrón. Lo que en realidad era, pero no en
el sentido que le daban los que así lo llamaban.

Bueno, a él lo que pensaran los demás le importaba un bledo. Pero, desde luego, no deseaba parecer
un maleante a ojos de la sociedad. Quería pasar inadvertido, ser un ciudadano más. En Francia, a menudo lo conseguía, aunque fuese poco tiempo. Su castillo era, además, su *obschak*, su tesoro criminal más
preciado, su plan de pensiones. Sabía que todo el
mundo lo llamaba Iván *el Terrible*. Incluso la policía
española, cuya originalidad estaba a la altura de su
perspicacia. No le gustaba nada el apelativo, aunque
servía convenientemente a sus propósitos. Hubiese
sido más apropiado que lo llamaran Iván Kalitá,
Iván *la Bolsa de Dinero*, que fue el nombre con que se
conoció a Iván I de Rusia, un soberano del siglo XIV
que obtuvo el título de Gran Príncipe de Vladímir
otorgado por los líderes mongoles. Lo llamaron Kalitá, Bolsa de Dinero, por algo. Seguramente porque
fue un excelente recaudador. Igual que Misha.

Ah, pero la gente era ignorante, apenas conocía la
historia.

¿Y qué era el dinero? De nuevo se respondió que
nada.

Iván *el Terrible* era otra cosa. Él conocía bien su
leyenda y su verdad. Misha era un hombre educado,
igual que el terrible Iván. Misha estudió en el MISI,
el Instituto de Ingeniería Civil de la Universidad

Estatal de Moscú M.V. Lomonósov durante largos años, allí en Vorobióvy Gory, mientras le pasaba el tiempo y el hielo por la piel y las tripas, y el cerebro se le llenaba de vocablos eruditos y vanos que jamás le sirvieron para distraer el hambre.

Pues claro que sabía quién era Iván *el Terrible*. Un gran lector, como Misha. Un tipo que hizo torturar a Verontzev, su mejor amigo. Un hombre que arrojaba príncipes sobre jaurías de perros rabiosos que los devoraban como si fuesen dulces de sangrienta nata. Iván *el Terrible*. Qué sabrían ellos...

Ellos, el mundo, la policía, el infierno, los otros, los que fueran. Qué sabría nadie sobre lo que albergaba el corazón de Misha cuando ni siquiera él mismo había llegado a saberlo.

Misha y Polina

Misha abandonó la revista encima de la mesa de su despacho, estiró los pies sobre el sofá rojo de terciopelo y abrió el libro de José Castro de Luz, *Todavía no soy demasiado mayor*.

Leía la versión original en español, el español no le parecía un idioma difícil. «Una vez que sabes polaco —pensó con satisfacción—, puedes aprender cualquier cosa.» Y él hablaba bastante bien polaco. Vivió en Varsovia unos felices y tranquilos años que aún recordaba con nostalgia. Los perros polacos se le antojaban la hez de la tierra, pero Misha lo pasó bien mientras anduvo pisando su sucio suelo. Allí hizo buenos negocios; después de su paso por un gulag soviético donde purgó una condena por robo, extorsión y asesinato, la mugrienta Polonia se le antojó un balneario. E incluso tuvo tiempo de obtener un doctorado.

José Castro de Luz pensaba que todos nos pasamos la vida oyendo que no tenemos edad para hacer tal o cual cosa y, de un día para otro, nos da por creer que ya se nos ha pasado la edad para todo. ¿No es absurdo? A todas esas cantinelas, prejuicios y conductas esclavas, Castro de Luz las llamaba «reres».

A Misha le encantó la palabra, tomó nota en un cuaderno para memorizarla más tarde, en caso de que se le olvidara. No sabía que lo que José Castro de Luz llamaba «reres» era lo mismo que Richard Dawkins denominara «memes» mucho antes que el gurú argentino. Pero qué más daba. Le gustaba el autor. Probablemente su genio y su sutileza se debían a que era argentino: los españoles no estaban tan dotados para ser capaces de aunar la complejidad y la claridad como él hacía.

Llamaron a la puerta.

Misha dio permiso para entrar y apareció Polina.

Hablaba con un ruso de acento nervioso que parecía tener ecos de Magadán, aunque quién sabía de dónde habría salido realmente la chica, que lo cierto era que tampoco hablaba mucho. Cuando Vladímir se la dio, la mandó junto con un lote de otras propiedades. Así que procuraba cuidarla. Y eso a pesar de que Vladímir ya no estaba en este mundo para pedirle informes al respecto.

La muchacha no le gustaba especialmente, pero tampoco lo deslumbraba Tatiana Golovin y..., bueno, las cosas estaban como estaban.

La joven se había adaptado bien, le encantaba vivir en su casa-búnker de Arroyo del Tranco; Mariya le tenía un seco pero contundente aprecio, Polina hacía gala de un carácter reservado, callado y discreto, y siempre se mostraba servicial. Misha no podría ser acusado de tener remilgos. Le consentía estar en casa a su antojo.

Pensó que quizás se estaba volviendo un poco

blando con la edad, aunque todavía no fuese demasiado mayor como aseguraba José Castro de Luz.

Miró a Polina de arriba abajo.

Se entretuvo unos segundos en la vulgaridad de sus labios finos, de zorra barata. La camiseta se le pegaba al pecho como una funda de plástico, era una prenda que podría haber sido diseñada por el cubista Duchamp, o mejor: por el futurista Giacomo Balla, aunque lo más probable es que hubiese salido de una fábrica china experta en el muy oriental *cut & paste* industrial que ahora invadía el mundo. La camiseta le sentaba bien a Polina.

Qué chica más rara.

Misha creía recordar que no tenía mucho más de veinte años. Quizás era de la edad de Tatiana Golovin. Sin embargo, no había tenido la misma suerte que la tenista.

«*Jolódnaya vodá*», la llamaba él. Agua fría. La pequeña Polina. A veces, no sabía por qué, mirarla le producía escalofríos.

—Entra y cierra la puerta. ¿Qué pasa? —El hombre hablaba en ruso, aunque en algunas ocasiones todos en aquella casa utilizaban el español como *lingua franca*.

La chica corrió a sus pies, se arrodilló y, con aire sumiso, agachó la cabeza sobre la bragueta del jefe.

—Vamos, chica. Estate quieta... —Misha trató de zafarse de las manos de Polina, que estaban frías, por cierto, y se movían vertiginosamente por su bajo vientre, con un ansia sacrificada y nerviosa.

El hombre miró de reojo la cubierta del libro que reposaba sobre la mesa. «Todavía no soy demasiado mayor», rezaba la portada en grandes letras, probablemente porque el público al que iba dirigido ya no veía tan bien como antes.

—¡He dicho que te estés quieta! —Misha abofeteó a Polina, que se cayó al suelo por el impulso del guantazo.

Y eso que apenas le había dado con fuerza, pensó Misha con un suspiro de disgusto.

Contempló a la chica tirada en el suelo, sorprendentemente apenado.

—Vale, ven aquí... —le dijo en español—. Puta...

Se recostó contra el sofá y cerró los ojos mientras oía a Polina ponerse de pie y acercarse hasta él de nuevo con pasos sigilosos, como una gatita pulgosa, escaldada y hambrienta.

Cuando terminó —y no le resultó fácil concluir el trabajo—, la muchacha se limpió la boca con el dorso de la mano y le comunicó, con pocas palabras y su irritante vocecita de niña tísica, que Mariya quería que subiera al garaje con urgencia.

—¡¿Y me lo dices ahora?! ¿No podías haber empezado por ahí? —se puso en pie con dificultad. Pese a que todavía no era demasiado mayor, y a que procuraba mantenerse en forma practicando con regularidad artes marciales, le costaba levantarse.

—Pensé que así te sentirías más tranquilo cuando subieras al garaje... —se excusó Polina, con el pecho agitado por el esfuerzo de hablar tanto.

A veces, Misha pensaba en la jubilación, un concepto en el que jamás había reparado hasta que comenzó a vivir en Europa. Él no había trabajado jamás, pese a que tenía el título de doctor en ingeniería civil. Muchos de sus compañeros de estudios acabaron trabajando en las minas de Donbass. No así Misha. El trabajo, entendido al estilo soviético, era una deshonra para un *vor*. No reflexionó sobre la idea de jubilarse algún día ni durante los años que pasó en la cárcel, los que le proporcionaron las estrellas de sus tatuajes, su graduación, su reputación y gran parte de su honor de ladrón. Ahora, sin embargo, la idea acudía a su cabeza cada vez más a menudo.

Un buen retiro. Tal vez en su castillo de Francia...

—Bueno, vamos a ver qué quiere Mariya... —rezongó con fastidio, y se dirigió con la pesadez de un gigante hacia la escalera.

Misha, Kakus, Barbala, Doña María Jesús, Mariya y Polina

Cuando Misha asomó la cabeza al garaje, encontró un espectáculo lamentable.

Kakus, Barbala y Mariya daban gritos y se acusaban mutuamente de lo que fuese. Mariya estaba fuera de sí. Una señora reposaba cuan larga era en el suelo, sobre el pavimento de gres compacto a prueba de heladas.

A Misha le costaba levantar la voz. Había gritado un poco a lo largo de su vida, como cualquiera, pero últimamente prefería rugir con la mirada. Era más económico.

—¿Qué está pasando? —se interesó.

Kakus le hizo un resumen de la situación mientras Mariya continuaba con su monserga lastimera como ruido de fondo. La viuda Hergueta se removió en el suelo.

—No tiene buen color —lloriqueó Mariya—. Esto no es bueno, Misha, te digo que no es bueno. No pueden matar aquí a personas que son... de aquí —luego señaló con una mano a los colombianos muertos entretanto se enjugaba una lágrima con la otra, usando el mandil como pañuelo—. Una cosa es que hagas desaparecer los cadáveres de algunos desgraciados como ésos, y otra... Esto. ¡Esto no puede ser, Misha! Esa mujer vive en la casa de al lado. Es vieja. Mírala. Tendrá familia. Amigos. Hijos y nietos. Se pondrán pesados. La buscarán. Nos traerá problemas. ¡Vivimos al otro lado de su jardín! ¡El camino de la policía conducirá a mi garaje! No puedes meterla en el horno crematorio junto a los tres monos muertos que han traído esta noche. Te... te... te quitarán la funeraria. Irás a la cárcel. Aquí no, en Rusia. En la madre Rusia, donde volverás a sudar gotas de sangre. Y yo tendré que pasar años llorando por ti. No me gusta llorar, Misha... ¡Misha!

El aludido arrugó el entrecejo. Se agachó sobre la viuda y le tomó el pulso poniendo dos dedos sobre su cuello ajado. La viuda tenía mal aspecto, su cuerpo daba la sensación de estar descoyuntado. Desde unos metros de distancia podía pasar tan sólo por un montón de trapos arrojados con precipitación al suelo. Incluso su cabeza se veía más pequeña y frágil que la de cualquiera de los demás presentes.

—Pero no está muerta —sentenció Misha.

—Todavía no —asintió Barbala. Sacó un cigarrillo rubio y lo encendió imitando las maneras de una estrella de cine.

Habitualmente, Barbala paseaba por las calles con la funda de una tiorba eléctrica al hombro, una especie de Moonlander del estilo de la que usaba el grupo Sony Youth. En realidad, era un melómano y sabía tocar con gusto el instrumento que guardaba amorosamente en el piso destartalado que compartía con Kakus en el pueblo.

Con todo el aspecto de un aplicado estudiante de

música eslavo que acarrea disciplinadamente su laúd español, Barbala deambulaba serio y concentrado por el centro de Madrid, o de donde fuera, muy a menudo. Claro que sólo llevaba la funda de la tiorba. Y cuando abría el estuche era posible ver el sorprendente contenido: varias pistolas acomodadas en un molde de poliestireno expandido y hasta una Degtiariov Pejotny, una ametralladora ligera de cañón desmontable. Un clásico ruso que había prestado sus buenos servicios en la Segunda Guerra Mundial. Era una antigüedad, pero todavía funcionaba como la seda. Barbala demostraba tenerle más cariño a aquella bombonera que a buena parte de la humanidad.

Se acercó al rincón del garaje donde la había dejado y cambió por otra la pistola que empuñaba.

—Yo digo —expulsó con altivez una bocanada de humo mientras realizaba el trueque de armas— que la metamos en el Infinity —señaló hacia la puerta, tras la que se encontraba un todoterreno de lujo, aparcado de puertas afuera del garaje, pero aún dentro del perímetro del jardín—. La acoplamos en el mismo saco que a los colombianos. Los llevamos a los cuatro a la funeraria y ponemos el horno en marcha. Bollo tras bollo tras bollo. Y otro bollo de regalo... Contaminaremos un poco más de lo habitual, pero merece la pena. Oferta del día. Cuatro por el precio de tres.

Mariya arrancó a lloriquear de nuevo.

Polina permanecía callada, como de costumbre, fiel al marco de la puerta que sin querer acariciaba con la ternura que pondría en un ser vivo desvalido.

—¡No puedes hacer eso, Misha! —suplicó Mariya—. Te digo que no lo hagas.

—Si no nos deshacemos de la vieja, tendremos problemas —Kakus sacudió su rasurada cabeza, asintiendo—. Es mejor que la hagamos desaparecer para siempre, Misha.

El hombre miró a Mariya con lástima. Tal vez, de no haber sido por ella, no lo habría dudado ni un segundo y habría mandado incinerar a la vecina, viva todavía en el momento de entrar en el horno. La vida de la vieja vecina no suponía para él más problemas que una garrapata en el bidé a la que se aplasta de un golpe seco. Pero siempre tenía en cuenta a Mariya, confiaba en su instinto de santa.

La observó con los ojos fríos; mudo, pensativo. Tanto que a Polina le corrió un escalofrío de terror por la espalda que descargó en sus pies y la hizo trastabillar, a pesar de estar bien apoyada en la puerta.

Misha era consciente de que en España se podía delinquir a placer con asuntos relacionados con el dinero negro, pero que un delito de sangre era otra cosa. La opinión pública estaba muy concienciada con eso. Sería un escándalo si se llegara a descubrir que él era el responsable de la muerte de una anciana señora. La poli, y ese asqueroso juez de la Audiencia que ya había enchironado en el pasado a algunos de sus hermanos criminales, le andaban pisando los talones. Misha lo sabía porque tenía sus contactos. Cada soplo le costaba una fortuna, pero era dinero bien invertido.

El silencio impregnó el aire. Polina contuvo el aliento. Hasta Mariya, que normalmente no solía refrenar sus emociones ante Misha, sino más bien lo contrario, guardó un respetuoso mutismo.

Tras lo que pareció una eternidad, finalmente Misha habló, en voz queda.

—Sacad esos cuerpos de aquí. Llevadlos al horno, a la funeraria, cuanto antes. Meted el coche dentro del garaje para cargarlos, como de costumbre. No quiero que los demás vecinos vean nada raro. La mujer vivirá —se dio la vuelta, dispuesto a regresar a su estudio y quizás a acompañar la lectura abandonada con unos vasos de vodka. Sin sospechar que una mujer, en este caso Mariya, también podría llegar a ser su perdición, como había visto que ocurría con otros buenos ladrones.

—Pero ¡¿qué estás diciendo?! —Kakus se pasó una mano nerviosa por la cabeza—. Nunca nos hemos arriesgado tanto. ¡No le hagas caso a la retrasada!... —se refería a Mariya—. ¿Qué sabe ella de negocios?

Misha se volvió de nuevo, esta vez con mucha rapidez y, sin mediar palabra, se acercó hasta Kakus y le reventó la cara a golpes, hasta dejársela como un plato con restos de compota de fresa en mal estado.

Kakus ni siquiera se quejó.

—No vuelvas a hablar así —le recomendó Misha, secándose las manos ensangrentadas con el delantal que Mariya le había tendido.

Descuartizan a un hombre y reparten sus restos entre
Madrid y Toledo
Madrid - Efe

La Policía Nacional ha detenido a tres narcotrafican-
tes en relación con el asesinato de un hombre, que fue
torturado y descuartizado antes de morir y cuyos restos aparecieron desperdigados en abril del año pasado
en Arroyomolinos (Madrid) y Talavera de la Reina
(Toledo), a más de 100 kilómetros de distancia. El
primer hallazgo, concretamente un brazo y una pierna, se produjo el 3 de abril de 2009 en una carretera del
término municipal de Talavera de la Reina. Al día siguiente, en un paraje boscoso de la localidad madrileña de Arroyomolinos, se halló el tronco de un hombre
seccionado por la mitad al que además le faltaba la
cabeza. En el cuerpo se apreciaban evidentes síntomas
de tortura, con cortes de tanteo, pinchazos y desgarra-
mientos. Las labores de identificación del cadáver se
vieron dificultadas por la ausencia, tanto de la cabeza
como de las falanges de ambas manos, por lo que no se
pudieron cotejar las huellas dactilares.

Pese a ello, los agentes determinaron que los restos correspondían a la misma persona, que fue iden-

tificada gracias al trabajo de la Policía Científica. La Policía comenzó entonces a investigar el círculo de relaciones de la víctima, que se movía en ámbitos delictivos y del tráfico de drogas, en los que se mantiene un gran hermetismo por miedo a represalias de las organizaciones criminales. Después de un año de intensas pesquisas, la Policía ha conseguido identificar y detener a los presuntos responsables de la muerte y el descuartizamiento de la víctima. Se trata de tres personas de origen colombiano y con domicilio en Azuqueca de Henares (Madrid).

A los dos primeros también se les imputa un delito contra la salud pública, al haberse intervenido en los registros domiciliarios una considerable cantidad de cocaína.

Gorilla, el tatuador de lápidas, Kakus y Barbala

A Shúrik lo llamaban *Gorilla*.

Gorilla es la manera en que se define el género de la especie *gorila*. Pero a Shúrik tantas sutilezas jamás le habían importado. Era su apodo en el hampa, su alias, su *aka*. Los apodos decían mucho de cada criminal, y él estaba orgulloso del suyo.

Nadie conocía su nombre auténtico, excepto quizás algún policía que no lograba hacerlo coincidir con su identidad actual, con lo cual la información carecía de trascendencia para Shúrik y para la policía. Sin embargo, tenía un gran valor en el mundo de los ladrones de ley. Gorilla era un personaje legendario. La sola mención de su nombre lograba que muchos ladrones bajaran la cabeza en señal de respeto.

El testaferro de la funeraria Paradis Servis, que controlaba Misha, era español, pero jamás había pisado el local. Con lo que Misha le pagaba por no hacer nada probablemente estaría viviendo en Marbella bronceándose la barriga y los pulmones (era un fumador compulsivo, según tenía entendido Shúrik). De modo que, a todos los efectos, era Shúrik el encargado de los servicios funerarios.

Shúrik *Gorilla* conoció la cárcel, sirvió en los servicios secretos rusos y luchó en la Segunda Guerra de Chechenia. En su momento, formó parte del grupo de operaciones de combate que se encargó del asesinato del presidente de Chechenia, Dzhojar Dudáyev. Durante mucho tiempo, Gorilla se dedicó a la «resolución de problemas», y era bueno y eficaz en su trabajo.

La operación de asesinar al presidente checheno fue sofisticada, desde el punto de vista tecnológico. Sustituyeron el teléfono móvil de Dudáyev por uno que contenía un radiotransmisor. El 22 de abril de 1996, Dudáyev y su séquito se encaminaron hacia el distrito de Urús-Martán. Dudáyev siempre se alejaba de los núcleos de población cuando quería hacer una llamada telefónica porque suponía acertadamente que era más fácil que sus enemigos descubrieran su posición cuando se encontraba cerca de una localidad que en mitad del monte. Así que Dudáyev habló largo y tendido por teléfono, en medio de la floresta, hasta que un misil guiado procedente de un avión de asalto ruso SU-24, dirigido a la señal por satélite que emitía su teléfono, reventó a su lado y le abrasó la cara. Su oreja derecha tenía una herida bastante fea. Su mujer y sus acompañantes lo atendieron colocándolo en el asiento trasero de un coche, pero Dudáyev nunca recobró el conocimiento.

Fue una operación espectacular. Gorilla apenas la recordaba, tan remota en el tiempo le parecía, pero en la actualidad, cuando oía hablar de los perros chechenos por uno u otro motivo, una sombra de sonrisa se dibujaba en sus labios, poco propicios a alegrarse con un atisbo de risa. La misma mueca que le brotaba en la boca cada vez que pensaba en los hombres que había asesinado, y luego decapitado, y arrojado sus cadáveres a las turberas del distrito de Yaroslavl, en el Anillo de Oro que rodea Moscú.

La misma Yaroslavl en la que, durante un tiempo, formó parte de una banda que ofrecía trabajo a los propietarios de apartamentos; les prometían trabajo lejos de sus casas. El trabajo era un bien preciado y, por supuesto, los candidatos estaban desesperados por conseguirlo. ¡Qué buenos eran ellos, proporcionando trabajo como grandes patronos capitalistas! Cuando aquellos corderos se encontraban en el lugar apropiado, dispuestos a comenzar sus nuevas tareas, los envenenaban, estrangulaban, tiroteaban o degollaban. Los métodos variaban según los distintos casos, o su humor. La banda tenía todo un menú de métodos a elegir. Metieron muchos cadáveres en bloques de cemento. Otros terminaron en las turberas. Sólo restaba falsificar la documentación, simular que alguien de la banda había comprado las propiedades y luego vender los apartamentos de nuevo. Los beneficios eran extraordinarios. Y la gente imbécil, confiada. ¿Por qué todavía quedaban personas así? Como si no hubieran aprendido nada. La vida enseñaba muchas lecciones. Era necesario aplicarse a buen ritmo con ellas, asimilarlas.

Aquellas cosas... Parecían sueños ahora.

Lo de Dudáyev fue el principio del fin de sus actividades más frenéticas.

Había visto cosas que pocos podrían comprender, y había participado en la mayoría de ellas. Cosas que apenas rondaban ya por su cabeza. Todo quedaba muy lejos, y él era un hombre duro, irrompible, de puro acero ruso. En una cabeza como la suya no cabía la conciencia, que es el óxido del buen metal del alma de un ladrón.

De su pasado aprendió algo. Él sí aprendió. Aprendió que nadie regresa de la muerte. Y que la tortura funciona. Que es una de esas pocas vicisitudes de la vida en las que uno puede confiar. No defrauda, da buen resultado, ofrece garantías, seguridad. Torturar es un método certificado cuando se quiere conseguir una confesión, y una manera excelente de hacer entrar en razón a alguien.

Ahora estaba con Misha; Gorilla se sentía contento. Se acercaba a la cincuentena y prefería sus actividades presentes a las pasadas.

Gorilla, andando el tiempo, había descubierto al artista que siempre llevó consigo. Cultivó el arte de tatuar en las colonias, en los penales rusos. Grabó cruces bautismales, faraones, pequeños ángeles femeninos, águilas y estrellas sobre la piel de muchos camaradas ladrones. Pieles rusas, pieles de primera calidad. Todos en prisión. Cuando un recién llegado le contaba su crimen, le pedía que se lo escribiera sobre la piel, en el memorial de su vida, su biografía traspasando la dermis con una aguja, acompañando el dibujo de la frase adecuada, la que definía el delito, su logro, la última batalla. Mañana vendrían más, y todas se quedarían prendidas para siempre en sus carnes.

También había manipulado algún pellejo georgiano o ucraniano cuando no tuvo más remedio. Pero el tatuaje estaba cayendo en un cierto desuso.

Los ladrones más jóvenes no tenían tanta prisa por acarrear con el mapa indeleble de su vida, y de las muertes en las que estuvieron presentes; dudaban con razón que fuese bueno que sobre su piel se contara claramente la historia de sus hazañas. Existían excepciones, como Barbala, pero lo normal era que las nuevas generaciones se limitaran a algún pequeño dibujo, en partes discretas del cuerpo. Antaño, el tatuaje era obligatorio en las prisiones. No había opción. O se hacía de forma voluntaria, o a la fuerza. Hoy, los tiempos habían cambiado. En Moscú, los jóvenes elegían llevar sobre el suéter la marca Calvin Klein a la altura del pecho antes que unas manos abiertas y un crucifijo incrustados en las capas profundas de la piel del costado. Se sentían más seguros sin una espada sangrienta que delatara el número de asesinatos que habían cometido. Y, además, los perros de la policía de cualquier lugar del planeta ya eran capaces de leerlos con la misma facilidad con que leían los avisos de la Interpol.

Sí, claro que las cosas habían cambiado. No sólo en lo que se refería a los tatuajes. Antes, *na naraj*, estar en la cárcel, entre rejas, era un honor para un ladrón, no una carga. Sin embargo, los más jóvenes rehusaban actualmente el encierro, renegaban de lo que antaño fue una dignidad para sus conciencias, el símbolo de su poder. La estancia en prisión se consideraba ahora una pérdida de tiempo.

Gorilla podía comprenderlo. ¿Quién desea estar encerrado entre un montón de hombres sucios pudiendo morder el aire con los dientes de la libertad en la calle? Tampoco entonces —hacía años, no tantos en realidad— se estilaba tener casas, propiedades. Muchos de los viejos ladrones, como Misha, seguían prefiriendo no adquirir ninguna propiedad a su nombre. Eso facilitaba las cosas cuando se presentaban problemas con la *ment*, la policía. No obstante, muchos de los grandes ladrones en la actualidad poseían mansiones por el mundo entero. Desde Israel hasta Chipre, de España a los Estados Unidos de América. Vivían como millonarios que hubiesen heredado su fortuna, como estrellas del rock con las narices forradas de titanio. No eran cuidadosos. Eso, a Gorilla no le gustaba ni pizca.

Los *baklany* como Kakus, por ejemplo..., esos rufianes se sentían cada vez más ansiosos por acumular las escrituras de sus posesiones a buen recaudo en una caja fuerte, y lo decían a la cara. Sin ir más lejos, en una de las últimas tumbas que había forjado Gorilla, tuvo que esculpir la silueta del Mercedes Benz, con la matrícula claramente definida, del interfecto, además de su cara y su cuerpo, vestido como acostumbraba en vida, con pantalón vaquero, en posición de hacer una llamada a través de un último modelo de teléfono móvil, y mientras señalaba con la mano libre a un televisor de plasma 3D Panasonic.

Fue una casualidad que, junto a Misha, en la funeraria, descubriese su talento para grabar sobre las lápidas de los camaradas ladrones que caían las mismas figuras que un día tatuase en la piel de algunos de ellos.

No consideraba que lo que hacía fuese un trabajo. Un *vor* no trabaja nunca, ni en las peores circunstancias, ni siquiera aunque no tuviese un mendrugo que llevarse a la boca. Si bien, Gorilla tampoco era un *vor* en sentido estricto. No había sido coronado, y nunca lo sería. Su gloria se reducía a su talento ahora. A vivir al lado de los *vory* de verdad, como Misha.

Cumplía muchas de las reglas de los ladrones de ley. Había renegado de su familia. No tenía padres, ni hermanos, ni mujer ni hijos. No los hubiese querido, en ningún caso. ¿Qué habría hecho él con una mujer, pudiendo disponer de todas las putas que quisiera? ¿Unos padres? No recordaba ni el rostro de los suyos, y eso que Gorilla tenía una memoria visual excelente. ¿Hijos? ¿Quién puede ser tan idiota como para criar ratas en su propia cocina?

Sí ayudaba al resto de los ladrones. Callaba, por ejemplo, lo que intuía de peligroso en Barbala, a pesar de no estar al tanto de su vida. Mantenía los secretos de otros ladrones, el de Barbala por ejemplo; encubría los escondrijos de otros, que conocía de sobra. Estaba dispuesto a asumir la culpa de otro si ello le proporcionaba al ladrón tiempo para escapar. Había participado, cuando estuvo en la cárcel, en varias disputas de ladrones, y colaboró en las investigaciones, y en el castigo del que fue declarado culpable. No le tembló el pulso cuando tuvo que matarlo si fue a él a quien encargaron el asunto.

Gorilla nunca apostaba nada que no tuviera y estuviese dispuesto a perder. Ayudaba a Barbala, que era joven, a aprender el negocio. Y, aunque sirvió en el ejército en un momento de su existencia, ya no tenía nada que ver con las autoridades, ni lo tendría en el futuro. Cumplía su palabra, y jamás —jamás— perdía la conciencia por culpa del alcohol. Y eso que era capaz de trasegar kilos. Antaño, de vodka. Hogaño, de ginebra.

Ahora, Gorilla llevaba una vida tranquila, dedicada al arte. Esculpía lápidas, y su vida era plena.

Miró con satisfacción la última de sus creaciones. Un águila sobre una montaña que hablaban de la energía y la libertad que disfrutó el difunto, y la estrella de los ladrones que se descompondría sobre el hombro del muerto, pero cuya copia, mejorada con delicadeza, perduraría en la losa que pronto lo iba a cubrir por toda la eternidad.

La idea de los hornos crematorios había sido de Misha. Llevaban funcionando un par de años. Una operación perfecta, como la del asesinato del gobernante checheno.

A Misha se le ocurrió cuando tuvo una lesión en el codo mientras descuartizaban, él y Gorilla, un cadáver del que tenían que deshacerse.

Misha se puso hecho una fiera porque sufrió una epicondilitis lateral muy dolorosa, de la que tardó meses en recuperarse. Y todo por culpa de aquel fiambre tan engorroso de trocear.

En Arroyo del Tranco encontraron la funeraria ideal, en un sitio único, discreto: un polígono industrial que, con la crisis económica, iba languideciendo por horas y a ojos vista. Cada semana cerraban alguna nave, por lo que los vecinos ni abundaban ni eran molestos. Compraron a un precio muy por encima del valor real del negocio; Misha encontró un testaferro a través de su abogado español, un tipo enjuto y nervioso que se movía como pez en el agua cuando se trataba de buscar gentuza corrupta. Y los hornos solucionaron el problema de deshacerse de los cadáveres. Los cuerpos eran un fastidio porque siempre dejaban restos con los que alguien tropezaba tarde o temprano. Y a menudo los restos mortales formaban un mapa tan claro y nítido como el GPS de un avión espía que llevara sin un titubeo al domicilio del asesino, y por el camino más corto.

Instalar el horno no fue tarea fácil.

Hubieron de superar un montón de requisitos burocráticos que sortearon hábilmente el abogado y el testaferro españoles. Un ingeniero local tuvo que preparar las instalaciones y extender el correspondiente certificado, preparando las conexiones eléctricas (no existió posibilidad de realizar una ensambladura al gas ciudad porque no llegaba a aquella zona), y coordinar el montaje de una grúa y los tubos de escape. Habían colocado también una opción alternativa mediante un tanque de propano líquido, para no tener que dar, llegado el caso, muchas explicaciones sobre unas facturas demasiado abultadas y sospechosas en el recibo de la luz. Debían recalibrar el horno cada quinientas cremaciones, o una vez por año, pero no fue complicado encontrar un técnico que se prestaba a «echarle un ojo» al margen del servicio de mantenimiento contratado con el fabricante de la cámara. Y, en cierta ocasión, cuando hubo una avería en dos de los hornos de un cementerio madrileño, se vieron obligados a colaborar con las autoridades prestando el suyo propio durante unas complicadas semanas que casi los volvieron locos.

Lograron el auxilio de tres españoles experimentados en el manejo de hornos crematorios que se tomaron el trabajo como la oportunidad de hacer horas extra muy bien pagadas. Los otros tres empleados de la funeraria, que Misha había contratado en Moscú, eran especialistas en embalsamamiento, por lo que tampoco habrían podido ayudar. La prueba se superó con éxito, por fortuna, y nunca más fueron requeridos para proporcionar asistencia a las autoridades. De momento.

La funeraria tenía, por así decirlo, dos puertas: por la principal llegaban los ladrones de ley, que recibían un tratamiento exquisito, eran momificados y perfumados por los especialistas de Paradis Servis y obsequiados con un funeral digno de Alejandro Magno. Por la puerta falsa entraban los cadáveres de las mafias —casi nunca rusas, los rusos no mataban en suelo español salvo muy raras y contadas excepciones—, que pagaban unos honorarios astronómicos con tal de lograr que sus víctimas se «evaporasen» de un día para otro. Los colombianos, por ejemplo, eran unos clientes vips.

Gorilla dio un sorbo a su *gin-tonic* y cerró los ojos, con placer. La gente creía que los rusos únicamente bebían vodka, lo cual era un tópico como tantos otros sobre el pueblo ruso. Por su parte, Gorilla ya había bebido vodka suficiente para tres reencarnaciones mientras vivió en Rusia. En Europa descubrió las delicias del *gin-tonic*.

Esperaba a Kakus y Barbala, que lo habían llamado por teléfono para decirle que había tres «paquetes» que necesitaban ser entregados con urgencia.

Ya era noche muy cerrada cuando Gorilla abrió la cancela y las dos puertas de la funeraria, volviendo a cerrar con cuidado a sus espaldas. Se preparó una copa mientras esperaba y aprovechó para revisar su último trabajo, una gigantesca lápida labrada con filigranas que habrían hecho resplandecer la vieja piel del *vor* que sería enterrado debajo. Pensó que debía añadir, en la esquina derecha, un dragón volando sobre un castillo, dado que el ladrón que disfrutaría de la obra maestra de Gorilla había estado en prisión por fraude financiero, un golpe a lo grande.

El negocio no tenía clientes locales. Los españoles huían espantados cuando recibían por fax u oían por teléfono la escandalosa lista de precios de Paradis Servis, y pocos eran los que localizaban el establecimiento dando un paseo, pues se encontraba situada en medio de un laberinto de naves industriales de complicado acceso. Incluso para dar el último adiós a sus seres queridos, preferían un servicio más modesto. Los españoles no sabían morir, ni celebrar pompas fúnebres; formaban un pueblo desdichado, pensó Gorilla, y apuró su copa en vaso largo. Se había servido los hielos del congelador de la sala de embalsamamiento, siempre rebosante de cubitos.

Sus compañeros, Kakus y Barbala, no tardaron en presentarse. Gorilla compartía con ellos un piso en el pueblo. Cuando no tenían nada que hacer, aquellos dos se pasaban los días practicando deporte

—boxeo, pero sobre todo artes marciales como el kárate—, jugando con la Play Station, fornicando con sus novias prostitutas y comiendo y bebiendo. Al contrario que Gorilla, cuyo oficio le absorbía por completo, ambos disponían de mucho tiempo libre. Junto a Misha, todos llevaban una vida tranquila, aburrida y confortable. España no era un mal destino, a pesar de su mezquindad. En España, los negocios de los *vory* eran apacibles, pura rutina financiera la mayoría de ellos.

La Blackberry de Gorilla empezó a zumbar en su bolsillo y su propietario le lanzó una mirada displicente.

Eran ellos.

Salió a abrirles por la puerta trasera. El Infinity de color negro entró con suavidad y elegancia en el enorme almacén que antecedía a las salas de trabajo del recinto.

Una vez que el coche estuvo dentro, Gorilla accionó el mando a distancia y las puertas volvieron a cerrarse soltando unos quejumbrosos chirridos metálicos.

—*Spasibo* —dijo Barbala cuando bajó del automóvil.

Aquel chico daba las gracias a menudo. Era muy joven. A pesar de ello, Gorilla había entrevisto bajo su cuello el tatuaje de una tela de araña. Mal asunto. Gorilla chasqueó la lengua con disgusto. Eso significaba drogadicción. Él nunca lo había sorprendido tomando nada sospechoso en el apartamento que compartían, y por lo general lo notaba sereno. Aunque cualquiera sabía. Además, todo el mundo tenía un pasado.

—Esta noche vamos a contaminar un poco.

—*Da, da*...

Barbala asintió con gesto adusto. Gorilla levantó una ceja, mirando a sus compadres con escepticismo. Pensó que, cuando acabara de manejar los fogones, se serviría otro *gin-tonic* bien cargado. Reparó en que Kakus tenía el rostro lleno de bultos. Se había puesto unas tiritas, pero empezaba a hincharse igual que un bollo de pan en el fogón. Gorilla no hizo ningún comentario.

Poca gente sabía que los hornos crematorios eran muy contaminantes. Pero ¿a quién le importaba la maldita contaminación? Esos comentarios nunca hubiesen salido de la boca de Kakus de haber seguido pisando suelo ruso. Respirar lejos de la madre patria cambia un poco el carácter de los buenos rusos.

Agarraron los cuerpos y los fueron subiendo a unas camillas con ruedas, de uno en uno. Barbala realizó toda la operación con un AK-47 colgado del hombro, sin que pareciese entorpecerle la tarea lo más mínimo.

La cremación debía hacerse «pieza por pieza», no era posible introducir varios cuerpos a la vez en la cámara. Los colombianos, que solían llegar a Paradis Servis de tres en tres —nadie sabía por qué— harían su último viaje en solitario.

Sigrid y Marcos

Al día siguiente, Marcos recogió a Sigrid en la calle San Bernardo, esquina con la de Eduardo Grilo, a las nueve en punto de la mañana.

Como el tráfico era habitualmente intenso y complicado en la zona, ella estaba esperándolo desde hacía diez minutos, preparada para subir al coche del juez en un abrir y cerrar de ojos, de modo que no interrumpieran la circulación.

La mañana se había despertado neblinosa sobre la ciudad. Sigrid llevaba su gabardina bien ajustada sobre el pecho. La temperatura era fresca y vigorizante, aunque también algo desagradable.

—Buenos días. —Dio un portazo cuando entró y se acomodó ágilmente en el asiento delantero, al lado de Marcos—. Cinco minutos de retraso.

—El tráfico de Madrid es una pesadilla. —Marcos la acogió con una sonrisa distraída, puso el intermitente y se incorporó a duras penas de nuevo a la calzada—. Buenos días... ¿Por dónde vamos, se te ocurre un camino fácil?

—Por la Calle 30. Saldremos a la carretera de Burgos y desde allí nos desviaremos a San Sebastián de Los Reyes, o bien entramos por la Avenida de

Manuel Azaña y luego hacia el norte, como tú quieras —respondió Sigrid.

Marcos tenía el pelo un poco húmedo, como si se hubiese duchado y no hubiera tenido tiempo para darse unos toques de aire calentito con el secador.

—Te vas a resfriar, hace un tiempo raro.

—No te preocupes, subirá la temperatura a lo largo del día —respondió él con aire de seguridad.

—¿Y cómo adivinas qué tiempo va a hacer, o es que lo has visto en las noticias?

—Me chupo el dedo y luego lo levanto a ver en qué dirección sopla el viento. Funcionaba en las películas de indios y me resulta útil a mí.

Sigrid no supo si hablaba en broma.

Continuaron un rato en silencio. Sigrid, sin saber por qué, se sentía un poco cohibida aquella mañana en presencia de Marcos. Pensó que, hasta ese mismo instante, había olvidado que aquel hombre era todo un señor juez de la Audiencia Nacional que dirigía una operación en la que ella era tan sólo un pequeño peón, un cebo y no de primera clase. Lo miró conducir por el rabillo del ojo, y su perfil, su presencia, le infundieron un respeto inusitado.

Se removió inquieta en su asiento.

Marcos encendió la radio y fueron escuchando las noticias sin decir nada.

Por fin llegaron a la universidad, pero les costó un buen rato localizar el edificio a pesar de que Marcos llevaba un plano que había sacado de Google Maps.

Cuando encontraron el edificio donde supuestamente se hallaba el despacho de la señora Fannina Fugacheva, parecían al borde de la desesperación.

—Estamos dando más vueltas que un pulpo en un garaje... ¿Pero tú no habías estudiado en la Autónoma? Yo creía que... —preguntó Sigrid, impaciente.

—No, en la Complutense. Te ruego perdones mi falta.

—Oh, disculpa tú, por favor... Cuando me pierdo me pongo un poco nerviosa.

—Yo siempre estoy perdido; si no mantuviera la calma ya me habría lanzado por un precipicio sin querer.

La señora Fugacheva los recibió en su despacho, pequeño pero confortable, con una ventana que dejaba entrar la luz natural a raudales. El sol iba tomando fuerza conforme avanzaba la mañana.

Se hicieron las presentaciones y Sigrid no pudo dejar de sentir una puntada de suave envidia hilvanando su corazón cuando admiró la piel blanca, como esmaltada por un artista, de la mujer que los recibió. Era hermosa, tenía uno de esos rostros que no cabe imaginar demacrados, que aparentan ser indemnes al paso del tiempo. Según sus datos, había cumplido cuarenta y seis años. Nadie lo diría. Se quedó mirando embobada los reflejos rojizos de su pelo al contraluz que propiciaba la ventana, situada a su espalda.

Hablaba un español formal y dotado de cierta gracia. Solamente se podía adivinar su origen ruso cuando, en algunas palabras, arrastraba un segundo más de la cuenta las sílabas. Se mostró agradablemente sorprendida y honrada con la visita del juez, que en ningún momento se hubiera esperado, según confesó.

—Las mafias no son un problema exclusivo de Rusia —les dijo—, son un problema mundial. Una parte muy pequeña de los rusos se dedican a la actividad mafiosa. La mayor parte de la gente de mi pobre patria sigue siendo una masa de esclavos. Víctimas de la historia.

Sigrid se aclaró la garganta.

—Entendemos muy bien que no se trata de un problema exclusivamente ruso, pero nuestra investigación se centra en un hombre nacido en Moscú. Un ruso blanco con una historia delictiva a sus espaldas —dijo, mientras tamborileaba, nerviosa, con su bolígrafo encima de la pierna derecha, que había cruzado y no podía dejar de mover a ratos.

—Tengo un doctorando que ha realizado un excelente trabajo de investigación. Hay una nueva corriente, si podemos llamarla así —continuó la doctora Fugacheva—, de investigadores académicos que están convulsionando el tratamiento académico de algunos temas, especialmente los que se refieren a la delincuencia organizada. Son sociólogos, antropólogos... Tienen, ¿cómo dirían ustedes en español?, ¿agallas?

Marcos asintió con una sonrisita cómplice que a Sigrid le irritó un poco. ¿Serían celos? Inmediatamente desechó la idea con un movimiento de la cabeza que le alborotó el pelo.

—Además de talla intelectual, por supuesto. Algunos de estos investigadores se introducen en ciertos medios del hampa. Practican una suerte de exploración a lo *gonzo*. Trabajo de campo *gonzo*. Ellos son parte esencial de la investigación, y están descubriendo muchas cosas sobre la cultura criminal, sus ambiciones, sus razones, sus orígenes, su jerga... La escuela de Diego Gambetta, el catedrático de Oxford que inició nuevos caminos en la academia con su ensayo *La mafia siciliana, el negocio de la protección privada*... ¿Lo conocen? —Sigrid dijo que no, pero Marcos asintió, complacido—. Es..., es el estilo de Wolfgang Herbert, ¿han oído hablar de él?

En este caso, ambos hicieron un gesto de negación.

—Es un tipo curioso, ese Herbert. Era un licenciado en Filosofía y Teología por la Universidad de Viena. Se hizo niponólogo. Y luego se infiltró en el hampa de Osaka.

«Yo también soy antropóloga —quiso decir Sigrid; le hubiera gustado desviar la atención de Marcos para concentrarla en su persona, si bien no se atrevió a interrumpir—, pero mis trabajos de campo nunca fueron más lejos de hacerles algunas preguntas a los yonquis de la Cañada Real, además de subir al autobús 339, el yonqui-bus que te dejaba al lado. La mayoría de las respuestas eran monosílabos. El autobús me descargaba en la salida de la carretera de Valencia. Cerca de la incineradora. Siempre me acompañaba algún chico, un amigo, un compañero de clase, a regañadientes. No es que no me gustara ir sola, no me daba miedo, era bastante inconsciente por entonces. Pero mi madre y mi tutora de la universidad se empeñaban en que fuese custodiada por un hombre. En el Sector 5 se pillaba la droga. Puedo decir que he visto una de las muchas puertas que debe de haber en el mundo y que conducen directamente al infierno.»

La doctora estaba diciendo algo y Sigrid se dio cuenta de que no prestaba suficiente atención, ensimismada en sus recuerdos de estudiante, de la época en que decidió que sería policía y combatiría el crimen, la injusticia, que lucharía por las víctimas, por los desheredados, gente como aquella que conoció en el poblado. Y eso que la mayoría de los que rondaban por allí estaban incluso espabilados porque sólo se *metían* de vuelta a Madrid, a veces en el mismo autobús 339 para desesperación del pobre conductor...

«Menuda mierda —pensó Sigrid—, menuda mierda hay por todos lados. Cuánta aflicción, cuántas vidas rotas. ¿Qué pasaría si alguien inventara un aparato que fuese capaz de contabilizar todo el dolor que habían sufrido los seres humanos desde que se irguieron sobre sus piernas? Probablemente, la máquina estallaría.»

Recordó que entonces ella era muy joven, muy atrevida.

«Si no hubiese jóvenes —se dijo Sigrid—, el mundo no se movería. Sólo los jóvenes se arriesgan, aún no le tienen apego a la vida y no vacilan en perderla, llegado el caso. Van a la guerra. Luchan por el bien o se afilian al mal organizado. Se dejan arrastrar por la pasión, por la ceguera de la emoción, por las drogas, por lo desconocido, por cualquier causa que les haga sentirse vivos. Qué tontería.»

—Perdone, ¿cómo dice? No la he entendido bien... —Sigrid se excusó débilmente levantando el bolígrafo.

Marcos la miró reprobadoramente, o eso creyó ella. Estaba imponente con su traje oscuro, chaleco y pajarita de lunares. Sólo ahora se daba cuenta. Hacía rato que el pelo se le había secado del todo.

—Decía que las mafias están incrustadas en el tejido social y económico del mundo entero. Incluso influyen electoralmente, como está demostrado que ocurre en ciertos lugares de Italia. Forman alianzas con la clase política corrupta, a la que quitan y ponen según les convenga. En algunos países de Europa, uno de los cuales es sin duda España, con el apoyo de políticos y administraciones locales, han concedido licitaciones de obras públicas a sus empresas de blanqueo de dinero. —La doctora se acomodó en su espartano asiento de oficina, sus labios brillaban como dos trozos de melocotón en almíbar. Sigrid se sentía fascinada por su apariencia física—. Por no hablar de que son seguramente los mayores especuladores inmobiliarios de la costa, como ha demostrado, o demostrará cuando se lea, la tesis de mi doctorando.

Sigrid pensó en la información que tenía sobre algunas de las empresas que se relacionaban, aún sin pruebas, con Iván Astrov, el tipo que suponían deambulaba, o quizás vivía, en la casa vecina a la de la viuda Hergueta.

—Las mafias del Este no tienen la misma estructura que las italianas, la Cosa Nostra, la Camorra, la 'Ndrangheta... Con un jefe absoluto y absolutista, un *capo di capi*, un consejo de administración formado por los jefes de los principales clanes y en último lugar los capos de cada pueblo... No. Digamos que su estructura es menos vertical que horizontal. Probable herencia soviética. —Sigrid asintió; a ese asunto ya le había dado ella unas cuantas vueltas; creyó notar un punto de disgusto en la voz de la profesora—. Aunque, como en todas las demás organizaciones mafiosas, cuando un jefe desaparece... —hizo una pausa que llenó de dramatismo sirviéndose únicamente de su hirviente mirada—, me refiero a que desaparece físicamente, bueno, pues cuando uno falla enseguida sube otro para arriba y ocupa su puesto. La abeja reina, en estos casos, es republicana y amiga del pueblo. El escalafón no es una escalera empinada sino un camino recto, lleno de dragones, eso sí, que se puede recorrer plácidamente a hachazo limpio, si se posee bastante sangre fría. Y hay abundancia de eso en las mafias del Este.

Sigrid y Marcos asintieron, al unísono.

—Por cierto —concluyó la mujer, poniéndose en pie—, gracias por no hablar de «mafias rusas» como suele hacer la gente por culpa de la prensa mal informada, ya saben... A los rusos nos produce náuseas que se confunda a un delincuente georgiano, a un checheno o un armenio con un ruso, por poner un ejemplo. No todos los rusos que vivimos en España nos dedicamos al crimen organizado. Algunos, incluso, hacemos lo posible por comprender el fenómeno y acabar con él.

—Nosotros somos cuidadosos en eso. O procuramos serlo —apuntó Sigrid—. La policía intenta tener tacto en este asunto.

—Les he preparado un pequeño dossier donde podrán encontrar algunas de las más jugosas conclusiones a las que está llegando mi doctorando en su investigación —la doctora le tendió una carpeta a Marcos, obviando a Sigrid—. Espero que les sea de utilidad.

Abandonaron el recinto universitario en busca del coche, aparcado a unas cuantas calles de allí. Sigrid parecía de muy mal humor.

Marcos trató, sin resultado, de entablar conversación con ella.

—¿Se puede saber qué te pasa?

—¿Por qué mirabas a esa mujer de *esa* manera? —preguntó Sigrid a su vez.

—¿Esa mujer? ¿Esa manera?... —Marcos arrugó el ceño, volvió la cabeza, miró a Sigrid un instante y luego sonrió—. ¡Madre mía, pero si estás celosa! ¿Cuánto hace que nos conocemos, oficial Azadoras? No, no digas nada. Te invito a comer en mi casa. Luego iremos a echar un vistazo al chalet de la viuda Hergueta. Te presentaré a mi madre —y estalló en una sonora carcajada.

Sacó un teléfono móvil del bolsillo interior de su chaqueta, llamó a su madre y le dijo que serían uno más a la mesa.

Sigrid se sintió abochornada y se hizo la muda durante un buen rato.

Marcos y Sigrid no volvieron a Madrid, siguieron hacia el norte por la carretera de Burgos hasta llegar a Arroyo del Tranco. Marcos recorrió la rotonda, frente a un pequeño centro comercial, y enfiló hacia su calle.

Su madre salió de la casa cuando oyó ponerse en marcha el portón automático de la cancela. Se había vestido con un juvenil cárdigan beis de Mishumo que había comprado en un *outlet* por Internet, y unos pantalones negros de punto que no tenían cinturón, sino goma elástica, que se había confeccionado ella misma. Marcos pensó que seguramente quería parecer moderna ante su visita.

Miró sorprendida a Sigrid durante un instante. Seguramente lo último que esperaba era a una policía mulata para comer. Luego se acercó a ellos dando pasos ágiles y rápidos.

—Adivina quién viene a comer esta tarde —bromeó el juez dándole un beso a su madre. Luego hizo las presentaciones oportunas.

Doña Luisa le rogó a Sigrid que la tutease y ésta entró en la casa precedida por una anfitriona que no dejaba de disculparse por un desorden doméstico inexistente.

Hablaron sobre la viuda y Sigrid propuso echar un vistazo a su casa, en vista de que madre e hijo guardaban un juego de llaves.

—¿Todavía no habéis ido por la casa? Tú eres juez, hijo, podrías haber firmado tu propia orden de registro... —bromeó patosamente doña Luisa.

Sigrid estaba tensa. La presencia de Marcos la inquietaba. Una de las amigas de su grupo del colegio, que todavía conservaba y con las que se veía a menudo, Pilar, de haber estado allí le habría susurrado al oído «Tú lo que necesitas es un buen polvo, so mojigata».

—Sí, pasé por allí esta mañana temprano, antes de salir hacia Madrid. Y por cierto que no tuve necesidad de firmar ninguna orden para autorizarme a mí mismo la entrada. La propietaria de la casa es una amiga muy querida de mi madre, y mía también, oficial Azadoras, así que hay confianza... —El tratamiento formal, *oficial Azadoras*, aún dicho con ironía, hizo que Sigrid diera un respingo—. La puerta estaba bien cerrada, y dentro todo parecía en orden, aunque la cerradura no estaba echada con dos vueltas. Me dio la impresión de que la dueña de la casa había salido un momento, pensando que no tardaría en volver, y que quizás por eso no se molestó más que en tirar de la puerta.

—Ajá.

—María Jesús nunca se habría ido a pasar varios días fuera sin asegurarse de que la puerta estaba bien cerrada —corroboró doña Luisa—. La conozco lo suficiente. No, no lo habría hecho.

—Además —añadió Marcos—, las persianas del salón estaban abiertas, me refiero a esas correderas que se bajan y se suben tirando de una cinta.

—No es su estilo, no es el estilo de mi amiga María Jesús. La vejez, querida, nos vuelve a todos precavidos y temerosos. Si nos vamos de casa, aunque sea por un día, la cerramos a cal y canto.

Decidieron que irían a echar un vistazo antes del almuerzo.

Doña Luisa no los acompañó. Estaba vigilando la comida. Por descontado, esperaba que Sigrid los acompañase a almorzar, tal como le había prometido su hijo.

Marcos aparcó a un par de calles de distancia, por precaución, y recorrieron el trecho restante a pie.

Sigrid oteó la casa vecina, pero todo estaba calmo y en silencio en el chalet de al lado.

El juez abrió la verja de entrada y se escabulleron hacia el domicilio de la viuda.

—Por fortuna tiene conectado un riego automático para el jardín. Todavía hace bastante calor como para que las plantas se resientan por la falta de agua —dijo mientras cerraba la puerta a sus espaldas.

—No me digas que te interesa la jardinería...

—Adoro la belleza de las flores —dijo Marcos, y le guiñó un ojo.

Sigrid inspeccionó la vivienda, pero no encontró nada digno de tenerse en cuenta. Estaba limpia y ordenada, incluso olía bien gracias a una colección de ambientadores distribuidos por la mayoría de las estancias.

—¿Tiene asistenta la viuda?

—No, lo hace todo ella sola. Dice que si no se anquilosaría. Como no va al gimnasio...

Marcos le mostró algunas fotos de la mujer, rodeada de sus gatos.

—Los gatos desaparecieron sin dejar rastro, igual que su dueña. —Marcos sostenía una fotografía enmarcada en resina de colores—. Me pregunto cómo y por qué pueden esfumarse un montón de gatos. Si te soy sincero, eso me intriga mucho más que la evaporación, por decirlo así, de la viuda...

Salieron de allí al cabo de una media hora, después de que Sigrid se asomara a todas las ventanas y comprobara los distintos ángulos que ofrecían alguna perspectiva de la casa contigua. Prefirió no salir al jardín. No quería que la viesen los vecinos. De momento. Como no tenía una orden judicial, y había entrado en calidad de amiga de un vecino, por mucho que el vecino fuese juez, decidió no demorar la visita y salir rápidamente. Hablaría con el jefe de grupo para que tramitase una orden. La Policía Judicial podía encargarse de realizar un discreto examen de la casa aunque, por lo que ella creía, no había mucho que ver allí dentro.

Cuando regresaron, doña Luisa ya tenía la comida preparada y la mesa puesta.

Terminaron de almorzar y se sentaron en el salón para tomar un té.

Sigrid ocupó el mismo sitio donde, días antes, se había situado la viuda mientras les contaba a la madre y al hijo sus recelos.

Marcos

A comienzos de noviembre, la temperatura fue bajando gradualmente. Doña Luisa, a requerimiento de su hijo pero no muy convencida, accedió a poner la calefacción «un ratito» por las tardes.

Marcos, en una de sus pocas noches ligeras de papeleo pendiente, sacó un rato para pensar mientras saboreaba una copa al lado de la chimenea. La leña estaba seca, era del invierno pasado y se consumía con rapidez, como si llevara un año ansiando arder de una vez.

Le hacía gracia que su madre lo tratase de «escritor». ¡Qué tontería, escritor él!

Se sirvió otra copa y de repente se puso serio. Joder, ¿y por qué no? ¿Por qué no podía escribir? Había podido con ese tocho infumable, resultado de hacer legible una vieja tesis doctoral, ¿qué le impedía intentarlo con algo más ligero?

Sí, pero no tenía demasiado tiempo libre. Tendría que sacar horas de donde fuera, quitándoselas del sueño, de su rato para cenar, de sus obligaciones sociales...

No. Pero sí.

La idea le gustaba. Le gustaba mucho.

Podría escribir una novela. ¿Quedaría gente que aún leyera y comprara libros? Bueno, él lo hacía. Quizás hubiese unos cuantos más como él por ahí fuera.

Se encaminaban paso a paso al invierno, y Marcos tomó unas cuantas notas sobre el caso de la viuda Hergueta, que se había cruzado irremisiblemente con el de la investigación abierta en la Audiencia.

Cuando terminó, cerró el cuaderno y dio un trago a su bebida.

La policía, de acuerdo con su criterio y aprovechando que no habían tenido noticias de familiares demasiado próximos a la viuda Hergueta que reclamasen atención sobre su misteriosa desaparición, había decidido no hacer publicidad de su caso para poder investigar sin levantar sospechas ni tener encima a la prensa (nunca se sabía cuándo un suceso iba a despertar el morbo y atraer la molesta atención de los medios).

Esa noche, mientras volvía a abrir el cuaderno y revisaba sus notas por enésima vez, se dio cuenta de que lo que guardaba escrito casi parecía un relato, tal vez una novela.

Por un momento se sintió como Pedro IV *el Ceremonioso*, dando cuenta de los sucesos de su tiempo. Y un minuto más tarde se dijo a sí mismo que se asemejaba más a un crecidito Tom Sawyer que continuara viviendo con su tía Polly. Su madre, en este caso. Entonces se preguntó si Sigrid, esa oficial de policía con la que nunca se había relacionado de acuerdo con el protocolo, podría ser su Becky, una Rebecca Thatcher del Caribe, en vez de una niña de las orillas del río Misisipi...

Sonrió, satisfecho. Pero el malestar que le causaba la desaparición de la viuda Hergueta le impidió deleitarse en sus pensamientos. ¡Y pensar que apenas si le había hecho caso cuando le contó, pesarosa y atribulada, lo de los gatos!... ¡Y pensar que incluso se enfadó un poco con su madre por comprometerlo con su amiga sin consultarle antes!...

¿Dónde se habrían metido, aquella mujer y sus gatitos?

No era fácil esconder a una viuda rebelde, acostumbrada a hacer su santa voluntad. Tampoco a un montón de gatos mimados.

Miró por la ventana de la habitación el trozo de cielo enmarcado en el cristal.

«¿Dónde estás, María Jesús, dónde te has metido?...»

Al día siguiente, sentado en el sillón de su despacho, leyó con detenimiento el último manojo de folios que su secretaria imprimió esa misma mañana, relativos al proceso en curso.

Los delitos de las mafias del Este variaban según la nacionalidad de los delincuentes. No resultaba sorprendente comprobar que, en suelo español, casi todos eran infracciones económicas. Si bien, cuando cometían delitos de sangre, solían ser espeluznantes.

Repasó los detalles de una red rumana que se dedicaba a estafar a clientes de banca electrónica. La Guardia Civil había procedido a la detención de diez personas de origen rumano, cinco de ellas en Fuenlabrada, que integraban una red organizada dedicada a capturar datos bancarios y contraseñas a través de Internet (*phishing*) y que habrían cometido ochenta fraudes en veinticinco provincias españolas. Estafaron 60.000 euros.

Estudió la operación Jarabo, llevada a cabo en Madrid, Cuenca y Girona, que comenzó en septiembre de 2007 cuando la Guardia Civil recibió varias denuncias por el robo de cartillas de ahorro, a través de la cuales se habían realizado transferencias fraudulentas. La organización, estructurada jerárquicamente, conseguía direcciones de las cuentas de correo electrónico de sus víctimas para enviarles e-mails masivos, utilizando para ello falsas páginas web de entidades bancarias. Simulaban pertenecer a dichas entidades y solicitaban mediante *spam* —esos molestos envíos masivos de correos electrónicos— las claves de sus cuentas bancarias. Y, por increíble que pudiera parecer, mucha gente les proporcionaba los datos que solicitaban. La mansedumbre y la docilidad de algunos ciudadanos no dejaban de sorprender a Marcos a pesar de —o precisamente por— todas las cosas que llevaba vistas en los juzgados en sus diecisiete años de carrera como juez.

Una vez conseguidos estos datos, que eran redireccionados a las páginas web creadas por la organización, operaban mediante banca electrónica, desviando el dinero obtenido a cuentas de ahorro de diversas entidades que habían sido abiertas por personas captadas por la red, generalmente de origen rumano.

Estos colaboradores, denominados *mulas*, entregaban a la banda las cuentas, las cartillas y las tarjetas de crédito que las entidades les daban. Con ello, los estafadores se apoderaban del dinero ingresado por sus víctimas y lo enviaban a Rumania mediante envíos de correo.

Un negocio redondo.

Un delito menos habitual, o eso parecía, era la compraventa de bebés. Según el informe policial que leyó Marcos, 200 parejas habían pagado a la *mafia rusa* por adoptar. La policía estimaba que cada una abonó 56.000 euros por bebé. Desarticularon, hacía un par de años, una red dedicada a la adopción ilegal de niños en Rusia, cuyos servicios abonaron unas 200 parejas españolas. Las parejas optaron por no seguir los rígidos trámites de adopción y pagaron a la trama 56.000 euros, cuatro veces más de lo estipulado en un proceso legal. Tal importe incluía, además de la tramitación de documentos, los gastos de viaje y el alojamiento de las parejas.

—¡Bebés! Cielo santo... —Marcos, a pesar de que no tenía hijos ni sobrinos, era tan sensible como el que más con respecto a los derechos de la infancia. Normalmente, ni siquiera reparaba en que había críos en el mundo hasta que se tropezaba con casos como éste.

La noticia se difundió en los medios de comunicación. Fue distribuida por Europa Press y recogida por algunos diarios como *El País*; sin embargo no tuvo apenas repercusión.

Un caso que sí conmocionó a la opinión pública no hacía mucho, pues la víctima era un personaje muy conocido, productor de televisión desde hacía décadas, le llamó la atención al juez.

La secretaria había añadido al correspondiente informe policial un recorte de periódico. Según *ABC*, informaban P. Muñoz y C. Morcillo, A. B., el jefe de la banda que desvalijó la mansión del empresario español JLFM en diciembre de 2007, había sido detenido en la ciudad albanesa de Lac por la Unidad Especial de Policía de ese país. Durante el arresto estuvieron presentes dos capitanes de la Guardia Civil que se habían desplazado a la ciudad en cumplimiento de una comisión rogatoria internacional. La Guardia Civil, tras un laborioso seguimiento, fue la responsable de su localización. Pero B. quedó libre de salir corriendo tras un auto de libertad de un juez de Alcobendas por un delito de robo en grado de tentativa.

Marcos recordaba el caso perfectamente.

Fue un episodio de descoordinación policial y judicial que aún se investigaba y que provocó alarma social.

El delincuente albanés tenía en su poder una pistola cuando fue capturado en Lac, su localidad natal, y durante los registros de varias viviendas los agentes hallaron un reloj marca Breitling que podría proceder del robo del chalé de JLFM. La Policía albanesa le buscaba asimismo por el asesinato de dos agentes de ese país, donde tenía pendientes, además, dos años de condena por otro delito.

Marcos pensó que se daban muchos casos, quizás demasiados, de «descoordinación» policial, o errores judiciales, siempre favorables a los mafiosos. Y como parte viva del poder judicial, sentía que esas cosas le ofendían y le indignaban a partes iguales.

Leyó otro recorte que le llamó la atención, con una información procedente de Sofía, Bulgaria, firmada por Rafael Alvarado, en la que se daba cuenta de una operación contra los mafiosos búlgaros. El artículo era interesante y apuntaba, desde otro país, a la ineficacia policial, esta vez escandalosa:

El pasado 17 de diciembre, la Policía detuvo a 25 personas; unos días más tarde, otros cinco fueron arrestados. Fue la mayor redada de los últimos tiempos, en un país que tiene la reputación de contar con la mayor criminalidad y corrupción de la Unión Europea. Las acusaciones, muchas irrefutables, van desde los secuestros en que se exigen rescates millonarios hasta muy diversa clase de delitos. Así concluía con éxito la operación policial *Naglite* («Los insolentes»), nombre que recibió por el desparpajo con que actúan en Bulgaria los delincuentes que se consideran intocables. Y es que, pese a los sucesivos informes de Interpol y de la Comisión Europea, la ineficacia policial y judicial de Bulgaria es apabullante. Desde la llegada de la democracia, a finales de 1989, sólo un jefe de un sindicato del crimen búlgaro ha sido sentenciado. En el caso de la corrupción en los niveles altos del Estado, la cifra de juicios con condena final es nula. «Los delincuentes actúan impunemente, saben que no hay ninguna autoridad y falta la voluntad política para combatir el crimen organizado. Vivimos en el país de la impunidad», declara a *ABC* el catedrático Nikolai Slatinski, experto en seguridad nacional. En menor o mayor medida, esta opinión es compartida por muchos búlgaros; el país vive en estado de permanente estrés: atracos a mano armada, secuestros, asaltos a bancos y supermercados, cajas fuertes privadas forzadas en establecimientos públicos, ajuste de cuentas entre bandas armadas en pleno día y en lugares céntricos... Las raíces del crimen organizado hay que buscarlas en el derrumbe del comunismo en 1990. Miles de agentes secretos y deportistas, en especial de lucha y artes marciales, se quedaron en la calle. Durante el periodo de embargo de la ONU a la ex Yugoslavia, muchos de ellos lograron hacer fortuna con el contrabando y consolidaron sus redes mafiosas. Bulgaria tuvo que modificar muchas leyes en su proceso de integración a la UE, aunque le quedan todavía temas pendientes, entre ellos el Código Penal. «Bulgaria necesita cambiar la filosofía de su política penal», apunta el fiscal general de Sofía, Nikolai Kokinov, explicando que, en cerca de dos terceras partes de los delitos contemplados en éste, la responsabilidad penal se reduce al mínimo o simplemente se sanciona con multa. No menos inquietante para Bulgaria son los atracos en las autopistas en que falsos coches patrulla ocupados por delincuentes con uniformes policiales se hacen pasar por Policía Antidroga, atemorizan a los conductores, por lo general extranjeros, los obligan a salir del vehículo, y les sustraen el dinero, dejándolos esposados a algún árbol tras haber incendiado su coche. Son bandas de 3 o 4 personas, armadas con kalashnikov, que suelen recibir información de los puntos fronterizos y en determinados tramos de las carreteras E80 y E85 aguardan a los vehículos en tránsito de Europa Occidental hacia Turquía. La corrupción deteriora enormemente la imagen del país, pero el crimen organizado es otro azote que agobia a la sociedad, que, en su gran mayoría, malvive por las pésimas condiciones económicas y el paro.

—Qué curioso —pensó el juez mientras se quitaba las gafas y se pasaba una mano por las sienes—. Los nuevos países comunitarios deberían contagiarse de los «buenos modos» de los socios fundadores de la Unión Europea, pero parece que es al revés.

La viuda Hergueta, Mariya, Polina y Misha

Mariya decidió que, puesto que la viuda Hergueta había visto los cadáveres del garaje, no era conveniente devolverla a su casa como si nada. No podían soltarla. Y ella, desde luego, no estaba dispuesta a dejar que la asesinaran. La conocía de vista. Habían intercambiado algún saludo frío, siempre a distancia, y siempre gestual, sin palabras que Mariya tampoco habría sabido pronunciar. Era la vecina. No le resultaba especialmente simpática. Tenía aspecto de fisgona y de arrogante. Pero no consentiría jamás que nadie la matara. No mientras estuviera bajo su cuidado.

—¿Qué hacemos con ella entonces? —Misha la miró con sus ojos ligeramente irritados. El disgusto le picaba en la garganta como una avispa asustada.

—La sentaremos en ese sillón de cuero marrón que hay en el salón. Nadie lo usa. ¡Es bonito y nadie lo usa! Lo pondremos en la cocina. Así me hará compañía cuando Polina no esté. —Observó a la viuda, a la que habían amordazado y que empezaba a recobrar el conocimiento—. Le podemos dejar la boca tapada. Átale las manos delante del cuerpo. A su edad no puede hacer grandes esfuerzos. No se escapará. No se escapará, Misha. Será buena. Será como un canario. Compañía para mí. Tiene mi edad, le contaré cosas. Ella será mi pajarito. Las comprenderá. Le hablaré mientras guiso. Seremos felices.

Misha se rascó la barriga.

Estaba preocupado, pero tenía otras cosas en las que pensar. Debía tomar un avión rumbo a Dubái al cabo de pocas horas.

No podía faltar a la reunión.

Iba a asistir a la coronación de un gran *vor*. *Podjod*. Investidura importante. Ceremonia por todo lo alto. Si no llegase a tiempo, tendría muchas cosas que explicar.

—Polina y yo la cambiaremos de ropa y la llevaremos al baño —sonrió y sus dientes un poco torcidos asomaron por entre unos labios resecos—. ¡Polina! ¡Trae alguna de mis blusas! Las nuevas. Las que compramos en..., ¿cómo se llama ese sitio?

Polina, que miraba pasmada la escena, dio un respingo y se puso inmediatamente en marcha. Se escabulló hacia el dormitorio de Mariya.

—Nos ocuparemos de ella, Misha. Ningún problema.

—¿No crees que nos traerá complicaciones tenerla aquí? La buscarán. La policía, cuando sepa que ha desaparecido, vendrá a preguntar a los vecinos. Será lo primero que haga. Yo no quiero problemas con la policía española. Estoy aquí por negocios, nada más. No quiero sangre, no quiero crimen. *Lo quiero todo limpio* —dijo en español—. ¿Me entiendes?

—Danos un poco de tiempo, Misha. Yo sabré qué hacer.

Misha se dejó llevar por la confianza ciega que tenía en Mariya, y no le dio más vueltas a la cuestión. Debía hacer el equipaje si quería llegar a tiempo al aeropuerto. Llamó por teléfono a Barbala y le señaló la hora en que tendrían que recogerlo para llevarlo a Barajas.

Polina entró en la cocina —donde la viuda permanecía semiinconsciente y amordazada, tirada en el suelo—, con un par de blusas y un suéter en las manos. Miró, interrogativa, a Mariya.

—*Eto svietlo-siéroye mnie nrávitsia...* El gris claro me gusta... —Mariya sonrió de felicidad—. Vete, Misha, no llegues tarde a tus negocios.

El hombre las observó unos segundos, serio y pensativo, antes de marcharse sin decir adiós.

Marcos

Marcos estaba en casa, en Arroyo del Tranco, y dio un brinco en su sillón cuando se enteró por un informe policial de que los tentáculos de las mafias podían tocar y ensuciar incluso... ¡al fútbol!

—¡Qué vergüenza! ¡¿Es que ya no queda nada sagrado en el mundo?!... —dijo en voz alta, para sí mismo, y luego movió la cabeza con pesar, de veras acongojado, entretanto leía sin dar crédito:

El presidente del F. C. Deportivo X ha hecho negocios con la hija del presidente del régimen de Uzbekistán y uno de los peores tiranos del mundo, donde existen la tortura, el esclavismo y la explotación infantil. I. K., líder que decidió perpetuarse en el cargo de soberano en el poder uzbeco desde que llegó a lo más alto en 1990, ha extendido su poder por varias ramas de la economía mundial, siendo una de ellas el fútbol. El régimen que preside es considerado por las principales organizaciones internacionales de derechos humanos como uno de los peores del mundo. Más allá de la tortura, el asesinato y la intimidación como herramientas institucionales de persuasión con el fin de perpetuarse en el cargo. El presidente del club futbolístico español parece que no ha tomado en cuenta este hecho a la hora de firmar acuerdos millonarios en nombre del F. C. X con G. K., la hija del tirano. El club, patrocinado por la agencia de Naciones Unidas para la defensa de los niños (Unicef), selló un acuerdo de hermandad con el Bunyodkor en una visita del presidente del club a Tashkent en agosto de 2008.

—Madre mía...

Se levantó y fue hacia la cocina. Se preparó un té. Dándose cuenta de que en realidad no le apetecía, lo dejó sobre la encimera. Quizás lo tomara más tarde. (Siempre decía lo mismo, y el té siempre terminaba en el fregadero...) Su madre consideraba la costumbre muy irritante.

Había leído cientos de ensayos sobre la Unión Soviética y Rusia. Quizás debido a sus genes polacos, sentía «la llamada del Este» como nadie. Y cuanto más sabía, menos comprendía.

¿Qué había sucedido después de la caída del Muro de Berlín? ¿Era el mundo más libre, o más esclavo?

Regresó al salón, un poco destemplado a aquellas horas. Tendría que encender la chimenea, pero no le apetecía mancharse las manos con la leña.

Hizo una llamada de teléfono y volvió a enfrascarse en la lectura de sus documentos.

Uno de sus amigos de infancia lo había puesto en contacto con un chaval, Rodrigo, *experto* en informática (lo que Marcos intuía que era un eufemismo para ocultar sus habilidades de *hacker*), que sólo necesitó unas horas para enviarle al juez una interesante colección de noticias relacionadas con las mafias.

Había hablado con el chico muchas veces, sobre todo un par de años antes, cuando llevó la investigación sobre otra mafia rusa —una operación de la que no se sentía del todo satisfecho—; incluso se habían visto personalmente en un par de ocasiones, hacía meses. Ya se habían convertido en *colegas*.

Sonrió al recordar su cara granujienta de niñato, que veía en la pantalla del ordenador cuando hablaba con él a través del programa Skype.

Buscó el informe de Rodrigo y revisó las páginas por enésima vez.

Leyó dos veces seguidas unas frases que Rodrigo había sacado de algún blog anónimo, abandonado hacía tiempo, pues no se encontraba la fuente por ningún lado. Las informaciones sobre las mafias del Este, si no provenían de periódicos —y no siempre eran fiables si estaban redactadas con demasiada prisa—, cuando salían de la mano de algún particular, eran anónimas, discretas. Sus autores tiraban la piedra y escondían la mano. Nadie daba la cara. La gente se ocultaba. A causa del miedo, ese gran calmante de rebeldías, justicias y conciencias.

El juez repasó las palabras con mucho cuidado, la noticia era vieja, pero resultaba interesante: «En menos de una década desde el final de la guerra fría han aparecido en Rusia unos ocho mil grupos criminales compuestos por más de ciento veinte mil miembros y que generan un volumen de empleo, directo o indirecto, de casi tres millones de personas, gestionados con una impresionante habilidad empresarial, sin duda la más grande de la Rusia actual. Administran directamente unas cincuenta mil empresas y

435

extorsionan al resto. Controlan el ochenta por ciento del sistema financiero, actúan como depredadores sobre los bienes del Estado y generan aproximadamente el cuarenta por ciento del PIB en Rusia. Su extenso control del aparato del Estado les permite ejercer una nueva forma de autoritarismo que ha sustituido simbióticamente a la omnipresencia de la dictadura soviética. Poseen, mediante la extorsión y la corrupción generalizada, acceso directo y permanente a los materiales nucleares y a las tecnologías necesarias para convertirlas en armas de destrucción masiva...».

Soltó un silbido involuntario; ¿debería tomar aquellas palabras al pie de la letra, o echarlas a beneficio de inventario, achacándolas a la teoría de la conspiración, tan de moda?...

«Los brazos de la mafia son largos, y de hierro», pensó Marcos. Llegaban a los rincones más increíbles y potentes de la economía, incluido el negocio del petróleo. Los mafiosos poseían sus buenas acciones en las sociedades petrolíferas rusas, si había que creer las investigaciones policiales efectuadas en España contra ella, y la documentación que constaba en los correspondientes sumarios judiciales.

Así, no era raro que muchos rusos asentados en España, como la profesora con la que Sigrid y él habían hablado, que se ganaban la vida honradamente, se quejaran de la mala fama que tenían. Rusia se asociaba inconscientemente a los conceptos «nieve, KGB, comunismo y mafia». Incluso el nombre de un ex presidente ruso aparecía relacionado de manera sospechosamente habitual con las redes mafiosas que caían en España y el resto de Europa. Según Molina Saz, su fiscal, porque el ex dirigente estaba implicado hasta las trancas en el negocio del crimen organizado.

Abrió el ordenador y se conectó a Skype. Por lo que había aprendido, Skype era un medio de comunicación mucho más seguro que el teléfono, tanto fijo como móvil. Algo que sabían perfectamente los delincuentes, siempre a la vanguardia tecnológica del mundo. Era sencillo y barato intervenir un teléfono, pero no ocurría lo mismo con Skype, que además resultaba gratis para el usuario; bastaba con disponer de una línea ADSL.

Miró los iconos de sus números agregados y comprobó con satisfacción que Rodrigo estaba disponible. Eso si no tenía el ordenador abierto y conectado mientras zascandileaba por ahí, o dormitaba con la boca abierta sobre su cama revuelta. Pinchó el icono verde, un teléfono dibujado en el centro de un pequeño círculo, y oyó cómo sonaba. Al tercer timbrazo, la cara del jovenzuelo se materializó en el recuadro. Marcos amplió la imagen a pantalla completa y hasta pudo ver los últimos granos del pertinaz acné del muchacho como manchas rojizas de irritación sobre su piel fresca y sonrosada. Tenía buen color a pesar de llevar el mismo horario que un vampiro.

—¡Colega!, ¿qué te cuentas? —Rodrigo se acercó tanto a la pantalla que Marcos tuvo la impresión de que intentaba comérsela—. ¿Arreglando el mundo allí, en la Audiencia Nacional, donde sólo los superhéroes tienen garantizada la entrada? ¿Qué hay, superjuez, macho? Qué honor para mí hablar con un Master del Universo.

—Hola, campeón. Retírate un poquito de la *web-cam* de tu ordenador, que te veo borroso. Me hacen los ojos chiribitas...

—Eso es por la edad, jefe... Los años no perdonan. Sólo las hipotecas agradecen el tiempo transcurrido, como dice mi progenitor masculino.

—¿Qué tal estás? Veo que tu acné también te gratifica a su manera por el paso del tiempo.

—Ah, bah... Esto es provisional, ya sabes. Mi madre me ha pedido hora en un local muy fino y me harán un tratamiento láser. En un par de meses tendré mejor cutis que la hija de Madonna. Yo le dije que prefería que me extendiera un cheque por el importe del proceso. Pero se ha negado. Ya sabes cómo son las mujeres. Y mi madre, además, es muy pesetera con los euros.

Estuvieron charlando un rato de naderías, e intercambiando bromas, hasta que ambos dieron notables muestras de cansancio.

—¿Tienes novia? —quiso saber Marcos.

—No, ¿y tú?

—Le he echado el ojo a una chica, pero cualquiera sabe... Comprendo que un viejo juez cuarentón como yo no es el mejor partido con el que una joven casadera puede soñar.

—Tío, no te quejes. Tienes la paga asegurada, además del odio eterno de unos cuantos cacos que parecen personajes de una peli de Tarantino. O sea, que tienes pasta y tu vida es emocionante. ¿Qué más puedes pedir? ¿Está buena ella?

—Yo diría que sí.

—¿Me mandas una foto?

Marcos le envió una instantánea de Sigrid a través de la línea. La había sacado de su ficha de usuario dc correo electrónico y la guardaba en el escritorio, donde la miraba de cuando en cuando.

Un segundo después de mandarla se arrepintió. Aquel pelanas del cibermundo era muy capaz de colgarla en alguna página de contactos eróticos. Le advirtió que no se atreviera a hacer tal cosa o lo procesaría en el acto.

—Abusando de tu autoridad, como de costumbre, macho... Comprendo que no quieras que nadie más mire a esta pibita. Está que cruje.

Lo dijo a pesar de que en la foto ni siquiera se apreciaba muy bien el rostro de Sigrid, ni el limpio color verde de sus ojos, que a la luz del día parecían tintados con un espray de silicona de colores.

En cuanto la abrió y pudo verla, Rodrigo puso los ojos en blanco.

—¿Te has ido a Cuba a buscar novia? ¿Vas a hacer la revolución o qué, compañero?

—No es cubana. Es de aquí de toda la vida. Madrileña.

—¡Fiuuu!... Preséntamela. Iré a Madrid. Si tú la decepcionas, como no puede ser de otro modo, siempre podrá contar conmigo para que la consuele.

—Ya. Si te lo crees te ahogas, mico.

—¡Lo digo de verdad! Las mujeres de hoy día buscan jóvenes maduros como yo, sin tantos complejos como los de tu edad. Soy un *power point* de lo más seductor. ¿Me captas? Conmigo tendría una *story* de cine.

—Anda, corta el rollo.

—Bueno, pues dale mi número de teléfono. ¿Está en Facebook? Puedo buscarla si me dices cómo se llama. Tengo tres personalidades falsas a cuál más atractiva e interesante. Mis *postings* arden en la red, soy el amo del calabozo. Con alguna de las tres identidades, seguro que cae rendida. Clic, clic, y ya es mía.

—Eres un don Juan de pocos bits. Y ella una doña Inés de muchos megas... —«Si me oyeran hablar algunos de los funcionarios de la Audiencia...», pensó Marcos.

—Oigo a la envidia hablar por tus labios, no a mi *viejo* amigo y mentor. Relax, menda...

—He vuelto a leer aquella documentación que me enviaste hace tiempo. Te las había dado ya, pero vuelvo a darte las gracias por ello. Como secretario no tienes precio.

—Como esclavo tampoco, a ti te salgo regalado.

—¿Qué tal tus exámenes?

—Bueno, bien. Voy tirando. Tuve un pequeño bache —Rodrigo desapareció de la pantalla aunque su voz continuaba oyéndose; regresó al poco con una zanahoria en la mano—. Mi madre me obliga a comer zanahorias, aunque soy mayor de edad —explicó con la boca llena, haciendo unos chocantes ruidos al masticar—. Te decía que tuve unos días de despiste. Desde que me inoculaste el virus de las mafias soviéticas me empecé a interesar por las bellezas rusas...

—Por todos los cielos... ¡Si llego a saberlo!

—Oh, no fue nada. Pasiones virtuales. De repente me vi arrastrado por un impulso irresistible y respondí a uno de esos anuncios que entran en el correo electrónico como *spam*. Ya sabes.

—No, no sé.

—Te mando el correo que recibí.

Al instante, Marcos pudo leerlo en su escritorio:

Hola
Lamentable, olvidǐ de enviar un importante documento en aquel ъltimo correo electrуnico. Tenнa una llamada telefуnica importante. Por favor verifique el archivo cuando usted puede. Soy Janna. Romántica y gusta de los intereses generales. Vivo en Kazán. No fuma. Soy 26 anos. Te deseo. Sueno contigo, amor verdadero, ti hermoso hombre. Recuerdos. Te me preocupo por tu. Mi dulce melocotón.

Lo acompañaba el archivo con la foto de una especie de ninfa rubia que hubiese derretido las defensas de cualquiera más veterano que Rodrigo.

El chico soltó una risotada y Marcos la coreó de buena gana.

Por un momento miró al muchacho y pensó que él podría, a esas alturas de su vida, tener un hijo de la edad de Rodrigo. ¿Qué había pasado? ¿Por qué no se había puesto nunca a la tarea? Seguramente habría sido un buen padre, igual que procuraba ser un buen hijo. Marcos había intentado hacerlo todo bien desde que tenía memoria. Quizás ése era, curiosamente, uno de sus grandes defectos. Se dijo que tal vez no había encontrado a la mujer adecuada, pero en el fondo no se engañaba a sí mismo: se había casado con la judicatura y los únicos vástagos que había procreado eran unos cuantos legajos y aburridas sentencias. Entonces echó un vistazo de reojo a la foto de Sigrid, y ya no supo qué más pensar.

—¿A que está de miedo, la niña? *Supercool*. Muy auténtica, ¿no? Sea quien sea, claro.

—Ya lo creo.

—Durante los primeros días, casi me lo creo —gruñó Rodrigo—. Le escribí y me respondió. Al tercer e-mail, me pidió dinero para venir a verme a Zaragoza.

—¿Y cuánto tardaste en darte cuenta de que estabas escribiéndote con un mafioso cuarentón que probablemente tiene problemas de peso y fuma como una chimenea?

—No tanto como crees. Pero es que era difícil resistirse a una belleza como la de la foto, ¿no crees?

Marcos arrugó el ceño con malicia.

—Casi suspendo un parcial, estaba distraído, colega. Me puse su foto de fondo de pantalla en el ordenador y no era capaz de dar pie con bola. Pero *don't worry*. Aquello es *water* pasada. Y la vida sigue igual.

Marcos le contó a Rodrigo que había leído muchos nuevos comentarios en la red referentes a las mafias del Este.

—Defienden el honor ruso, digámoslo así. Me resulta llamativo porque yo, cuando leo una noticia sobre la desarticulación de una banda de delincuentes, no me siento incitado a disertar sobre el tema. Sobre todo si se trata de sostener la inocencia de los detenidos.

—Ése es un trabajo que suelen hacer los posicionadores de la uve doble uve doble uve doble...

Rodrigo le envió por escrito un mensaje y en un recuadro pequeño se dibujó en la esquina izquierda de la pantalla del ordenador de Marcos con las letras: «www».

—¿Qué?

—Posicionadores, *man*. Gente que cobra unos trescientos euros al mes por entrar en los foros donde se votan las noticias y dejar *links* que remiten a otras noticias para que la gente los pinche y así conseguir que estas últimas sean las más leídas. También mandan *spam* desde cuentas falsas, como el e-mail del pibón que recibí yo. ¡Pincha, pincha, pincha!... Menéame. Ése es el negocio de hoy día. Mundo ciber yonqui.

Rodrigo terminó con la zanahoria y se limpió la boca con la mano.

—Ya veo.

—No interesa que la gente lea, o se entere. No en esos casos. Basta con que pinche. *One to one*. Pero también están los posicionadores que dejan opiniones que, a su vez, crean opinión. Lo hace todo el mundo. Los partidos políticos son expertos en eso. Les dan cuerda a sus posicionadores, sobre todo cuando se acercan las elecciones, y ellos infectan los foros con argumentos que se inclinan políticamente del lado del que les paga. Si cambian de jefe, escriben en el sentido contrario. Y funciona, *beautiful girl*... Al menos un poquito. Lo suficiente. Luego la *real life* supongo que va por su camino. Y chau. Pero ¿quién vive la vida hoy día fuera de la red?... Y los que lo hacen, en caso de que existan, ¿a quién le importan?

Sigrid

Las siguientes tres semanas, Sigrid trabajó codo con codo con los hombres de la unidad a la que, provisionalmente, la habían asignado.

También se encontró a menudo con Marcos, intercambió con él opiniones, libros, información confidencial y algunos recortes de prensa. Lo hizo sola, o junto a sus compañeros de la policía asignados a la causa abierta en la Audiencia.

El juez le gustaba. Tenía que confesarlo.

«Confesarlo», qué barbaridad. Hasta para eso era meapilas...

Incluso había comenzado a encontrarle cierto encanto a su pelo demasiado largo. Se escribían e-mails y mensajes de texto, salían a cenar por el centro de Madrid, y hablaban por Skype a horas *imprudentes*. Así las llamaría su madre, pensó Sigrid después de estar charlando con Marcos sobre naderías más de una hora y cerrar el ordenador a las dos de la madrugada, con un molesto dolor de espalda y un placentero cosquilleo en el estómago. Le encantaba oírlo. Nunca se le hubiese ocurrido pensar que pudiese poner sus ojos sobre un juez con otro objetivo que no fuese solicitar una orden judicial u ofrecer ante él su testimonio.

Qué curioso. ¿Cuánto tiempo había pasado desde que un hombre la complaciera en cualquier cosa?

No tenía tiempo de ver a sus amigos, ni a su pandilla de amigas del colegio, tampoco a sus compañeros de la comisaría de Leganitos desde que no se veía obligada a fichar allí a diario.

Férriz, en contra de lo que era su estilo, no la había vuelto a molestar. Después de todo, él no trabajaba en aquel caso. Quizás decidió que ya había cumplido su parte y prefería dejarla respirar. Ahora, Sigrid remaba junto a otros colegas. Y sus horas libres eran esclavas de Marcos.

Podría haber sido una bonita época para ella: su amistad con Marcos se consolidaba, y el cambio de aires profesionales le había devuelto el brillo a su mirada. Sin embargo, no se sentía satisfecha, sino todo lo contrario porque, un mes después de su extraña desaparición, la viuda Hergueta seguía sin dar señales de vida.

Sigrid estaba seriamente preocupada.

Por su parte, el comisario Férriz también había desaparecido. Ya no la llamaba, no la incordiaba, no le mandaba mensajitos irónicos —su burdo sentido del humor era famoso en la comisaría—, no la citaba en su despacho por cualquier nadería... Aunque, ciertamente, ella apenas iba por la comisaría de Leganitos: al cambiar de equipo, sus reuniones tenían lugar lejos del centro de la ciudad, y sus nuevos compañeros daban muestras de poseer otro estilo muy distinto al de Férriz. En realidad, su antiguo jefe ya no tenía razones para estar encima de ella, echándole el aliento en el cogote, según su propia expresión. Sin embargo, no era típico de Férriz desvanecerse de un día para otro. Era el tradicional pelmazo, y quizás ahí radicaba su éxito profesional, en que nunca abandonaba, nunca tiraba la toalla, en que insistía hasta salirse con la suya.

Su silencio escamaba a Sigrid, le inquietaba profundamente.

Lo había llamado varias veces, pero él no se puso al teléfono. En una ocasión incluso le dejó un mensaje en el contestador haciéndole saber que le gustaría verlo para cambiar impresiones sobre la operación; a pesar de que él ya había cumplido con su parte y seguramente estaría liado, como siempre, con otras mil cosas, a ella le habría encantado comentar la situación con su viejo jefe. Para Sigrid, Férriz seguía siendo su jefe. Continuaría siéndolo incluso aunque las cosas salieran bien y fuese ascendida, como le había dejado entrever el comisario que podía ocurrir.

¿Dónde se habría metido Férriz?

Lo llamó a la comisaría también, sin resultado. Y preguntó a algunos de los compañeros de Leganitos, que no supieron darle demasiadas explicaciones. «Creo que está en Torrevieja con un tema de esos que vienen de largo, ya sabes, el de la famosa y el torero procesados por corrupción urbanística.» «Me parece que se ha tomado unos días libres...» En fin, que no lograba sacar nada en claro. Ni siquiera Martín supo darle orientación.

Esperaba que Férriz no se hubiese esfumado como la viuda Hergueta.

También oyó rumores en la comisaría de Leganitos que indicaban que era muy posible que Férriz pidiese la jubilación anticipada más pronto que tarde.

«Bueno, seguro que está bien —se dijo finalmente Sigrid—, bicho malo nunca muere...»

Llevaba veinte días frecuentando a diario el *dojo* del pueblo donde se suponía que Iván Astrov acudía alguna que otra vez a practicar kárate. Con esa excusa, se quedó a dormir más de una noche en casa de Marcos, en el cuarto de invitados, para no tener que volver tarde a Madrid «conduciendo sola» como alegaba doña Luisa.

Pero a Iván Astrov, *Misha*, también se lo había tragado la tierra, o esa impresión daba porque no lograban localizarlo en ninguna parte.

Hasta que una tarde, Guillermo, uno de sus nuevos compañeros de la policía, que estaba en el equipo, la llamó por teléfono.

—Nuestro hombre en Dubái —le dijo escuetamente—. Lleva semanas en el Emirato del Golfo. Todo apunta a que está disfrutando de unos días de ocio. Y de negocios.

Misha

Misha no se entretuvo mucho en hacer el equipaje para su estancia en Dubái. El clima subtropical del Emirato no lo requería. A esas alturas del año, la temperatura rondaba entre los 15 y los 25 grados. Le bastaba con lo puesto y con meter en una maleta de mano un chándal, un par de mudas de ropa interior y dos camisas y un pantalón algo más formales. En cuanto a los útiles de aseo, tomaría los que le ofrecieran en el avión. Viajaba en *first class*; habitualmente lo obsequiaban con un neceser bastante completo. Si necesitaba algo más, lo compraría al llegar a su destino.

No le prestaba mucha atención a su indumentaria, al contrario que sus guardaespaldas, que ese *tusovka*, ese mafioso jovenzuelo que era Barbala. O incluso que ese *opuscheny*, violado en prisión, hijo de una perra tabernaria y un comisario de la mafia del Partido, que era Kakus.

Acostumbrado a la miseria, a las prendas feas —malas y baratas, soviéticas— durante la mayor parte de su vida, el lujo en el vestir le resultaba incómodo y demasiado llamativo. Y Misha deseaba pasar inadvertido allá donde fuera.

Viajó solo, con KLM, haciendo escala en Ámsterdam. Kakus y Barbala lo habían acompañado hasta la puerta de embarque. Los saludó con la mano y la cabeza gacha, y se dispuso a pasar el control de equipajes sintiéndose ligero como una nube. En Dubái, otros tres guardaespaldas lo acompañarían allá donde fuere. Le gustó la idea de perder de vista por unos días a Kakus y Barbala. Sobre todo al primero de ellos.

Su pasaporte español le facilitó los tránsitos y le hizo más llevadera la tarea de cruzar aduanas.

Por fortuna, no hubo retrasos en los vuelos, que había elegido para que le diesen un margen de tiempo holgado, lo bastante como para presentarse a la cita de criminales, su inminente *strelka*, fresco y descansado.

Llevaba toda su documentación y tarjetas de crédito en una cartera, dentro de la pequeña maleta negra de Loewe. Mariya se empeñó en regalársela un día, sin venir a cuento y sin que hubiese nada que celebrar. Así era esa mujer. Su santidad la impelía a hacer cosas que otras personas no considerarían normales, si bien todas ellas tenían una motivación oculta. Cuando recibió el regalo, Misha supo que esa maleta le daría suerte al llevarla consigo.

Cuando puso los pies en Al Matár, el aeropuerto del Emirato, le sorprendió, como solía ocurrirle cada vez que viajaba allí, la opulenta majestuosidad de las instalaciones. Un zoco gigantesco y ultramoderno, además de la principal terminal de tránsito de Oriente Medio; eso era el aeropuerto de Dubái.

Su vestimenta sencilla y discreta le aseguraba poder circular sin provocar escándalo alguno. Misha era muy consciente de que la secta más importante de aquella tierra era la wahabita, ultraconservadora, que interpreta el Corán al pie de la letra y considera la *sharia*, o ley islámica, como única fuente de Derecho. Se decía que en los Emiratos no existía hostilidad hacia la práctica de otras confesiones o las costumbres demasiado liberales de Occidente, pero, por si acaso él, cada vez que pisaba Dubái, se guardaba bien de meterse en problemas. Claro que, pensándolo un poco, ésa era una regla que, desde hacía tiempo, procuraba seguir en cualquier parte.

Bueno, al menos en el hotel podría beber alcohol. Esa manía que tenían los musulmanes de ser abstemios, por lo menos en teoría, le producía una gran desconfianza.

Como el día festivo de los musulmanes es el viernes, en aquellos parajes el fin de semana se consideraba que transcurría entre jueves y viernes. Misha aterrizó un sábado, y las tiendas del aeropuerto bullían de actividad.

Una limusina le estaba esperando. Un chófer y tres matones, que no tenían nada de árabes, lo aguardaban con un cartel que llevaba su nombre escrito en cirílico a la salida del vuelo, en una gigantesca sala de espera decorada como para rodar una serie televisiva de ciencia ficción religiosa, si existiera tal género.

Un grupo de cuatro bellas mujeres con la cabeza cubierta con la *shayla*, envueltas en túnicas, *abbeyas* de ricos bordados que se pegaban a sus muslos de forma indiscreta, pasó por su lado dejando un rastro perfumado y unas risas que se fueron apagando conforme avanzaban y se perdían entre el gentío de emiratíes que se movía presuroso y animado a su alrededor.

Marcharon hacia el aparcamiento, él y el chófer seguidos de los guardaespaldas. Los tres lucían unos antebrazos que parecían a punto de estallar.

El aire caliente y húmedo lo golpeó nada más salir al exterior y abandonar los beneficios de la agradable refrigeración de los recintos aeroportuarios. Eran algo más de las tres del mediodía.

Gruñó disgustado y entró en la limusina antes de que el chófer tuviera tiempo de abrirle la puerta. Los otros tres accedieron a su propio vehículo y los siguieron.

Circularon un rato junto al canal del Emirato, que comunica la ciudad con las tibias corrientes del Golfo. Un tráfico intenso de buques de carga, cruceros turísticos repletos de afanosos y achicharrados visitantes de varias nacionalidades y *dhows* típicos y airosos que flotaban como juguetes náuticos salidos de la imaginación de algún avispado jeque, deambulaban sobre las aguas en alegre confusión.

En Dubái, el nuevo petróleo se llamaba turismo y especulación inmobiliaria. Como no podía ser menos, Misha participaba en varias sociedades del emirato que, hasta no hacía mucho, le habían ofrecido unas rentabilidades asombrosas. Pero existían síntomas claros de agotamiento en el mercado inmobiliario y él era consciente de que tendría que desviar recursos hacia otros intereses. El negocio del agua, quizás. Ahí sí veía futuro Misha. No faltaba mucho para que una buena parte del mundo rugiera de sed.

La sed sería lo que el hambre en la Rusia soviética. Misha apenas lo dudaba. Y, entonces, quien tuviera el agua tendría el poder.

El largo vuelo lo había dejado un poco adormilado, y Misha le pidió al chófer que le diera una vuelta en vez de llevarlo directamente al hotel.

Le gustaba admirar el ritmo frenético de la vida en aquel trozo de desierto junto al mar mientras él se refrescaba a gusto dentro de la limusina Hummer, tan negra, fea e intimidante por fuera como acogedora y cómoda por dentro. Abrió el bar, provisto de una botella fría de Moet, una caja de bombones y un par de vasos de cristal tan brillante que parecían dos joyas talladas.

Dubái le gustaba, pese a que según su modo de ver resultaba evidente que se inclinaba hacia un ocaso seguro. Todas las cosas nacen, crecen, se reproducen y mueren. Igual que los seres vivos. Los negocios eran un ser vivo que, alcanzado un gran desarrollo, implosionaban. ¡Pum!, y adiós. Había que saber cuándo abandonar el barco mientras el capitán aún era capaz de gobernarlo sin ser demasiado consciente de que lo conducía al abismo.

Miró el reloj, que había sincronizado con la hora local durante el vuelo. Dos horas más que en casa, por la diferencia horaria.

Se dijo que no le vendría mal tomar algo para almorzar. Había rechazado la comida del avión y ahora empezaba a arrepentirse.

Le gustaría tomar un tentempié de comida libanesa. Le dijo al chófer, a través del intercomunicador, que lo llevase a un restaurante que solía visitar cuando recalaba en el Golfo. Se trataba de una especie de mesón en el patio de un hotel modesto, con una cocina casera que acompañaban de un delicioso pan artesanal. Servían toda la tarde, de modo que a esa hora todavía era posible que probara bocado.

El chófer lo dejó casi en la puerta. Dos de los tres *byki*, sus toros guardianes, se aposentaron en la puerta, a esperarlo disimuladamente, controlando las entradas y salidas de la gente mientras el otro fue a aparcar. Misha recuperó su cartera de la maleta, y le dijo al tipo que lo recogiera en una hora. El hombre, alto, rubio y gallardo como un ejecutivo occidental, se puso de nuevo tras el volante y desapareció de su vista.

Le pidió al camarero una ensalada *tabuleh*, de trigo con tomate, cebolla y perejil, aderezada con menta, aceite y limón; humus y una ración de *farrouge*, un pollo asado que guisaban de forma exquisita. Allí no le servirían alcohol, de modo que se conformó con un refresco y agua mineral. Ya daría unos tragos cuando llegara a su hotel.

El patio estaba fresco, sombreado; apenas había otro par de solitarios clientes que se inclinaban con prisa y voracidad cada uno sobre sus sabrosas viandas y masticaban a todo meter, como si temieran que alguien les fuese a quitar el plato.

Misha se recreó en su soledad y en la paz de ese rincón en medio del tumulto acostumbrado del emirato. Se preguntó por qué no se alojaba en aquel lugar, tan silencioso, discreto y agradable, en vez de acabar, como siempre hacía, en el Burj Al-Arab, un derroche oriental casi obsceno al que sus propietarios autoconcedían magnánimamente siete estrellas. Un coloso que superaba los trescientos metros de altura, en forma de vela de *dhow,* que se había convertido en un símbolo de Dubái. Con doscientas *suites* a algo más de mil euros por noche, una de las cuales estaba reservada a su nombre para esa misma tarde. Su hotel disponía de playa privada, pero Misha no pensaba bañarse ni por todo el oro del mundo. Le sobraba con una ducha, cada tres días, si el sudor no lo obligaba a tomarla a diario. El hotel incluía un helipuerto, pero él ya había tenido bastante con el vuelo hasta allí. Únicamente le consolaba pensar que la cuenta de gastos se la facturaría a una de sus empresas fantasmas. Así, se deduciría muchos impuestos en *Ispania*. En España. Sus asesores económicos siempre agradecían ese tipo de facturas.

Misha

Dos días después de su llegada a Dubái, tuvo lugar la asamblea de los *vory*, una importante *sjodka*.

A ella asistió, como estaba previsto, el traficante de armas ruso Sasha *Dan* Kuzbetsov, que se plantó en los salones donde tenía lugar la reunión pocos minutos después de aterrizar en el helipuerto del Burj Al-Arab. Si podía evitarlo, Sasha nunca entraba a ningún sitio por la puerta. Tenía aviones privados, que aparcaba en Sharjah, un emirato a pocos kilómetros de distancia de Dubái, y había establecido sus oficinas en el propio hotel. Nadie sabía en qué piso ni el espacio que ocupaban, a pesar de su aparentemente febril actividad comercial: vendía armas en cualquier lugar del mundo, y por lo general equipaba a una facción y a la contraria. Misha suponía que empleaba a poca gente, y muy discreta. No obstante, su domicilio fiscal radicaba allí mismo. Desde aquel hotel dirigía un imperio con oficinas en Londres, Bombay, Jartum, Islamabad, Katmandú, Grozny y Los Ángeles. Y, en aquellas otras oficinas, al contrario de lo que aparentemente sucedía en las de Dubái, sí que trabajaban muchos empleados.

Sasha, alias *Dan* —literalmente «tributo, tasa, impuestos cobrados por los extorsionadores»— era un ladrón admirable. Había levantado un auténtico Aaru en mitad del desierto, un paraíso que no habría disgustado al mismísimo Osiris. Él era el responsable de buena parte del crecimiento urbanístico de Dubái, y algunos pensaban que llegaría el momento en que alzase sobre los granos de arena un vergel infinitamente verde, abundante en caza y pesca. Aunque Misha tenía sus dudas más que razonables.

Dan rondaba la cincuentena, era bajo, con el cuello ancho de una res y aspecto compacto, muy moreno, tenía las cejas tan pobladas como el viejo Leonid Brézhnev, formando dos arcos peludos de medio punto sobre sus ojos feroces; las piernas algo arqueadas y el vientre abultado. Había empezado sus negocios con el contrabando de tabaco. Compraba la mercancía en China y la llevaba a cualquier rincón del mundo; incluso llegó a disponer de sus propios buques cisterna transatlánticos después de asociarse con un mafioso de Xiamen. Si el tabaco normal produce cáncer, los fumadores que consumían los cigarrillos chinos de Dan podían estar seguros de ser obsequiados con algunos extras más. Misha ni siquiera descartaba la gonorrea. Durante años, Dan estuvo enviando docenas de contenedores de diez metros de largo repletos de cajetillas de tabaco falsificadas. Las almacenaba en Singapur y luego las mandaba hacia Filipinas, hasta que tenían a su alcance todas las aguas de Asia oriental.

Hacía falta algo más que suerte para saltar de

las cajetillas de Marlboro falsas a formar parte sustancial de un proyecto inmobiliario de miles de millones de dólares que expandió la ciudad de Dubái hacia el oeste, bordeando la costa, y que llegó a concentrar en un momento dado a la tercera parte de todas las grúas del mundo. Así era Dan. Nadie podía detenerlo. Hasta los jeques lo respetaban.

Celebraron el encuentro alrededor de una enorme mesa de reuniones, en un ambiente serio y deferente. Bebieron y comieron un poco, o sea: con exceso. Se pusieron al día e intercambiaron documentos, impresiones. Solucionaron un par de engorrosas disputas. Pura rutina. Más o menos lo de siempre. Los pusieron al corriente de las últimas inversiones que los asesores económicos habían realizado con los fondos de la *obschak*, la caja común del círculo de los *vory*, que servía para pagar fianzas y hacer frente a los contratiempos de algunos ladrones, y de sus familias en caso de que fuesen tan estúpidos como para tener familias, o la jubilación de algún manirroto que no dispusiera de nada más con lo que ir tirando.

—Te quedarás a la fiesta, supongo —Dan se dirigió a Misha, que lo obsequió con su típica mirada rasgada y fría, pero cargada de respeto.

—¿Una fiesta? —Misha no sabía nada—. Tenía pensado volar de vuelta a Madrid dentro de cuatro días.

—Cancela tu billete —dijo Dan, y Misha sabía que no era una sugerencia—. Dentro de seis días vamos a celebrar el sesenta y un aniversario de mi amigo Vaska Prigogine. ¿Lo conoces?

—He oído hablar de él.

—Tengo un interés personal en que estés presente. Los festejos durarán una semana. Los celebraremos en este hotel —sus ojillos brillaban, traviesos—. No puedes faltar, Misha. No merece la pena que vuelvas a España para tener que venir de nuevo al poco. Quédate aquí hasta entonces. Disfruta de Dubái. Es el mejor lugar de la tierra si exceptuamos la madre patria, Rusia.

Misha pensó que aquello resultaba un fastidio. A mil doscientos euros la noche, tampoco es que la estancia fuese una ganga. Se sorprendió a sí mismo haciendo esas cuentas: hasta hacía poco nunca pensaba en el dinero. El dinero venía a los bolsillos como consecuencia de los buenos negocios, pero un ladrón de ley no se pasaba la vida pensando en el dinero. Se preguntó si no se estaría haciendo viejo a pesar de que José Castro de Luz insistía en que, a su edad, todavía no era demasiado mayor.

Asintió, taciturno.

—Puedes contar conmigo.

—*Vsegó nailúchshego!*

—*Da*. Yo también te deseo lo mejor.

—Brindemos. *Na Zdorovie!*

—*Na Zdorovie!*

Antes de despedirse, Dan le dijo:

—Si necesitas una puta, llama desde la habitación a este número —le tendió una tarjeta.

—*Spasibo*... Gracias. Pero no creo que....

—*Pozháluista!* ¡Por favor! Cógelo, Misha. Nun-

ca se sabe. Aquí te suministrarán putas fiables, limpias.

«Todo el mundo se empeña en ofrecerme putas,
pagadas o regaladas» pensó, enfadado, cuando Dan
desapareció de su vista.

Misha

Al estar fuera de España, Misha tuvo que atender sus negocios por teléfono desde el Emirato, mientras aguardaba a que se celebrase el cumpleaños. Habló desde el teléfono del hotel, que era más seguro. Siempre había que tomar muchas precauciones con los teléfonos. Él cambiaba sus números, móviles de prepago, cada semana. Y, cuando era posible, utilizaba el programa Skype y hablaba por Internet.

Su abogado era un pesado y lo sometía a la tortura de tener que soportar largas charlas hablando sobre burocracia, leyes, papeleo y sobornos. El hombre llevaba algún tiempo paranoico y Misha le dio carta blanca para que repartiera dinero aquí y allá. *Vziat*. Untar con billetes, comprar voluntades. Eso era algo que Misha había practicado toda su vida con más frecuencia que la respiración. Salía caro, pero valía la pena. Siempre valía la pena. Y normalmente sus gestores terminaban deduciendo los gastos de la corrupción, camuflados en facturas falsas que luego le presentaban a la Agencia Tributaria si habían de pasar una inspección.

—La policía española no es como la rusa, Misha —le jadeó en la oreja, desde el otro lado del teléfono, su muy millonario (gracias a él) abogado español—. Los policías españoles no son como esos de la Escuela de la policía rusa a los que tuvieron que arrestar en

Moscú hace unos años. ¿Recuerdas a aquel coronel que era profesor de la Escuela de la policía y que tenía una banda dedicada a robar apartamentos, a secuestrar y a extorsionar?

Le contestó que sí, aunque Misha no lo recordaba. Los *ment*, la policía... Para Misha eran todos iguales. Los que conocía estaban mucho más podridos que el más sucio y corrompido de los ladrones de ley, que por lo menos era así por oficio y tenía honor.

—Le echaron mano unos agentes de la Unidad Inmediata, Narcóticos y Crimen Económico, y supongo que, después del arresto, tomarían el relevo del coronel y sus chicos al día siguiente. Pero, bueno, lo que quiero que entiendas es que ése no es el perfil medio de un policía español —concluyó, pesaroso, el abogado, que resollaba con dificultad—. Aquí, la mayoría son honrados, aunque te parezca mentira. Corromper a uno solo, cuesta. Cuesta mucho. Y es una operación delicada que te puede estallar en los morros... La cara —añadió para hacerse entender mejor.

El abogado estaba muy preocupado. Había oído rumores que no le gustaban nada. Le dijo a Misha que necesitaba una cantidad de dinero importante para hacer algunas preguntas y obtener respuestas fiables. Sugirió una cifra.

Misha apenas se inmutó.

—Con lo que cuesta un policía español, según tú me dices a mí, yo podría comprar Transnistria —Misha se acercó a la ventana de su hotel, en el piso 201, pero se mareó y se retiró enseguida. Se volvió hacia la cama, que era giratoria, y sólo con mirarla sintió un vuelco en el estómago.

—Tómatelo como una inversión. Una inversión que te ofrecerá gran rentabilidad en muy poco tiempo.

Misha sopesó la cuestión unos segundos, en silencio.

—De acuerdo —dijo al fin.

No salía mucho de su habitación del hotel, y cuando lo hacía siempre iba acompañado de sus esbirros, que no lo dejaban ni a sol ni a sombra; aunque una tarde, después de llegar al hotel tras una visita a la ciudad con un hermano ladrón al que acompañó porque quería hacer unas compras, sudoroso y al borde de la desesperación, Misha consintió en darse un baño en una de las muchas piscinas disponibles. Las reuniones informales, al caer la noche, que mantenía con los ladrones que como él esperaban la llegada de Prigogine, comenzaban a aburrirle. Bebía sin gusto. Hacía abdominales hasta que le dolía la barriga y veía estrellas de colores por todas partes. Practicaba *kumite* con alguno de los tres gorilas, que no sabían un carajo de kárate ni de nada, pero que al menos se dejaban golpear. Y había terminado de leer en el avión el único libro de José Castro de Luz que llevó consigo.

Era desesperante.

Por fin, amaneció el día señalado. Había descendido la temperatura y Misha agradeció el respiro; estaba harto de pasar la mayor parte del tiempo recluido en el hotel, sobre todo en su *suite*, al amparo del aire acondicionado. Además, el servicio llegaba a ser empalagoso; una legión de mayordomos lo atosigaba con sus cortesías disparatadas las veinticuatro horas del día. Hasta el suelo de la recepción, que según repetía todo el mundo era de mármol de Statutario, le ofrecía reflejos desanimados de su propia cara.

Echaba de menos el chalet de Arroyo del Tranco. Allí abajo, en el sótano, donde había construido su búnker, su oficina, la temperatura era ideal, no necesitaba refrigeración alguna en verano, y Mariya y Polina no andaban atosigándolo todo el día.

Vaska Prigogine era un judío ruso. Cumplía sesenta y un años ese mismo día. Se decía de él —las escasas noticias que circulaban sobre su persona así lo aseguraban— que era amante de la caza y del juego del ajedrez. Además de ser uno de los hombres más ricos de Rusia, cuya fortuna superaba ampliamente las de otros famosos oligarcas como Román Abramóvich o Mijaíl Projórov.

Prigogine era mucho más discreto que Abramóvich; al igual que el propio presidente ruso, hacía tiempo que Vaska había aprendido el valor, y el precio, de la discreción. Aunque él no necesitó que la experiencia le ofreciese a fuerza de golpes las enseñanzas del arte de la prudencia: su fina intuición natural lo había guiado por ese sendero desde que era niño. Vaska era un hombre inteligente. Se decía que por familia. Su padre había sido un judío moscovita que prosperaba incluso en los duros tiempos de

Stalin. Su hermano Yudah y él quedaron huérfanos siendo niños. Nunca se encontró el cadáver de su progenitor, por lo que corría el rumor de que había escapado de la Unión Soviética, algo difícil de creer, dado que desapareció en el invierno de 1959. No era una época en la que esas cosas sucediesen a menudo. Yudah, el hermano de Vaska, también era conocido por su talento; se había alzado con el premio Nobel de Física, compartido con otros dos colegas de Harvard, hacía años. En cuanto pudo, Yudah emigró a Estados Unidos. Vaska se quedó en Rusia. Las malas lenguas contaban que hacía más de veinte años que los dos hermanos ni siquiera se dirigían la palabra. Casualmente, desde que Vaska comenzara a levantar su increíble fortuna.

El rasgo principal de Vaska era su modestia. Un magnate del sector metalúrgico, de gustos sencillos, cuya fotografía jamás se había visto en las portadas de los muchos periódicos sensacionalistas de Rusia o de Europa. Nadie podía demostrar que estuviese relacionado con los círculos políticos del país, siempre bajo sospecha en Occidente. Si tenía relaciones con algún partido, desde luego había sido extraordinariamente discreto al mantenerlas.

Vaska era uno de los setenta y siete rusos que poseían una fortuna de más de mil millones de dólares. Más, muchos más, en su caso.

Había nacido en Moscú, como su hermano, pero en el momento más adecuado, tras la disolución de la URSS, se trasladó a Ivánovo, una ciudad conocida como el Manchester Rojo. Allí comenzó sus negocios en la industria del acero. Se había graduado en ingeniería en el Siberian Metallurgist Institute. Luego en Ciencias Económicas y gestión de empresas. Su carrera fue meteórica. De simple operario de una fábrica pasó a convertirse en subdirector en un par de años. Y de ahí, a amasar una auténtica fortuna en muy poco tiempo.

Estaba casado y tenía dos hijos en la treintena que trabajaban a su lado codo con codo. Sacaba tiempo para dar clases en la Economic Sciences and Engineering y para escribir libros de texto sobre ciencia metalúrgica (aunque en realidad se los escribían sus bien pagados ingenieros).

Cinco años antes adquirió un remodelado castillo del siglo XVI próximo al lago Awe, en uno de los más hermosos parajes de Escocia, por el que pagó veinte millones de dólares, y cuyos cuatro mil acres le permitían dedicarse a sus actividades favoritas: cazar patos, pescar y criar ganado. La propiedad disponía de catorce habitaciones, una docena de casas de campo y una pequeña isla en el extremo nororiental, dentro del lago. En invierno, la nieve de las montañas cercanas se reflejaba en las aguas tranquilas de la laguna y el lugar adquiría el encanto casi infantil de una escena sacada de un cuento de hadas y misterio.

En esos momentos, Vaska le contaba a Dan que no le faltaba mucho para retirarse con su mujer y pasar allí tranquilamente el resto de su vida.

—No te creo, *dorogoy*, querido Vaska; aunque es posible que lo pienses, no lo harás. Tú necesitas la actividad, ir arriba y abajo... —respondió Dan con un guiño.

La fiesta estaba en pleno apogeo. Debía de haber

invitadas unas mil personas. Misha no sabría decir cuántas de ellas eran prostitutas, probablemente la mitad. Muchas iban prácticamente desnudas. Más que en cueros. El lujo y la exuberancia oriental, los mármoles de Carrara y los exóticos acuarios comenzaban a aturdirlo un poco. Quizás tenía algo en el estómago. Un virus. O tal vez se trataba de que sí era demasiado mayor. Misha no estaba seguro. Quizás estaba harto, simplemente.

Dan le presentó a Vaska, que inclinó la cabeza con cortesía, pero no le dio la mano con la excusa de que las tenía ocupadas: sostenía una copa de champán y un pañuelo de fino hilo blanco que utilizaba para secarse un sudor inexistente. Tampoco lo besó al estilo ruso.

—Misha está asentado en *Ispania*, España —explicó Dan. Sus ojillos chispeaban. Era el anfitrión. La celebración estaba siendo un éxito—. *Bolshoye spasibo za pómosch!* Muchas gracias por tu ayuda, Misha. Ya sabes a lo que me refiero...

Misha asintió, tranquilo. Se refería a la compra de tres hoteles de lujo en Marbella, en la Costa del Sol española, que Dan había cerrado un par de meses antes mediante una de sus compañías de inversión con sede social en el Golfo. Misha le había facilitado a Dan los contactos, *blat*: con los propietarios anteriores y con un cargo político de la zona, muy influyente, conocido por ser aficionado a navegar en yate. «Los yates son juguetes caros —pensó Misha—. Y llaman mucho la atención.»

—Misha, *chto proisjódit?* ¿Qué pasa? Tienes mala cara, ¿no te gusta la fiesta? —quiso saber Vaska.

—*Da, da*. Sí... Claro que me gusta. *Ya ustal*, estoy cansado. Eso es todo —mintió sosteniendo la mirada del millonario.

Pensó en lo diferente que era aquel festejo de los que solía él celebrar en la antigua *CCCP*, la URSS, con sus compinches de varias hermandades criminales. En los viejos tiempos. Cuando todos ellos llevaban chaquetas de cuero raído y prendas en consonancia con la moral comunista, cómodas, ni llamativas ni provocativas. Y viejas, casi siempre. Carcomidas. Sin variedad en los modelos, porque sólo había diez para elegir en toda la Unión Soviética.

Sintió un ramalazo de nostalgia de una época menos opulenta, pero también menos confusa, y se notó triste y melancólico hasta lo indecible. Apuró su vaso de un trago y cogió al vuelo otra copa de la bandeja de un camarero que pasó por su lado. También la vació de golpe.

Vaska hizo un gesto en dirección a Dan, como dando por terminada la conversación con Misha. Los tres se despidieron con buenos deseos. Misha decidió que era hora de largarse a su *suite*. Allí podría beber tranquilo. Ya había cumplido con las presentaciones y entregado el costoso regalo para el homenajeado, que seguramente ni siquiera se dignaría mirarlo. Ni el suyo, ni los obsequios de los demás.

Sus perros guardianes lo siguieron dócilmente. Y eso que estaban pasándolo en grande.

Al día siguiente, él volvería a España y dejaría atrás el desierto.

Misha se alejó mientras Dan y Vaska se apartaron en un rincón, junto a una pared formada por un gigantesco acuario tropical de agua dulce repleto de rocas, troncos, plantas marinas como las anubias enanas y los helechos de Java, que balanceaban las hojas suavemente, y flemáticos peces arco iris que parecían mirar el jolgorio que tenía lugar en el majestuoso salón, al otro lado del cristal, con un punto de altiva indiferencia.

—¿Estás satisfecho? —le preguntó Dan a Vaska.

El millonario esbozó una sonrisa dolorosa que no llegó a dibujarse del todo en su boca.

—¿Satisfecho? No es ésa la palabra... —respondió en voz baja, ocultando sus labios tras la copa a pesar de que el ruido del ambiente impedía que otros escucharan su conversación. Como si temiera que pudiesen leerle los labios—. Pero sí. Me alegra haberlo visto con mis propios ojos y haberlo mirado a sus propios ojos. Quería saber cómo eran sus ojos. No me importaba nada más.

—Entonces...

—Sí, adelante. Hazlo. Da la orden ahora mismo...

Dan sacó un teléfono móvil.

—Pero no aquí. Ni en España... Quiero que sea en Moscú —añadió Vaska con los labios apretados—. Tiene que ser en Moscú. Así ha de ser. Además, allí es mejor, más sencillo.

—No sabemos cuánto tardará en ir a Moscú.

—No me importa. He esperado más de medio siglo. Puedo esperar un poco más si es preciso.

Sigrid

Sigrid tuvo que reconocer que el nuevo trabajo policial, como el viejo, comenzaba a resultarle pesado. Era rutinario y, desde que Iván *el Terrible* se largara a Dubái, aburrido.

Cierto que, al menos, no tenía un horario regular y podía disponer mejor de su tiempo. Estaban vigilando la casa de Mariya, pero todo indicaba que no había nada anormal que se pudiera estar cociendo dentro.

Los dos matones que solían acompañar a Iván Astrov, aparecían de vez en cuando, no a diario como antes. Podían pasar por visitas de cortesía. Viejos amigos, conocidos, vecinos del pueblo que hacían acto de presencia para decir «hola» o compartir un asado.

—¿Por qué no pedimos una orden de registro y ya está? —le preguntó a Guillermo, el policía que solía acompañarla. Y eso que Férriz le había dicho que no actuaría en pareja. Pero es que el trabajo no estaba siendo fácil. Todas las previsiones iniciales se habían ido al cuerno, y ella pasaba horas en compañía de Guillermo pelándose el culo en tareas de inútil vigilancia.

Guillermo era un tipo más o menos de su misma edad, y atractivo, pero estaba casado. Ni siquiera había celebrado su primer aniversario de boda. En resumen, uno de esos hombres que llevan en mitad de la frente un cartel que dice «prohibido». Sigrid sólo lo miraba lo imprescindible para no tropezarse con él.

—El juez no cree que sea el momento —respondió.

—El juez... —repitió Sigrid soñadoramente.

Después de pasar horas sentados en una furgoneta camuflada, se habían decidido a pasear por la calle de Mariya, como una pareja de residentes de la urbanización que sale a dar una vuelta con el perro. Aunque ellos no tenían perro.

Atardecía y la luz del sol se iba apagando cada vez más rápidamente. Se encendieron las farolas del alumbrado. Algunas casas tenían farolillos solares sobre las cancelas de la entrada.

—¿Y cuándo creerá Su Señoría que será el momento? —murmuró Sigrid, esta vez irritada—. Imagínate que tienen a la viuda dentro de la casa.

—¿Viva? No lo creo...

—No digas eso, por Dios.

—Ha pasado más de un mes desde que esa mujer desapareció —apuntó Guillermo—. Las estadísticas indican claramente que, a estas alturas, la persona desaparecida, si no hay secuestro y, por lo tanto, petición de rescate por medio, o bien ha muerto, o se encuentra en Tailandia bebiendo cervecitas frías frente a la playa sin la más mínima intención de regresar a su casa jamás. Y no creo que este último sea el caso de la pobre viuda Hergueta. Por desgracia.

—Bueno, me da igual lo que digan las estadísticas, pero no repitas tú lo mismo que ellas. Mientras hay vida hay esperanza.

—Sí: si la viuda está viva, todavía tiene esperanzas.

Una vez que rebasaron la casa de Mariya, dirigieron sus pasos a una obra en marcha al final de la calle. En esa zona abundaban las parcelas sin construir; la crisis había frenado la fiebre inmobiliaria y el lugar se veía inacabado, deslavazado y triste. Un espacio para la inquietud pública, igual que existen los parques y las plazas para pasear.

—Todavía quedan algunos albañiles por la urbanización —dijo Guillermo señalando a los obreros, de distintas nacionalidades, que se afanaban con unas vigas—. A ver cuánto duran.

—Hoy estás optimista, ¿eh?

—Pues sí. No es mi peor día.

—Esto está muerto. Yo creo que deberíamos volver a Madrid. Hasta que el jefe no regrese de Dubái no vamos a ver movimiento. Me gustaría registrar esa casa —Sigrid se chupó una uña con fruición infantil—. Estoy segura de que ahí dentro esconden algo.

—Mañana nos veremos con el juez, pregúntale. O dile al inspector que averigüe por qué no nos firma una orden de registro.

Sigrid, con disimulo, se colocó bien la pistola que le estaba presionando el brazo izquierdo, y ambos se fueron andando hacia el vehículo.

Un día más perdido. Y ya iban unos cuantos.

Sigrid y Marcos

Aquella mañana, a las ocho y media, el juez Marcos Drabina Flox se reunió con el fiscal Molina Saz.

Una hora después, se veía con los cinco agentes, el inspector jefe, el subinspector y el comisario que dirigía el grupo de agentes de Seguridad Ciudadana y Policía Judicial que se ocupaban de la última operación contra Mafias del Este denominada *Rasputín*, pero que todos conocían como *Rot*, Boca. Sigrid suponía que el sobrenombre se lo habían dado sus colegas en honor a la bocaza del soplón que se fue de la lengua contando detalles de la vida íntima de Iván Astrov, *Misha*. Según Guillermo y sus informes, un ladronzuelo yonqui de tercera apodado Barbala que en algún momento antes de entrar en la cárcel trabajó con Astrov y que había vuelto junto al moscovita no hacía mucho.

Sigrid era una de las agentes convocadas a la reunión.

Cuando entró en la sala de los juzgados de la Audiencia Nacional, acompañada de Guillermo, el subinspector y los otros policías, saludó amigablemente al comisario, Luis Alfonso Fernández, un hombre de pelo canoso y aspecto huraño con el que había hablado únicamente un par de veces y cuya sola presencia le hacía añorar a Férriz.

El comisario y el inspector llevaban un rato allí dentro, en compañía del juez.

El juez los saludó a todos con un rápido y firme apretón de manos. Aquella mañana iba vestido como un figurín y Sigrid sintió un pellizco raro en el estómago. En aquel ambiente, emanaba una clase de autoridad que no parecía provenir de la toga, que desde luego no llevaba puesta en esos momentos, sino quizás de sus ojos, de un azul pálido y frío, en los que, al acercarse, Sigrid pudo ver por primera vez algo que le recordó a la textura de la madera desbastada, como si el tiempo los hubiera alisado poco a poco.

Los *vory v zakone*, los ladrones que obedecen el *vorovskoy zakon*, su ley, su propio código, probablemente no ponían más empeño en ello del que el juez Drabina empleaba en administrar la justicia. Eso le susurró el comisario al oído a una Sigrid de aire taciturno, apabullada por la presencia de Marcos. El mismo Marcos que la invitaba a dormir en su casa para que no volviera tarde a Madrid y que, entre aquellas paredes, parecía otra persona.

—Es un juez catalogado como conservador, pese a que nadie le ha oído jamás expresar una opinión de carácter político o ideológico. Nieto de un trabajador polaco que murió en un gulag soviético —le había contado una tarde otro de los oficiales a una pasmada Sigrid—. Tiene fama de anticomunista, aunque nada en sus declaraciones a la prensa, siempre exquisitas, escuetas, correctísimas y «sin fotos, por favor», deja entrever un empeño, una manía o una obsesión personal al respecto.

—Vete tú a saber... —había respondido Sigrid entonces, mordiéndose el labio.

—Le agradezco mucho, oficial Azadoras, que me haya enviado una copia final del trabajo de investigación dirigido por la doctora..., ¿cómo se llama?, no me acuerdo... —el juez revolvió entre los papeles de su mesa, buscando el nombre.

—Fugacheva —apuntó Sigrid; pese a que se sentía bastante intimidada en aquel ambiente tan formal y respetuoso, consiguió que le saliera la voz del cuerpo.

Se le hacía raro tratar a Marcos con tanto protocolo. Se dijo que aquel Marcos quizás no era el mismo que ella conocía. Le gustaba más el otro, desde luego.

—¿Eh? Ah, sí... Gracias —el juez pareció reparar en ella con mucho esfuerzo. La miró un instante y continuó hablando como si no la conociera, como si la viera por primera vez—. Es muy interesante, lo he leído con atención. El autor de la tesis sostiene que no se encuentran referencias a las bandas organizadas de delincuentes antes de la Revolución bolchevique, si bien en la época de Pedro *el Grande*, y estamos hablando de los siglos XVII y XVIII, ya existía en Moscú un colectivo de ladrones impresionante. Es... —se aclaró la garganta—, es sorprendente.

El juez Drabina, como todos sabían, era partidario de perseguir a las Mafias del Este allí donde más les dolía, dadas sus actividades en España: tipificando los nuevos delitos respecto al blanqueo de dinero y el fraude; castigando más severamente, por ejemplo, el de abrir y cerrar cuentas bancarias con nombres falsos, además de avanzar en las técnicas para seguir puntualmente el rastro del dinero producto de sus fechorías. En ese punto, coincidía plenamente con los mandos policiales: había que concentrarse en el dinero. El dinero era la prueba, además de ser el botín. Según Su Señoría tampoco la legislación en vigor disponía de los resortes necesarios para desarrollar programas de testigos que pudieran sentirse protegidos de verdad por la ley —obteniendo nuevas identidades, recibiendo ayuda, dinero y papeles—; de ser así, muchos declararían en casos de violencia e intimidación, y serían piezas fundamentales en los procesos contra mafiosos, que seguramente concluirían con resultados verdaderamente satisfactorios: con los malos en la cárcel, los testigos a salvo y el dinero en las arcas públicas.

—Es importante, a mi modo ver, que se hagan investigaciones como ésta, sobre las estructuras de la delincuencia organizada —continuó el juez—. El autor es un hombre valiente en unos tiempos en los que no abunda el valor, la gallardía... Espero que la doctora Fugacheva nos envíe copia de futuros trabajos de su alumno, si es que los hubiera.

Sigrid asintió, y tomó nota en su cuaderno para hacérselo saber a la interesada.

Las Mafias del Este ejercían sus actividades delictivas en grupo. Eran cuerpos con sus miembros perfectamente interconectados, que se encargaban de renovarlos cuando alguno de ellos caía —si no en la cárcel, pues desde allí podían seguir ejerciendo su papel, en la tumba—; la solidaridad interna que a simple vista parecía gobernar sus estructuras en realidad estaba basada en un principio de coacción. Su discreción, el hecho de que evitaran por lo general llamar la atención, las hacía más escurridizas; y de su poder económico estaba derivando rápidamente una creciente influencia social y, sobre todo, política.

—Nuestro hombre —apuntó el comisario Fernández— continúa en Dubái. No sé qué opina usted, Señoría, pero yo creo que lo tenemos a punto de caramelo. Con una orden de registro del chalet de Arroyo del Tranco...

—Ese chalet no es suyo, es de una ciudadana rusa que no tiene relaciones de parentesco con Astrov —desestimó la petición el juez.

—¿Pedimos la extradición a Dubái? —preguntó uno de los oficiales.

—No será necesario. Todo parece indicar que no tardará en volver. Lo ha hecho otras veces —respondió un compañero—. Va y viene a los Emiratos como quien sube al puente aéreo Madrid-Barcelona.

El resto de los asistentes a la reunión permanecían callados y atentos. Guillermo se rascaba la oreja cada pocos minutos, síntoma, como ya había aprendido Sigrid, de que estaba incómodo.

El inspector jefe añadió que los artículos del Código Penal por los que se podía *empapelar* a Iván *el Terrible* iban desde el 237 al 301, delitos contra el patrimonio y contra el orden socioeconómico... Etcétera.

Pero el juez Drabina estaba empeñado en encontrar, antes de proceder a la detención de Misha, pruebas que lo relacionasen con la corrupción política de la Costa del Sol. Estaba seguro de que esas relaciones existían. Misha hacía negocios con un presidente de Diputación, un diputado, un concejal de urbanismo y un funcionario de la Agencia Tributaria de Madrid. Todos ellos estaban siendo observados de cerca. Pero en las escuchas telefónicas que el juez Drabina había autorizado aún no habían salido los nombres que Su Señoría esperaba oír. A falta de pruebas más sólidas, prefería esperar un poco más.

Pocos años antes ya habían sido implicados y detenidos, en otra operación que aún estaba en curso, dado que los tribunales no habían resuelto todavía, ciento veinte personas —entre ellas cuatro alcaldes, decenas de concejales y dos notarios—, acusadas de participar en el blanqueo de varios miles de millones de euros en Marbella. Setenta y tres tomos ocupaban la instrucción, que desvelaba un terrible saqueo al patrimonio público del lugar donde, durante lustros, y a cambio de millonarias comisiones, se recalificaron terrenos, se otorgaron permisos y concesiones de obras que suponían flagrantes atentados ecológicos, se blanqueó y se evadió capital a espuertas, o en bolsas de basura, con total impunidad.

Por no hablar de un diputado ruso de la Duma, que se les había escapado. El diputado, del mismo partido que el presidente ruso, poseía una mansión en una exclusiva urbanización de Sotogrande, en Cádiz. Incluso había sido presidente por una temporada del Real Club de Golf. Eran públicos y notorios sus estrechos vínculos con un conocido mafioso ruso, con el que compartía el mismo avión privado en régimen de *leasing*. Cuando iba a ser detenido en España, pues se disponía a pasar unos días de descanso en su villa gaditana, *casualmente* un periódico de la zona publicó su nombre, dos días antes de su llegada, asegurando que la policía se disponía a detenerlo en cuanto pusiera los pies en territorio español. Por supuesto, el honorable diputado nunca apareció y no pudo ser arrestado. Seguramente fue una agradable sorpresa para él que alguien hubiese tenido el detalle de avisarle con antelación, asegurándose de que se enteraba bien al publicar la noticia en un periódico.

El juez Marcos Drabina estaba más que harto de las filtraciones, debidas sin duda alguna a los generosos sobornos que desembolsaban los criminales y que siempre terminaban en las manos adecuadas.

—No veo un motivo claro para ordenar un registro del chalet de Arroyo del Tranco. Si lo hiciésemos y saliera mal, nos arriesgaríamos mucho. Pincharíamos en hueso y habríamos echado por la borda todo el trabajo realizado hasta ahora —concluyó.

—Este tío tiene un imperio. Restaurantes, negocios inmobiliarios, hoteles, propiedades en las islas Baleares, en Marbella, en Madrid... Negocios de mensajería, dos gimnasios. Dieciocho empresas a su nombre, además de las que le llevan los testaferros. Que sepamos... No quiero ni imaginar cuáles serán sus ocupaciones y empresas fuera de España —el más joven de los oficiales, Mikel, de unos veintisiete años, hablaba con un punto de excitación en la voz, como si no pudiera contenerse—. Estos cabrones, por si fuera poco, se precian de no trabajar ni así los maten. Está escrito en su código de conducta: antes morir de hambre y de sed que trabajar. Joder, yo pienso en mí, en todos nosotros... Me dejo los cuernos trabajando por una paga poco más que miserable, mientras que los que no dan ni golpe están manejando el mundo a su antojo.

—Pues qué ironía, porque proceden del mundo comunista —intervino el juez con voz cautelosa—, y Friedrich Engels decía que el trabajo convirtió al mono en hombre.

—Entonces, no trabajar convertirá al hombre en mono. No hay más que verlos, a estos tíos... —sentenció Mikel.

Todos rieron de buena gana.

Sigrid pensó que Mikel resultaría insolente si no fuese porque era brillante en su trabajo, y más frío y preciso de lo que parecía a simple vista con su aspecto de muchacho atolondrado.

—Nuestro hombre va por ahí como un pordiosero, con su chándal de mercadillo, sin afeitar y con esa cara de pocos amigos... Otros mafiosos tiran de yates, de vehículos de alta gama y de viviendas de lujo, pero este tío vive con una amiga en una casa de clase media. Como un monje Shaolin, el cabrón. No tiene nada, aparentemente. A su lado, yo parezco un potentado. ¡Yo!, que con un trabajo honrado tardaré treinta años en pagar un piso que es una triste caja de zapatos con vistas a un Mercadona. Bueno, bueno... Qué vida esta.

—El chalet se lo regaló él a la amiga, a través de una de sus empresas.

—Esta gente es increíble. Llevan en España desde los años noventa, ¿o incluso desde antes?... Tienen unas redes empresariales más complejas que un polinomio cromático, y lavan todo el dinero de sus crímenes aquí, de los crímenes que cometen en Rusia, o en el resto de la antigua Unión Soviética. Apuesto —Mikel, el joven agente, volvió a la carga, parecía dispuesto a monopolizar la conversación—, apuesto mi paga extra de diciembre a que una buena parte de la burbuja inmobiliaria la han inflado estos tíos, soplando millones a mansalva. Llegaron con miles de millones debajo del brazo y empezaron a comprar, a sobornar, a construir y a invertir hasta que pusieron el mercado al rojo vivo y, por supuesto, consiguieron que nos explotara a los demás en toda la cara.

Todos lo escuchaban, con una media sonrisa.

—Son teorías mías, ¡vale, no me miréis así!

—No, si en parte llevas razón —dijo otro oficial.

—Hablando de monjes expertos en artes marciales —intervino el juez—, usted, Azadoras, aún no ha tenido ocasión de contactar con Astrov, ¿verdad? —le preguntó a Sigrid.

Ella negó con un movimiento de cabeza. ¿Por qué la trataba de usted? Era como si, cuando ponía el pie en la entrada de los juzgados, Marcos se transformara. Le entraron ganas de levantarse y gritar «¡Oye!, que soy yo», pero era consciente de que su amistad, pues de momento no tenían otra cosa, no parecía la relación más adecuada para hacerla pública en aquella estancia recargada con el peso y la formalidad de la ley.

Se dijo que estaba loca por tener esas ideas. Se mordió la lengua mientras volvía a negar con un énfasis poco natural.

«Estás loca, estás loca, Azadoras... Ese hombre te gusta, confiésalo de una vez.»

—Llevo un mes frecuentando el gimnasio donde se supone que va a practicar, pero como se fue a Dubái no ha aparecido por allí. Por entonces no vigilábamos su casa como ahora, de modo que, cuando nos enteramos de que se había largado al Golfo, yo ya tenía agujetas hasta en los molares.

Guillermo se rio por lo bajo.

—¿Y de la viuda Hergueta, hay noticias?

—Ni rastro.

—Yo creo que está retenida en la casa de la amiga de Astrov, en casa de sus vecinos, la tienen secuestrada, seguro... —se atrevió Sigrid—, si Su Señoría reconsiderase lo de la orden de registro...

El juez Drabina negó con firmeza.

—Vamos a esperar a que el pájaro vuelva a la jaula —dijo, y dio por concluida la sesión.

Sigrid y Férriz

Recibió una llamada de Férriz que la sorprendió.

Hacía semanas que no sabía de él.

—Jefe, qué alegría. No me diga que está pasando el sarampión.

—¿El sarampión?... Los huevos —respondió el hombre con su habitual sutileza.

—Me han dicho que estaba enfermo.

—Ya lo creo que estoy enfermo. De una enfermedad que se llama vejez —su voz tenía un acento de cansancio que preocupó a Sigrid.

—Oh, venga, jefe, no me salga con ésas...

—¿Sabes esas cosas que se dicen sobre la vejez, Azadoras? —Férriz resolló un poco; Sigrid tuvo la impresión de que estaba tumbado y con el teléfono apoyado sobre la boca—. Todo eso de la experiencia, la madurez, la sabiduría. ¿Has oído hablar de todo eso, nena?

—De vez en cuando.

—Pues ¿sabes lo que yo creo?

—No.

—Yo creo que todo eso es una mierda.

—No hable así, jefe. Yo soy muy impresionable.

—¿Tú..., impresionable tú? —se rio con ganas—.

Tú eres un jodido guerrero. Y fíjate que no digo guerrera porque no me da la gana. A ti no te impresiona ni el atasco de los viernes ni Muhammad Alí llamando a rebato. Tú vas de santurrona por la vida, pero eres un toro bragado. Tú agarras a los tíos y te los pasas por el tacón y haces un pinchito moruno con ellos. Ésa eres tú, Azadoras.

Sigrid guardó un embarazoso silencio. Se sintió culpable, cayó en la cuenta de que hacía semanas que no soñaba con su víctima. Se preguntaba si eso era bueno. Dormía mejor; el tiempo que no le dedicaba de noche, tampoco se lo consagraba de día. ¡Lo había olvidado por primera vez desde que ocurrió! No le gustó que el comisario se lo recordara.

—Veo que está en plena forma, a pesar de la baja por enfermedad.

—Sí, verás. Disculpa si te he entrado un poco fuerte —Férriz recuperó un tono de voz más sosegado—. Estoy alterado porque mi mujer... —Sigrid creyó que tragaba saliva, como si estuviera emocionado—. Le descubrieron hace unos meses un mioma en el útero. En fin, ya tiene una edad. A ti te falta poco para empezar a preocuparte por estas cosas, cariño.

—Gracias, jefe, por refrescar mi memoria. Es usted muy amable y simpático, como de costumbre.

—Era una de esas porquerías benignas, eso nos dijeron. La trataron con cirugía, y todo fue de perlas. Pero luego aparecieron unos bultos en el pecho que no tienen tan buena pinta... En fin. No lo estoy llevando nada bien. Nunca he sabido qué cara ponerle a la enfermedad. Comprendo la muerte, puedo hablar de tú a tú con ella. Pero la enfermedad es otra cosa, encanto. Otra cosa.

—Lo siento.

—Lo que quería que supieras es que tal vez no vuelva al trabajo.

—Pero... ¿por qué? ¿Qué dice? ¿Qué está insinuando? —protestó Sigrid—. Yo volveré a la comisaría de Leganitos tarde o temprano. Eso creo. Cuando todo esto acabe, si es que termina alguna vez. Y cuando lo haga, cuando vuelva, ¿de quién voy a quejarme si usted no está allí molestando como de costumbre?

—Me han ofrecido acogerme a un plan de jubilación anticipada. Es mi mejor opción. Quiero dedicarle a mi mujer el tiempo que le he robado los últimos siete años. Los que llevamos juntos.

—No sé qué decir.

—Tenía pensado verte, pero a lo mejor no puedo. Los médicos, las pruebas, los tratamientos... Vamos a viajar dentro de poco al extranjero para consultar a un doctor muy famoso —se rio suavemente, Sigrid creyó que con tristeza—. Me voy a arruinar, Azadoras. Qué caras sois las mujeres.

—Rece, comisario. ¿Ha probado a rezar?

Férriz chasqueó la lengua, divertido.

—Qué cosas tienes, Sigrid, cariño, tonta del culo.

Feruza y la viuda Hergueta

Mariya y Polina no estaban en la casa. Habían ido andando hasta el pueblo para hacer la compra. Una caminata de un par de kilómetros a la ida y otro par a la vuelta no les venía mal a ninguna de las dos. Como no sabían conducir, aprovechaban para hacer algo de ejercicio.

Feruza había llegado a trabajar a su hora, como siempre, y vigilaría a la viuda.

Doña María Jesús estaba sentada en el sillón que Mariya le asignó, en la cocina. Con la boca amordazada y las manos atadas sobre el regazo. No tenía muchas fuerzas, de modo que, después de la primera semana, cuando la colocaban en la cocina, como un mueble más, se limitaban a sujetarle un tobillo a una de las patas del sillón para impedirle huir. Toda precaución era superflua: doña María Jesús sentía que la energía la había abandonado, como a una pila usada.

Al menos, el asiento era cómodo. Un sillón tapizado en piel *ranger* de color marrón oscuro con mecanismos de relax eléctricos que se controlaban mediante un mando a distancia. Mariya lo compró en El Corte Inglés. A veces, mientras estaba guisando, accionaba con el mando inalámbrico la función de masaje, y doña María Jesús se veía acunada igual que un bebé contra su voluntad.

La venda que le impedía gritar ya no le apretaba. Le daban bien de comer. Ponían el televisor a toda pastilla para camuflar sus chillidos, en caso de que le diera por pedir socorro al verse con la boca liberada. Y, además, la casa estaba completamente insonorizada; Misha se había ocupado de ello cuando la reformaron. Ni siquiera se oían los aviones que a veces sobrevolaban la zona, atronándolo todo. La viuda ya ni siquiera sentía ganas de gritar. Aprovechaba para tomar un bocado cuando le quitaban la venda, que buena falta le hacía. Trataba de recuperar fuerzas. En cuanto lo lograse, en cuanto se sintiera un poco mejor, se escaparía. Eso era lo que se decía a sí misma, lo que la ayudaba a seguir adelante, luchando por seguir viva. Si no la habían matado ya es que no veían muy clara la conveniencia de hacerlo. La viuda se repetía una y otra vez que aún había esperanzas.

La tenían estacionada junto a la ventana de la cocina, de modo que podía ver el jardín. Se lo conocía ya de memoria, y empezaba a detestarlo.

Mariya le dejaba la televisión puesta a todas horas, y doña María Jesús sospechaba, con un fino horror que le caldeaba las mejillas al pensarlo, que se volvería teleadicta si continuaba en aquella casa unas pocas semanas más. Dentro de nada no podría prescindir del culebrón colombiano de las cinco de la tarde en TVE.

Podía ducharse cada tres días. Polina y Mariya la

vigilaban, la encerraban en un cuarto de baño que carecía de ventilación y ella pasaba un rato a solas, lamentándose de su suerte y cumpliendo con sus abluciones rápidamente, estirando los músculos para no anquilosarse y dándose la razón a sí misma: «Lo ves, te lo dije, lo ves, te lo dije...».

En la tele estaban dando el magacín matutino. Se sabía todas las noticias del corazón y había desarrollado una especie de aversión injustificada hacia unos parientes de los reyes.

Miró por la ventana.

La asistenta bregaba con unos cubos y limpiaba alrededor de las macetas. Era una mujer robusta. No tan alta como la dueña de la casa. Pero nadie era tan alto como la dueña de la casa. Trabajaba con la misma eficacia y sutileza que un tanque. Sin embargo, no había duda de que limpiaba a conciencia.

La vio pararse y erguirse, secarse con el brazo el sudor de la frente y luego sonreír como una niña pequeña.

La viuda Hergueta siguió la dirección de su mirada.

Entonces lo vio.

Por un instante, el corazón le dio un vuelco. Creyó que se trataba de *Malory*, su precioso gatito siamés de ojos azules y suave pelaje blanco y gris. Estuvo a punto de llorar de la emoción hasta que se fijó bien. El gato había acudido al reclamo de la asistenta, que le ofrecía algo con la mano. Una chuchería. Un trozo de fiambre, seguramente.

No, no era *Malory*. Era un vulgar gato callejero.

La viuda suspiró de desilusión. Sonrió con ternu

ra bajo su mordaza mientras contemplaba a la asistenta, que en ese instante acariciaba al minino.

Qué bellos seres. Qué pequeñas piezas de orfebrería animal. Elegantes, independientes, altaneros. Pero siempre dispuestos a ofrecer misericordiosamente a los humanos un poco de su compañía, a restregarse, mimosos, contra una pierna amiga. A dejarse rascar el lomo.

La viuda suspiró de añoranza.

«Mis gatitos. ¿Dónde andarán?»

Y justo entonces, ocurrió.

En el instante en que se dio cuenta de que Feruza, la asistenta, acababa de retorcerle el pescuezo al animalito, que lo había matado mientras lo acariciaba, doña María Jesús estuvo a punto de ahogarse. El miedo le atenazó la garganta con más fuerza que el pañuelo que le impedía hablar y tragar saliva con normalidad.

Gimió con desesperación. La crisis de ansiedad le hizo jadear e hiperventilar. El pulso se le aceleró. Sus arterias se quedaron sin oxígeno. Se le nubló la vista. Sintió un fuerte dolor en el pecho y se dijo que le había llegado la hora, que seguramente sufriría un ataque al corazón allí mismo. Una angina de pecho. Notaba los coágulos circulando por sus venas, con sus sombras amenazadoras. Tendría un ictus. Una parálisis. La muerte. Veía la sonrisa de la muerte en el cuello de aquella asesina de gatos.

Empezó a sentir convulsiones cuya violenta potencia ni siquiera la sorprendieron; tiró de su atadura, se llevó las manos trabadas al pie y, con una energía inusitada, histérica, logró deshacerse de la ligadura. Aquellos cafres la tenían inmovilizada como a una yegua. Se puso en pie y, al igual que un pato mareado, anduvo chocando contra los muebles de la cocina hasta que recuperó el sentido de la orientación y pudo dirigirse hacia la salida de la casa. No era muy grande. El chalet tenía la misma estructura que el suyo, a pesar de que lo hubiesen reformado y revestido con todo tipo de mármoles horrorosos. Se sabía el camino. Podía hacerlo.

«¡Vete, venga, vamos, lo ves, lo ves!», no paraba de repetir con la lengua enredada en el pañuelo que la enmudecía.

Tenía que escapar de allí. Tenía que largarse corriendo de aquella cueva de delincuentes, agresores de gatos.

La cabeza le daba vueltas. No era consciente de su debilidad, no era consciente de su edad, de sus achaques, de sus prevenciones. El miedo le proporcionaba un brío inaudito. Debía escapar de esa casa de la muerte enseguida. De ese campo de concentración de inocentes criaturas.

Ahora ya sabía dónde estaban sus pobres animalitos. Ojalá nunca lo hubiese sabido.

La puerta de la entrada estaba echada con llave, pero abrió la que comunicaba el *hall* con el garaje y después se encaminó directamente a la calle, saliendo por donde había entrado; hacía de aquello tantos días que hasta había perdido la cuenta. Se dirigió a la puerta dando trompicones...

Pero la cancela de la calle sí estaba echada con

llave. La viuda no podía trepar por ella, tenía las manos atadas y aunque las hubiese tenido libres carecía de agilidad para saltarla. Pasó un coche al otro lado y el ruido se fue alejando, ella ni siquiera podía gritar, y aunque lo hubiese hecho, seguramente no la habrían oído. Otro coche se acercaba. Disminuía la velocidad. Tuvo ganas de suplicar socorro. Gimió pidiendo auxilio con palabras ininteligibles hasta que cayó en la cuenta de que el portón automático del garaje se había puesto en marcha. Alguien llegaba a la casa. Volvió corriendo al garaje. Se escondería allí. Quizás pudiera aprovechar y salir cuando el coche entrara.

Feruza

Feruza no tenía un buen día.

La mañana anterior la pasó en Urgencias. Sentía molestias en la cabeza, jaquecas espantosas. Ella creía que se trataba de un tumor, pero las pruebas daban resultados negativos.

Los médicos la enviaban invariablemente a casa con un tubo de aspirinas y la recomendación de que descansara y se graduara la vista.

Pero ¿qué sabían los médicos?

Después de estrangular al gato, lo colocó con delicadeza sobre una mesa de hierro forjado del jardín. Le acarició la piel, tan suave como el abrigo de una fulana cara.

El llanto la tomó por sorpresa.

El inocente gatito muerto, descoyuntado sobre el frío metal, le partía el corazón.

Lloró, pero esta vez no era sangre lo que lloraba, sino lágrimas normales y corrientes, como las de cualquiera que ha sufrido una pérdida y se lamenta por ello.

De pronto le resultó insoportable pensar que aquel animal hermoso se corrompería. Su carne de desharía, comida por bichos carroñeros. La piel de sus patas. El hocico tenue y gracioso. Los ojos melindrosos y vacíos.

No podía permitirlo.

Tenía que posponer esa atrocidad.

No lo metería en una bolsa de basura, como solía hacer, tirándolo al contenedor municipal. Le daría una prórroga a su cuerpo. Mariya disponía de tres enormes frigoríficos en la cocina. Uno de ellos apenas se usaba. Estaba lleno de cubitos de hielo, no contenía nada más. Nadie lo abría. Lo metería ahí, hasta el día siguiente. Cuando volviera lo sacaría, se lo llevaría con ella. Ya pensaría qué hacer con el gatito esa misma noche.

Cogió el cadáver del gato y lo acunó contra su pecho, como a un recién nacido. Entró en la casa por la puerta de la cocina, que comunicaba con el jardín. Ni siquiera se dio cuenta de que la viuda no estaba en su sitio acostumbrado, tan trastornada se sentía.

Colocó al gato amorosamente en el congelador del frigorífico, y cerró la portezuela. Se cambió de ropa, apagó la televisión y se marchó. Había terminado sus faenas en la casa.

Cuando pasó al lado de la puerta del garaje vio a Gorilla, a Kakus y a Barbala aparcando el coche. Pero no tuvo ganas ni de decirles adiós.

Gorilla, Kakus, Barbala y la viuda Hergueta

Kakus y Barbala se apearon los primeros del vehículo. En último lugar, lo hizo Gorilla. El garaje era amplio. La luz fría del mediodía lo llenaba por completo, y la brisa limpia que invadió la estancia se llevó lejos el tufillo a combustión.

Ninguno de los hombres hablaba.

Barbala y Gorilla entraron en la casa uno tras otro. Kakus se quedó un momento mirando un arañazo en la parte trasera del coche.

Se disponía a seguirlos cuando oyó un ruido, ligero, como un roce. Sus sentidos se pusieron alerta. Permaneció inmóvil, erguido igual que un obelisco egipcio. Los músculos de sus antebrazos se tensaron. Su nuca era sensible a la menor oscilación del aire a su alrededor. Habría sido capaz de contar los pasos de un pulgón sobre el tallo de un rosal. Respiró muy lentamente. Olía algo. Se giró en redondo, como el periscopio de un submarino. Observándolo todo, almacenando en su cerebro cada sombra de las paredes.

Se fijó en las lonas que habían usado unas semanas antes para cubrir los cadáveres de los colombianos.

No le gustaban los colombianos, pero había que tener tratos con ellos. No quedaba más remedio.

Se acercó a ellas. Sus pasos eran ligeros, las suelas de sus zapatillas de deporte no crujían siquiera. No producían ni el más leve siseo.

Levantó las lonas. Las habían lavado, pero ya estaban un poco polvorientas, aunque al menos no tenían rastros de sangre.

La viuda Hergueta lo miró, aterrada.

Barbala y Gorilla observaron pasmados a Kakus, entrando en la cocina con la viuda en brazos.

—Se acabó. *Ubrat!* Eliminarla. Eso voy a hacer. Voy a matar a esta bruja... —anunció Kakus—. Ha estado a punto de escaparse. Me pregunto en qué estará pensando la tía Mariya para dejarla sola. Y la puta, ¿dónde está la puta? No tiene otra cosa que hacer más que vigilar a la vieja. Digo yo. ¿Y vosotros, qué habéis hecho vosotros dos con vuestras cuatro manos? ¡Pasasteis delante de donde se escondía sin daros cuenta!

Barbala se rascó el cuello. No se sentía bien. Hacía días que no se regalaba una dosis de caballo, ni por la nariz ni en la vena. Quería dejarlo. Pero no era fácil. No tenía a mano ni una mala piedra para ahuyentar al lobo. Carecía de fuerza, de voluntad.

Kakus arrojó su carga sobre el sillón de malas maneras. La viuda se quejaba débilmente, lloraba a lágrima viva. Se hizo encima un poco de pis. No entendía nada de lo que decía aquel bárbaro, pero estaba segura de que no era nada bueno.

Kakus se acercó a doña María Jesús. Había sacado un cable del bolsillo de su pantalón vaquero.

Barbala sudaba. Sentado en la mesa, bebiendo un enorme vaso de leche, ahora se levantó y de un par de zancadas se interpuso entre Kakus y la mujer.

—Déjala en paz. No la toques —le advirtió a su compañero. Le picaban los ojos, como si los tuviera irritados—. La tía Mariya no quiere derramamientos de sangre en su casa, ni cuerpos. Bastante tuvo con los colombianos. Nunca debieron descargarlos aquí. Y fue responsabilidad tuya que acabaran ahí al lado, en el garaje.

—Quítate de en medio —la mirada de Kakus brillaba de furia; hizo un gesto de repugnancia con la boca.

—Ya vale —medió Gorilla—. Basta.

Kakus dio un paso hacia su objetivo. Barbala lo paró con la mano extendida. Kakus lo agarró por el codo y le dio la vuelta como quien gira una llave dentro de la cerradura. Barbala se retorció de dolor. El impulso lo estrelló contra la encimera de la cocina. Con la otra mano, sujetó una lata de tomate en conserva de las muchas que Mariya mantenía formando pequeñas filas en aquel rincón. Cuando Kakus se volvió a acercar a él le golpeó en la frente, aunque eso no detuvo al hombre, que se empleó ahora con una rodilla de Barbala.

—Eres una muñequita —escupió Kakus—. En cuanto dejan de darte cuerda, no sabes andar.

La viuda Hergueta estaba paralizada por el horror. Conseguía respirar a duras penas.

—¡He dicho que ya basta! —gritó Gorilla. Colocó su *gin-tonic* sobre la mesa y se puso en pie, amenazador.

—¡Cállate! —Kakus se volvió hacia el tatuador y lo amenazó con el puño.

—¿Cómo? —Gorilla apenas se podía creer la falta de respeto.

La viuda cerró los ojos con fuerza. Luego se desmayó.

Barbala aprovechó la distracción para golpear de nuevo con la lata. Kakus se tambaleó un poco. Soltó a Barbala y se desplazó con pasos de zombi hacia Gorilla, que lo esperaba con una sonrisa de psicópata iluminando su rostro.

«Quizás —pensó el tatuador—, quizás sí sea cierto que existe un síndrome de Chechenia. Quizás se refieren a esto que siento ahora mismo cuando hablan del síndrome de Chechenia.» Su vista se empezó a nublar. Kakus le cayó encima tratando de golpearlo y entonces... Entonces, Gorilla perdió la cabeza.

Cuando acabó con él, se sentía relajado, pero confuso. Miró el cuerpo de Kakus, ensangrentado y marchito sobre el suelo. Por un instante ni siquiera supo dónde se encontraba.

Se tumbó en el suelo y respiró con dificultad, como si algo le estorbara en la garganta.

Barbala fue el primero en reaccionar. Se notaba cansado.

—Lo has matado —dijo.

—Sí —respondió Gorilla; le resultaba difícil pensar con claridad—. Tarde o temprano alguien iba a matarlo. ¿Y por qué dejarlo morir mal cuando yo lo podía matar bien?

—Vamos —le pidió Barbala—. La tía Mariya y Polina volverán pronto. Sujétalo por las piernas. Lo llevaremos a la funeraria. Nadie tiene por qué saberlo. Lo meteremos en el horno. Haremos un bollo caliente —sonrió con la boca torcida.

Gorilla asintió mansamente.

Se puso en pie y miró la sangre del suelo.

—No te preocupes. Yo la limpiaré más tarde. Tenemos que deshacernos del cuerpo.

Lo llevaron hasta el garaje entre los dos.

Gorilla trastabillaba, pero logró hacer su parte, sujetando los pies de Kakus. Era grande, pesado. Lleno de músculos y de toneladas de tierra en el cerebro. Los colombianos parecían niños de escuela primaria a su lado.

Se oyó chirriar la puerta de la cancela.

Intentaban cubrir el cadáver con una de las lonas cuando Polina se dibujó contra la puerta que comunicaba el garaje con el interior de la casa.

Iba cargada con bolsas de supermercado. Vestida como una estudiante en fin de semana. Ropa cómoda, sexy. Zapatos bajos con suela de caucho reciclado que costaban un dineral.

Se quedó mirándolos, callada. Respirando entrecortadamente, como si hubiese hecho un gran esfuerzo.

Barbala se encogió de hombros.

—No pienses mal —dijo.

La joven permaneció en silencio.

—Estás pensando mal, y te equivocas.

—¿Qué estoy pensando? —Polina habló en voz muy baja.

—Tú sabrás. Cosas que no son verdad. Cosas malas.

—Te equivocas —contra su costumbre, se mostraba locuaz, toda una cotorra—. Pienso cosas buenas.

Barbala se acercó a ella hasta que sus narices se rozaron.

—¿Qué estás pensando? —preguntó.

Polina miró el cuerpo inerte de Kakus durante unos segundos.

—Pienso que soy una chica afortunada. Que tengo suerte. Una suerte loca. Lo he sabido siempre.

—Tendrás que estar calladita si quieres seguir teniendo suerte —la amenazó Barbala. Sudaba, su aliento era espeso y agrio.

Polina le mantuvo la mirada.

—Soy una tumba —prometió. Y sonrió, quizás por primera vez en su vida, sinceramente.

Polina se dirigió corriendo a la cocina. Desde allí oyó el coche abandonar el garaje con su fúnebre carga.

Enseguida se hizo cargo de la situación. Vio la sangre en el suelo, y una lata abollada que había ido a parar a los pies de la viuda.

Se acercó a la mujer.

—¡Shsss! —le ordenó.

La vieja estaba aterrorizada. Polina le quitó la mordaza.

—Cállate, no digas nada —se dio cuenta de que la viuda tenía la falda manchada de orina. El olor era inconfundible. Sintió por la vieja cosas que sólo había sentido por sí misma en otros tiempos.

Liberó sus manos. La mujer temblaba con espasmos regulares.

—¡Vete! —le dijo en español.

La viuda Hergueta la interrogó con la mirada. Polina la llevó a empujones hasta la puerta. Abrió. Salieron al jardín de la entrada delantera. Metió las llaves en la cerradura de la cancela y le franqueó el paso.

—¡Vete ahora! —repitió; su tono se había vuelto urgente, desagradable, autoritario; murmuraba en moldavo frases ininteligibles para doña María Jesús—. Corre la calle abajo, no entres en tu casa. ¡Vete!

Doña María Jesús se alisó el pelo y echó a andar con pasos vacilantes. Después apretó el ritmo y se alejó trotando. Contemplada desde lejos, parecía que saltaba.

Giró en la esquina y se perdió de vista.

Sólo entonces Polina regresó al interior de la vivienda. Fue a la cocina, agarró un trapo viejo, se puso unos guantes de plástico que solía utilizar Feruza y vació un litro de lejía sobre la mancha de sangre del suelo.

Misha

Eran las diez de la mañana del día siguiente cuando Misha aterrizó en el aeropuerto de Barajas procedente de Dubái. Gorilla y Barbala fueron a recogerlo.

—¿Dónde está Kakus? —fue lo primero que preguntó.

—Ha desaparecido —le dijeron. Se habían conjurado para mentirle—. Él y la viuda. Creemos que ha perdido el juicio y se ha llevado a la vieja para pedir un rescate. Andaba escaso de dinero últimamente. Tenía líos con esos moldavos, ya sabes. Fue ayer a tu casa, la vieja estaba sola en casa. Atada, como siempre. Cuando nosotros llegamos no había ni rastro de ninguno de los dos.

—¡¿Qué estáis diciendo?! ¿Por qué nadie me ha avisado? —Misha gritó y golpeó con un manotazo el hombro de Barbala, que conducía el coche y dio un volantazo.

—No queríamos explicarte algo así por teléfono, era muy arriesgado —intercedió Gorilla—. Y sólo hemos tenido que esperar unas horas para poder decírtelo personalmente.

—Quizás ha llegado el momento de cambiar de guarida —sugirió Barbala—. Puedes irte unos días fuera de España, ver cómo evoluciona la situación y volver cuando todo se calme. A otra casa. Te acompañaremos adonde haga falta.

Misha no dijo nada.

Olía el peligro. Algo no marchaba bien.

Llamó otra vez a su abogado, pero no pudo hablar con él. Maldijo en voz baja. Estaba cansado.

Mariya lo esperaba en casa, desolada por la desaparición de la viuda.

—Era como mi hermana, Misha. Ya era mi hermana... —sollozó. Su cuerpo envejecido vibró de disgusto.

Polina observaba la escena sentada en su silla habitual de la cocina.

Misha necesitaba un trago.

Se dirigió a la zona de los frigoríficos. Aún sentía el calor del desierto de los Emiratos rascándole en la garganta.

Abrió una de las neveras y se quedó inmóvil.

Los ojos congelados de un gato muerto lo acechaban con astucia, cargados de maldad y de presagios aciagos. Sintió el rítmico golpeteo de los latidos de su corazón, y una sensación de abandono en las extremidades.

En ese momento sonó el teléfono de la casa que había colgado en una pared de la cocina. Nadie solía utilizar ese teléfono; lo tenían porque era necesario para conseguir la línea ADSL.

Mariya lo descolgó.

Misha cerró el frigorífico sin ningún comentario

sobre su contenido. Las manos comenzaron a sudarle.

—Es para ti, Misha. Un hombre grita «¡Misha, Misha!» —dijo Mariya, hipando todavía—, así que debe de ser para ti.

Se llevó el auricular al oído. Su pulso no era muy firme. Era su abogado.

—Señora Flett —dijo la voz extravagante y clara de su defensor ante la ley, y luego cortó la comunicación.

Misha colgó.

El mensaje era claro.

«Señora Flett» significaba «sal corriendo».

Misha, esta vez, sí se llevó una maleta. La tenía preparada en el sótano de la casa, en su despacho, detrás de una caja fuerte que ocupaba toda una pared. Contenía documentación. Los papeles cambiaban cada mes, pero habitualmente había una maleta llena oculta tras la maciza puerta blindada. Algunos de los expedientes, extractos, contratos, credenciales, cédulas e inventarios que contenía harían las delicias de cualquier representante de la Agencia Tributaria si pudiese ponerles las manos encima.

Misha se felicitó por su buena inversión en sobornos. Tal y como le advirtió su leguleyo cuando hablaron en Dubái, mereció la pena. De no ser por el chivatazo que acababa de recibir, muy probablemente esa misma noche no dormiría en una buena cama. El soborno era una de las pocas operaciones de colocación de capital que aún continuaba ofreciendo altas rentabilidades en un mercado cada vez más volátil y revuelto.

Le prometió a Mariya que la llamaría.

Ella y Polina estarían bien. Disponían de todo lo necesario. Misha tendría que pasar fuera una temporada.

No, no se llevaría con él a Barbala y a Gorilla. Ellos dos las cuidarían, las protegerían si era preciso.

A las cinco de la tarde, pocas horas después de que Misha subiera a otro vuelo rumbo a Londres, Sigrid, Guillermo y dos de sus superiores, acompañados de la Policía Judicial, llamaron a la casa de Mariya y le enseñaron una orden de registro domiciliario. El juez Drabina, después de leer la declaración de la conmocionada viuda Hergueta, y tras hablar con su alterada madre por teléfono, había autorizado por fin la entrada en el chalet de los rusos.

La finalidad de una orden de registro no es otra que buscar fuentes de investigación y de pruebas para posteriormente ejecutar una medida cautelar de detención, tal vez de prisión provisional, de un sospechoso.

Pero en el domicilio de Mariya la policía no pudo encontrar nada sustancial. Si exceptuamos las obras, primorosamente subrayadas, de José Castro de Luz, que ocupaban un lugar prominente en la biblioteca del sótano y que Sigrid hojeó entre avergonzada, fascinada e incrédula.

Polina y Mariya fueron detenidas, aunque el abogado de Misha realizó las diligencias correspondientes y volvieron a su casa pocas horas después. La viuda Hergueta insistía en que, de no ser por ellas, no estaría con vida. No deseaba presentar cargos contra las dos mujeres que, por otro lado, tampoco eran buscadas por la justicia en relación a ningún otro delito. Muy distinto era el tema de la asistenta: doña María Jesús se empeñó en denunciarla a la Protectora de Animales, una iniciativa inútil que, al menos, a ella la consoló.

Gorilla y Barbala se escabulleron después de dejar a Misha en su terminal aérea. Llevaban escondiéndose desde que la viuda se había escapado. Habían quemado su crédito en España y sabían que sus horas en el país estaban más que contadas.

A esas horas, la policía aún no buscaba a Misha —el soborno había valido lo que costó—, de modo que éste pudo salir del país con toda tranquilidad. Su abogado le había comprado los billetes de avión. Misha sólo tuvo que enseñar su pasaporte falso y obtener la tarjeta de embarque reservada a su nombre, tal y como tenían convenido para casos de emergencia.

De todas formas, dos policías del equipo de vigilancia habían seguido como de costumbre a Gorilla y Barbala. Fueron hasta el aeropuerto, pero después los perdieron. Se suponía que ambos guardaespaldas aprovecharon que acompañaban a Misha y tomaron un par de vuelos mientras los polis observaban con celo el Infinity, aparcado majestuosamente en la terminal 3, y esperaban inútilmente a que volvieran sus ocupantes.

Misha fue detenido dos semanas después en el aeropuerto de París. Lo extraditaron a España. Pero las pruebas en su contra eran débiles. Ni tan siquiera podían implicarlo en el presunto asesinato de uno de sus esbirros, pues, según juraba la viuda Hergueta, el hombre no había estado presente.

Tampoco lo vio nunca junto a los cadáveres del garaje, de los que no se consiguió hallar ni rastro. Y no podían responsabilizarlo a él de su secuestro basándose en el confuso testimonio de doña María Jesús, que jamás permaneció en la misma habitación que él ni un segundo, según declaró en su momento. Aunque también era cierto que la mujer se desmayó en varias ocasiones y no podía estar segura de qué cosas sucedían a su alrededor cuando perdía el conocimiento.

Como la policía sospechaba de las actividades de la funeraria —que a duras penas habían logrado relacionar con Misha— hicieron una inspección minuciosa del lugar, acompañados de las autoridades sanitarias pertinentes, pero los empleados eran trabajadores rusos altamente cualificados, con los papeles en regla, expertos en embalsamar cadáveres, y el complejo estaba limpio como una patena. No había ninguna irregularidad a la que poder agarrarse. Aunque podían asegurar que el horno crematorio servía para algo más que para reducir a cenizas a honrados ciudadanos que perecían de muerte natural, no encontraron nada que así lo indicara. Incluso la contabilidad del negocio era tan pulcra que no se le podía objetar ni medio decimal equívoco. Sospechosamente intachable todo. Tan falso e irreprochable como su supuesto dueño.

Quizás sería posible acusar a Misha de encubrir un secuestro, de complicidad en la tortura de la viuda, y a lo mejor de conspiración para el asesinato, pero no encontraron cuerpos, ni restos de ellos. Podía tratarse de la palabra de una anciana trastornada contra la de Astrov y su pandilla. Y estos últimos tenían abogados excelentes que pondrían el grito en el cielo y reclamarían responsabilidades, daños y perjuicios.

Todo quedaría en agua de borrajas si se arriesgaban demasiado presentando cargos. El ruso no estaría ni dos horas detenido.

Se había abierto un proceso judicial y continuaba en marcha la investigación. El juez Drabina maldecía, de nuevo, la filtración que había puesto en alerta a Misha.

Iván Astrov no era exactamente el pez gordo que el juez trataba de pescar. Era el cebo. Y ahora veía, con impotencia y rabia, cómo la carnada se le escurría de las manos y volvía a saltar al agua, vivita y coleando, mientras él se quedaba sin señuelo y sin captura. Fijó una fianza altísima para Misha. Un millón doscientos mil euros. Su abogado defensor la depositó, contante y sonante, dos horas después. De modo que Misha salió en libertad y volvió a Arroyo del Tranco, con Polina y Mariya, como si nada hubiera ocurrido.

Misha y Sigrid nunca llegaron a verse cara a cara.

La vida continuó siendo apacible en la sierra. Excepto por el ruido de los aviones de la T4, de vez en cuando. Claro que eso tenía la ventaja de que los vecinos de la urbanización disfrutaban de la cercanía del aeropuerto, para casos de urgencia.

Seis meses después, la primavera había florecido con profusión de colores por los jardines de la vecindad.

Doña María Jesús no volvió a poner los pies en su casa. Sentía mucho miedo. Se negó a regresar, incluso cuando Sigrid y sus compañeros le prometieron acompañarla. Aunque Polina y Mariya le habían salvado la vida, y ella se lo agradecería eternamente, tampoco deseaba volver a encontrarse con las dos mujeres. No sabría qué decirles ahora, con la boca liberada de su mordaza, y no creía que pudieran entenderse «en ninguna lengua cristiana».

La viuda Hergueta le vendió su casa a Guillermo, el compañero policía de Sigrid, a un precio de ganga. El joven estaba recién casado, como quien dice, y su mujer trabajaba de gerente en una gran tienda de ropa de un centro comercial de San Sebastián de los Reyes, así que la ubicación de la vivienda les venía de lujo.

Tres años antes, la viuda Hergueta hubiese vendido su casa por un tercio más del dinero que Guillermo le pagó por ella pero, en aquellos momentos, la crisis había tumbado el valor de los inmuebles. Los propietarios que querían vender, tenían que apretarse el cinturón y bajar los precios. Aunque a doña María Jesús no le afectó lo más mínimo la pérdida de tan sustanciosas ganancias: a su edad, tenía claro que el dinero no es lo más importante de la vida. Y, con lo que obtuvo de la venta, se compró una casita en la zona de Ortigueira, en La Coruña, en un municipio que lindaba con el mar. Estaba rodeada de humedales y, su parroquia, incluida en el Registro Natural de Espacios Naturales de Galicia. Se trataba de una antigua casa de piedra de Santiago del año 1850, totalmente restaurada, de ciento cuarenta metros de superficie más una parcela de otros novecientos que se derramaba en un prado verde, frente al que se observaban las entradas de la ría y alguna playita de arena fina y oscura lamida por aguas mansas que, con la bajamar, formaban canales que parecían de juguete.

Al fin y al cabo, ¿qué necesidad tenía ella, a su edad, de vivir cerca de Madrid? ¿Qué se le había perdido en Madrid? No tenía hijos, ni familia cercana que la atara a la capital. Se largaría cuanto antes. Las pocas amigas de verdad que conservaba, como doña Luisa y dos o tres más, tendrían una excusa para salir de casa: deberían ir a visitarla a Galicia.

Se sintió encantada de que un joven policía, con una vida por delante, pudiese disfrutar de la propiedad que con tanto mimo, ilusiones y trabajo habían puesto en pie su difunto marido y ella.

Había llegado la hora de partir.

Además, le encantaba pensar que, en adelante, los rusos tendrían a un policía como vecino.

No acudió a su antiguo domicilio ni para asistir a la mudanza. Se instaló en casa de su amiga Luisa en cuanto le dieron el alta en el hospital, y la envió a ella junto a su hijo, que para eso era juez, a que supervisaran el traslado.

Le daban escalofríos sólo de pensar en volver por allí.

Sigrid

Sigrid y Marcos repasaron las noticias que se habían publicado sobre la detención, y posterior puesta en libertad bajo fianza, de Misha, más conocido como Iván *el Terrible*.

En la edición digital del periódico *El Mundo* había una larga serie de comentarios de los lectores.

—Mira éste —¡Sigrid señaló la pantalla—. Te leo: «Han descrito ustedes al señor Iván Astrov, ruso, como un *capo* criminal, tipo Al Capone [son sus palabras] y el mayor dirigente de la mafia rusa en la zona norte de Madrid. Cualquier documento oficial ruso desmintiendo cualquier tipo de investigación, sospecha antecedentes o demás respecto al señor Astrov, lo usan ustedes para limpiarse el trasero, especialmente el citado juez, que tiene un cerebro propio de un mosquito, y el aún más insuperable fiscal Molina Saz, un piojo conocido en media España por su frágil equilibrio emocional. Ni siquiera se ha molestado usted, señor periodista o lo que sea, en usar la palabra "presunto", que aplican a presuntos violadores, políticos delincuentes o etarras y demás terroristas. Cuando usted reciba una demanda civil del señor Astrov, o una querella por calumnias, ¿podrá usted usar la *ex-*

ceptio veritatis y demostrar que el señor Astrov era un delincuente y capo mafioso a día de hoy, o incluso antes o después? Por favor, vaya preparando su defensa, e incluso publique usted un solo delito que el señor Astrov haya cometido. No tres, no dos, basta que detalle usted uno. Eso sí, diga dónde, cuándo, supuestas víctimas, autor/es, dinero ilícito generado, etc. Uno sólo. Así informaremos a las autoridades rusas y nos enteraremos. Si resulta que en España sale gratis calumniar, podría empezar con usted mismo, su familia o el editor de su periódico».

Sigrid soltó un silbido

—Vaya, este tío está muy enfadado. Nuestro amiguito Misha despierta pasiones.

—Probablemente lo habrá escrito el propio abogado de Iván *el Terrible*, o alguno de sus leguleyos a sueldo. La redacción es pésima, por cierto.

Marcos le dijo a Sigrid lo que Rodrigo le había contado sobre los posicionadores que crean opinión en los foros de Internet.

—Debe de ser uno de ellos. Un posicionador de esos. En qué mundo vivimos. El tío, escudándose en el anonimato, me dice a *mí* que tengo «el cerebro de un mosquito».

—Me encanta cuando te pones chulo, Marcos. ¿Te lo había dicho? Ah, lo de los posicionadores ya lo sabía. Pero al leer estas cosas, tan exaltadas, nunca se me ocurre pensar que pudieran estar escritas por alguien que trabaja a sueldo.

—No desprecies el poder de la pasta. El dinero es el *bypass* de muchos corazones.

—Ya lo veo.

—Tú sí que levantas pasiones. Las mías, por ejemplo —Marcos se acercó y la besó en la boca.

Sigrid le devolvió el beso.

Transcurrido medio año desde que se conocieron, la relación entre Sigrid y Marcos se había hecho más fuerte. Eran amigos. Tonteaban. Se entendían a la perfección. Se besaban y se metían mano. Salían juntos. Pasaban mucho tiempo el uno al lado del otro. No practicaban sexo.

—¿Pero cómo que *actos impuros*? —se quejó Marcos una noche, mientras leían a ratos, sentados en el sofá del apartamento de Sigrid, cada uno en un extremo, con los pies cruzados. Sigrid tenía abierta sobre el estómago una novela de Susan Elizabeth Phillips, y otra de Dostoyevski entre las manos, y Marcos, con un lápiz de punta redondeada, hasta hacía un momento subrayaba un informe judicial—. ¡¿Pero qué me estás contando, chata?!

—Bueno...

—Oye, gatita... —la llamaba *gatita*, una prueba más de que su temor a estar volviéndose un cursi no carecía de fundamento; o quizás es que el asunto de los gatos de la viuda Hergueta lo había dejado impresionado—. ¿Me estás diciendo que, a tus treinta y seis años, consideras que el sexo entre dos adultos que consienten te parece un asunto que clasificar en la carpeta de «Actos Impuros»?, ¿quizás al lado de la de «Acción Pública»? —Marcos se sentó, dejó el informe sobre la mesa, cuidadosamente señalado por la página que estaba leyendo.

—Algo así —murmuró Sigrid con timidez.

—¿Te estás reservando para el matrimonio, o qué?

—Algo así...

Marcos se echó a reír a carcajada limpia.

—Creía que eras una de esas mujeres que no se van a la cama en la primera cita. Y me gustaba la idea. Pero esto... Esto... No sé qué decir, cariño. Tienes treinta y seis años, cielo santo... ¿Qué puedo decir? Que espero que te reserves también con los demás, no sólo conmigo.

Sigrid se miró las uñas, con un repentino interés.

Marcos exhaló un profundo suspiro de resignación.

—Ya soy lo bastante mayor para haberme divorciado un par de veces. Sin embargo, no me he divorciado más que una, y ésa ni siquiera cuenta. He estado pendiente de otras cosas y se me olvidó fundar una familia. Pero, dime, mujer: ¿quieres casarte conmigo? —preguntó después de pensarlo un poco. Muy poco, en realidad.

—De acuerdo —contestó Sigrid.

Sigrid

Sigrid pasaba buena parte de su tiempo libre en casa de Marcos y su madre. Descubrió con placer que se entendía bien con su futura suegra, empeñada en ampliar sus lecturas y sus conocimientos culinarios. Doña Luisa desprendía un aire maternal que Sigrid echaba de menos en su propia madre.

Era una mujer responsable, delgada y activa. Se mostró entusiasmada cuando Marcos y ella le anunciaron su compromiso.

—Tenemos que conocer a tu familia —le dijo a Sigrid—. Es lo que corresponde en estos casos.

—Vale. Hablaré con mi madre.

Aunque siempre lo olvidaba. Se olvidaba de contárselo a su madre.

Se había acostumbrado a ir al pequeño *dojo* del gimnasio municipal del pueblo, mayormente frecuentado por niños, cuando estaba en el chalet de doña Luisa.

El *sensei* era un español que aún no había cumplido los cincuenta años de edad llamado José María, con unos ojos muy azules de aspecto pícaro, especialista en el estilo *Goju-ryu*, la *Escuela de lo duro y lo blando* del maestro japonés Kanryo Higashionna,

natural de Okinawa. El *sensei* rumano que se suponía agradaba tanto a Misha se había mudado a Valencia. Sigrid apenas llegó a conocerlo.

Pasaba media hora haciendo ejercicios de calentamiento, que el *sensei* la obligaba a ejecutar a ritmo marcial, y otra media hora practicando *katas* que le llevarían diez años de adiestramiento para poder dominar con cierto estilo. Cuando salía de allí le temblaban las piernas y sudaba por sitios de su cuerpo que no deberían tener poros.

Una tarde, mientras luchaba en corto frente al *sensei*, vio aparecer a Misha. Se inclinó para saludar antes de entrar. Luego, se quedó mirándolos bajo el ajado póster del maestro Funakoshi que colgaba de la parte superior de una de las paredes desconchadas.

El *sensei* dejó a Sigrid y le ordenó que practicara sola, frente al espejo que cubría la pared del fondo de la sala. Le presentó rápidamente a Misha —ambos se saludaron con una inclinación de cabeza—, y le proporcionó al ruso instrucciones para que comenzase a calentar sobre el *tatami*.

Sigrid no dio pie con bola durante el resto de la clase.

Misha, a partir de aquel día, fue regularmente por el gimnasio, todos los lunes y los miércoles. Sigrid procuró no faltar a ninguna clase para coincidir siempre con él.

Intercambiaban frases de cortesía e incluso, una vez, a la salida, lo que Sigrid catalogó de «broma solemne» respecto al libro de José Castro de Luz que

ella estaba leyendo y que Misha entrevió cuando los dos guardaban sus cosas en las bolsas de deporte.

—Aún no eres demasiado mayor —le dijo Misha.

—Bueno, eso se arregla con el tiempo —respondió Sigrid.

Ninguno de los dos rio la gracia.

Transcurridas cinco semanas, Misha no se presentó a su clase del lunes. Sigrid le preguntó por él al *sensei*, pero José María no supo qué decirle.

—Paga puntualmente sus cuotas cada mes, pero viene y se va cuando le da la gana —dijo, encogiéndose de hombros—. No se le pueden echar cuentas.

Sigrid decidió que ya iba siendo hora de hablar con su madre y ponerla al corriente de su compromiso con Marcos. Lo iba posponiendo, pero doña Luisa no dejaba de preguntarle y ella se sentía íntimamente avergonzada de su cobardía. La aceptación de Fernanda era para Sigrid muy importante. Cuando era niña y recogía las notas del colegio, no sentía que había aprobado hasta que su madre le tocaba la cabeza con la mano, la pasaba ligeramente sobre su pelo rebelde recogido en dos trenzas y le decía con voz suave: «Está muy bien».

La llamó por teléfono y quedaron en verse.

—¿Vienes a cenar? —preguntó la madre.

—No, déjalo. Iré por la tarde. Tomaremos un café.

Le abrió la puerta Clarisa, ataviada con una bata

gris y un delantal negro sin peto, con dos grandes bolsillos a la altura de las caderas.

Se dieron un par de besos.

—Cuánto tiempo, hija. Qué cara eres de ver. —La mujer sonreía. Clarisa tenía la facultad de parecer más triste cuando sonreía que cuando estaba seria. A Sigrid eso la inquietaba—. Entra, no te quedes ahí. Tu madre te está esperando en el salón. ¿Quieres café, o té? Hemos comprado una de esas cafeteras nuevas. Se puede montar un negocio de hostelería con un aparatico así. Hay que ver las cosas que inventan.

Sigrid quería un descafeinado.

—Clarisa, te veo estupendamente.

—Bueno, tengo mis cositas, como todo el mundo. Pero en general no me puedo quejar. Pasa, pasa, niña...

Fernanda estaba sentada en un sofá Chester de cuero envejecido. Sigrid recordó que llevaba viéndolo en el mismo sitio toda su vida. El sofá no había cambiado. Su madre tampoco.

La mujer se puso de pie.

—Cariño —la abrazó con ligereza.

«Ella lo hace todo con ligereza. Es sutil. Una brisa suave. No agarra, no pellizca, no estruja, no pega, no estrecha...», recapacitó Sigrid.

Por una vez, no discutieron ni sobre la bebida ni sobre los pastelillos de La Mallorquina, que Sigrid devoró con satisfacción.

—Hija, cómo me gusta verte comer —dijo Fernanda—. Te estás quedando en la raspa.

—¿En la raspa? —Sigrid habló con la boca llena—, ¿ahora soy un pez?

—Oh, no seas quisquillosa. Ya sabes lo que quiero decir.

—Madre, estoy pensando en casarme.

Fernanda la miró como si no diera crédito.

—¿Qué dices, no te parece que ya iba siendo hora?

—Sí, no... No. Claro, por supuesto —su madre se limpió los labios con la servilleta y dio un sorbo al té—. Pero... ¿tienes con quién?

—Madre...

—Me refiero a si es algo que se te ha ocurrido simplemente o si estás saliendo en serio con alguien.

—La respuesta B.

—Oh —se calló, como si se hubiese mordido la lengua. Tomó de nuevo impulso y continuó hablando—. No me habías dicho nada.

—Te lo estoy diciendo ahora. Te lo he dicho en cuanto yo misma me he enterado.

—¿Y es alguien que yo conozca, o alguien de tu trabajo?...

—Ni una cosa ni la otra. Quiero presentártelo. A él y a su madre. No tiene padre, murió hace unos años. Vive con su señora mamá, a su edad, pobrecito. Por lo demás, creo que incluso es un buen partido.

Fernanda la obsequió con una sonrisa. Sigrid la contempló y le vino a la cabeza un paraje desprovisto de árboles.

—Cuando tú quieras, cariño. Preséntamelos cuando tú quieras... ¡Clarisa! —se levantó y llamó a la asistenta; había un punto de nerviosismo en su voz—. ¡Ven aquí, por favor! Trae una botella de champán. Y tres copas. Tenemos que celebrar que nuestra Sigrid se va a casar...

Esa noche durmió con Marcos en su apartamento. Compartían la misma cama, pero no hacían el amor. Sigrid apreciaba eso de aquel hombre. Que sabía esperar, que no tenía prisas. Que era disciplinado. Estiró la mano y tocó su barriga, que subía y bajaba lentamente, al ritmo plácido de su respiración. Le había llevado mucho tiempo, pero por fin encontró a un hombre que la tranquilizada con su sola presencia, que era capaz de ser serio y venerable pese a que tenía en sus horas libres aire de soñador. Y, por si fuera poco, estaba escribiendo una novela. No podía dejar la mente quieta. Eso también le gustaba de él.

Se dejó envolver por el sueño. Tenía agujetas en el estómago y casi no sentía las nalgas. Su cabeza, cuando por fin se sumió en un profundo letargo, tampoco dejó de pensar.

A media noche se despertó de golpe.

Abrió los ojos y se incorporó en la cama, mientras jadeaba de angustia y se acostumbraba a la oscuridad del dormitorio.

Y entonces lo supo. Lo sintió en la piel.

La comprensión le asestó un duro golpe. Un mazazo en el plexo solar, que le dolió como si fuese físico, como si alguien hubiese descargado una catana sobre su pecho.

«Iván Astrov. El chivatazo. Férriz... Férriz... ¡Férriz!...»

Cuando despertó después de pasar el resto de la noche dando vueltas en la cama, cayendo a ratos en unos sueños nerviosos que la angustiaban más que la descansaban, Marcos ya no estaba a su lado. Tenía una reunión importante en la Audiencia y debía levantarse temprano. Ella ni siquiera lo oyó irse.

Estaba agotada. Ojerosa. Temblaba como un pajarito mojado.

La percepción de lo que ella creía que había ocurrido la dejó trastornada y, ese día, anduvo como alma en pena en el trabajo. No tenía pruebas, pero su intuición le decía que no las necesitaba. Igual que Marcos sabía quiénes eran los delincuentes que perseguía, qué habían hecho y cuándo, sin que pudiera demostrarlo, Sigrid sabía que Férriz, su antiguo comisario, el espejo de la moral policial en el cual ella tantas veces se había mirado, era un corrupto.

Recordó las palabras de Marcos: «El dinero es el *bypass* de muchos corazones», y tuvo ganas de llorar. De asco, de rabia. Pero sobre todo de decepción. Férriz le había atravesado el corazón a ella lo mismo que ella se lo ensartó a aquel pobre ratero. Sigrid, con su tacón afilado. Férriz, con un fajo de billetes finamente enrollados, tan puntiagudos como un estilete.

En ambos casos, el resultado era la muerte de la víctima.

Sigrid confiaba en que, al menos, el comisario no se hubiese vendido barato.

Le contó sus sospechas a Fernández, su nuevo jefe, que la escuchó atentamente y fue tomando notas con sumo cuidado.

—Si esto fuese verdad, Azadoras, te habrás ganado a pulso ese ascenso que se rumorea que están a punto de darte.

No sintió ni por un momento que estuviera delatando a Férriz. Si su intuición era cierta, era él quien la había traicionado a ella.

Sigrid, Fernanda y Clarisa

Fernanda llamó a su hija para pedirle que fuese a verla cuanto antes. Tras mucha insistencia, Sigrid le prometió que se pasaría esa misma tarde, en cuanto terminase de trabajar.

—No te preocupes, no es nada grave. Se trata únicamente de que quiero que veas algo.

—Estaré ahí sobre las seis o seis y media; antes si puedo.

Utilizó el metro porque había dejado la moto averiada en el taller Kuhlmann de la calle Galileo, donde Jose, el mecánico, le dijo que tardaría un par de días en tenerla lista, y eso gracias a que tenía a Sigrid *enchufada* y siempre la colaba por delante de otros clientes.

Llegó puntualmente a las seis, pero su madre no estaba en casa. La atendió Clarisa.

—¡Pero bueno! —se quejó Sigrid—. Primero me pide que venga corriendo, y cuando hago lo que me dice resulta que me deja plantada. ¿Se puede saber dónde está?

—Ha salido de viaje —respondió la mujer.

—¿De viaje? ¡Qué cara! Podía haberme avisado. He venido corriendo.

—Ha dejado algo para ti.

Sigrid la interrogó con la mirada.

—Enseguida lo traigo.

Clarisa desapareció en dirección al dormitorio de Fernanda. Regresó con un sobre en la mano.

—Me ha dicho que leas esto cuando estés tranquila.

—¿Qué es?

La asistenta se encogió de hombros, dejó el sobre encima de un viejo y elegante aparador de caoba que amueblaba el pasillo y se fue a la cocina.

—Cuando esté tranquila... —repitió Sigrid para sí misma, agarrando el sobre con irritación.

Fue a su antiguo dormitorio, se tumbó atravesada en la cama y lanzó el sobre de cualquier manera sobre la alfombra. Cerró los ojos unos segundos. ¿Qué le pasaba a su madre?

«Lo mismo está preparando el modelo de invitación para la boda. Es tan repipi...»

Dando un suspiro de resignación, se levantó y volvió a coger el sobre. Lo abrió sin muchos miramientos.

Era una carta manuscrita. La letra de Fernanda era clara y sencilla como la de una colegiala. «No como la mía —pensó su hija—, que ni yo misma la entiendo.»

Mientras avanzaba en su lectura, Sigrid sintió que su mundo —todo su mundo, su historia, sus recuerdos, lo que ella era— se venía abajo. Por segunda vez en menos de veinticuatro horas.

Querida hija:

No sé cómo empezar esta carta. Tampoco sé cómo la acabaré. Escribirla es una de las cosas más difíciles que he hecho en mi vida.

Comienzo pidiéndote perdón. Por tantas cosas. Por no haber sido la madre que tú esperabas y necesitabas. Por no haber sabido ser de otra manera.

Sigrid, te mentí. Todos te mentimos. Los abuelos, Clarisa, unos cuantos amigos íntimos de la familia... Ellos lo hicieron por mí y no tienen culpa. Debes perdonarlos. Sé que tu corazón es puro y generoso, que no tardarás en comprender sus motivos. El motivo. Yo soy el único motivo por el que ellos te mintieron. Lo hicieron porque yo se lo pedí.

He vivido con la mentira desde que tú naciste. Creí que la mentira y yo podríamos ser buenas amigas, inseparables. Que ella me acompañaría a la tumba y moriría conmigo. Pero la mentira, que no es de fiar, a veces se transforma en vergüenza y crece, crece..., y llega el día en que no se puede esconder de lo grande que es. ¿Recuerdas cuando eras pequeña? La abuelita te decía: «Si haces una travesura muy grande y me dices la verdad, no te castigaré. Si me mientes lo sabré, y aunque la travesura sea pequeña, recibirás un buen castigo». Así aprendiste a decir la verdad, y estoy muy orgullosa de ti, y de la abuela.

Yo, sin embargo, no he aprendido a decir la verdad. Aunque quiero empezar ahora mismo. Pero soy tan cobarde que he tenido que salir corriendo, huyendo de ti, de la verdad. Aprenderé, Sigrid, pero debo ir poco a poco. Dame tiempo, hija.

Cuando me hablaste de que tenías intención de casarte pensé que nunca se me había ocurrido que algo así sucediera. No sé por qué. Me dije a mí misma que soy una idiota porque, a estas alturas, ya no me lo esperaba.

Luego recapacité y entonces supuse que quizás tengas hijos y que, si no te dijese lo que voy a contarte, nunca podría mirar a esas criaturas a la cara.

Te contamos que eras adoptada. Una mulata huérfana del Caribe que recogió la aspirante a monjita que yo fui (en realidad no era más que una niña rica, caprichosa y estúpida). Has vivido toda tu existencia agradeciéndomelo. Eso me parte el corazón.

Pobrecilla, pobrecita, mi niña, no sabes cómo lo siento, cómo lo he sentido durante todos estos años. No sabes cuánto les dolió a los abuelos la mentira, mi mentira.

No es cierto. Yo te parí, Sigrid. (¡Ya lo he dicho!) ¡Has sido tan buena desde el principio!... Ni siquiera me diste problemas en el parto. Yo estaba aterrada, era muy joven, pero todo ocurrió en un par de horas, con una facilidad que aún hoy, al recordarlo, me deja asombrada. Siempre has tenido cuidado de no hacerme daño. Y yo te quiero más, si cabe, por eso.

De los diecisiete a los veinte años, fui novicia en algún lugar de Santo Domingo. Eso lo sabes. Por mi parte, no quiero recordarlo, tal vez algún día pueda hacerlo, pero hoy no. Me doy cuenta de lo frívola que era, de lo estúpida que fui. Que quizás sigo siendo. Me enamoré de un chico. De piel oscura, demasiado oscura. ¡Ay, los amores prohibidos! Seguramente ni siquiera se trataba de amor sino de los caprichos de una jovencita malcriada, como dice la buena y sabia Clarisa. Un muchacho que carecía de instrucción, de refinamiento, de cualquier cosa de la que yo me pudiera enorgullecer. Trabajaba en la abadía a cambio de unas pocas monedas. En el huerto. Era un par de años mayor que yo, supongo que su cabeza estaba tan llena de pájaros como la mía. Cuando me quedé embarazada, desapareció y no volví a verlo. Las monjas me cuidaron hasta que di a luz y pude volver a Espa-

ña. Fueron maravillosas conmigo, Sigrid... Yo me porté como una loca y ellas me devolvieron a cambio su compasión. Ya sé que es pedir demasiado, sin embargo espero, deseo, confío, te ruego que tú puedas hacer lo mismo.
    Te quiere, tu madre.

María Fernanda Azadoras

Sigrid se puso en pie hecha una furia. Arrugó la carta y la arrojó contra el cristal de la ventana. Se mesó los cabellos. Le daban ganas de arrancárselos a puñados.

Lo pensó mejor y recogió los papeles.

—¡Clarisa! —aulló; sentía rota la garganta.

Irrumpió como una fiera en la cocina, donde la mujer ya estaba guardando sus cosas, lista para marcharse.

—¡La odio! —gritó Sigrid, las lágrimas le impedían ver—. ¡La odio! Y tú... Tú también lo sabías, y nunca me dijiste nada. Dejasteis que viviera con ese engaño. Treinta y seis años de mi vida. ¿No sabéis lo que es la misericordia? ¿De qué color es la piedra que tenéis por entrañas? ¡Tú, ella, todos, todos!...

Se dejó caer en el suelo y se tapó la cara con las manos, llorando igual que un crío.

Clarisa se acercó y la abrazó. Tiró de su cuerpo hasta ponerla de nuevo en pie.

—No llores, cariño. No llores —le acarició el pelo, la besó en las mejillas húmedas—. Si tú eres lo más bonito que ha tenido tu madre en su vida... Y tus abuelos, que te adoraban. Pero, ¿sabes?, tu madre no es más que una pobre niña malcriada que no tuvo suerte en la vida. Es débil, desgraciada. Lo pasó tan mal. Era tan joven. Ni te lo imaginas... Pero te quiere, cariño. No ha hecho otra cosa en su vida más que quererte. Ése ha sido su único oficio. ¿No ves que no sabe hacer nada más?... Es que no sabe expresarlo. Por eso sigue siendo desgraciada. ¡Shhh!... No llores, no llores, Sigrid, por favor, por favor... Tranquila, tranquila, mi niña...

Sigrid

Volvió a su casa andando. Subió por Banco de España hasta la Gran Vía, sonándose los mocos cada dos pasos. Hacía buen tiempo. Cada vez anochecía un poco más tarde. Había muchas horas de luz. Las calles del centro estaban animadas como era costumbre. La gente llevaba ropas ligeras, las adolescentes enseñaban los ombligos.

Pero Sigrid sentía frío, un frío negro que la martirizaba por dentro.

Sujetaba una carpeta con documentos contra su pecho. La pistola le molestaba en la sobaquera, bajo la chaqueta.

Notó que su teléfono vibraba y lo sacó para mirarlo. Apenas era capaz de ver las letras en la pequeña pantalla.

Era Marcos. Su amor. Su único consuelo.

«Ya tengo título para mi primera novela: "El hombre del corazón negro". No olvides k t kiero», decía su mensaje.

Se detuvo bajo el portal de unos grandes almacenes y le respondió que, por favor, fuese esa noche a dormir a casa con ella.

Subió con paso cansino desde la Plaza de España

a la calle Reyes. El cubano que la piropeaba cada vez que la veía pasar estaba apoyado en la puerta del bar.

—Buenas tardes, mi *amol*...

Sigrid se quedó mirándolo. Se echó a llorar.

—Pero, *mija*, ¿qué te pasa?... Entra aquí, ven, entra y siéntate un momentico.

Sigrid se dejó llevar.

No había ningún cliente a esas horas. El interior del local estaba templado por el calor de la tarde, aunque era oscuro y agradable.

—Toma agua. Está fresca —el hombre le tendió un vaso mientras le señalaba una silla.

Bebió hasta la última gota. Se sentó.

Cerró los ojos un momento y pensó en la verdad.

Para Sigrid la verdad era, parafraseando el proverbio japonés, como un carro cuesta arriba: en cuanto una deja de empujar, retrocede resbalando. Estaba dispuesta a seguir apretando el carro de la verdad, a pesar de todo. A pesar de Férriz, de su madre.

Y el carro de la fe... Bueno, el de la fe, quién sabía. Aún era pronto para decirlo. Necesitaba algo más de tiempo para arreglar esas cuentas.

Comprendió que acababa de empezar otra vida. No sabía si mejor o peor que la que había vivido hasta entonces. Y qué más daba, en cualquier caso.

No se puede vivir siempre en el verano o en la primavera. Al día le sigue la noche. Nada está quieto. Y la nostalgia, del pasado o del futuro, vale menos que un gramo de sal.

Sigrid había vivido deseando sacar la espada, como los torpes que no saben nada, como los que se inician en las artes marciales. A partir de ahora, después de su encuentro con la mentira, quizás pudiera sacar la espada. Y confiaba en que llegara el día en que ella misma fuese la espada.

—¿Te encuentras mal, quieres que llame al Samur? —le preguntó el hombre, con rostro preocupado.

—No, no es nada. Muchas gracias —sonrió entre lágrimas. Se sentía patética—. ¿Cómo te llamas?

—Yo, Carlos. ¿Y tú? ¡Ah, sí! Ya me acuerdo: ¡tú española! —tenía una preciosa sonrisa.

—Me llamo Sigrid. Muchas gracias de nuevo, Carlos. Necesitaba ese vaso de agua. Me alegra haberte conocido, amigo.

—Hasta mañana, amiga... Cuídate.

Sigrid continuó su camino.

Ya no lloraba.

Apretó el paso.

Marcos, si todo iba bien en el trabajo, no tardaría en llegar a casa y ella quería comprar antes algunos víveres para la cena.

Misha, Gorilla y Barbala

Moscú. Una de las ciudades más caras del mundo. La ciudad que viera nacer a Misha. Cómo la capital rusa pudo pasar de la miseria a la opulencia en tan poco tiempo era algo que él podría explicar, si tuviera ganas. En cualquier caso, no le importaba demasiado. Había ido allí para poner al día algunos de sus muchos negocios en suelo ruso, no para perderse en disquisiciones políticas o filosóficas.

El vuelo de Aeroflot aterrizó a su hora en el aeropuerto de Sheremétevo, el de mayor tráfico de pasajeros de los tres de que disponía la ciudad. Los rusos ya no viajaban en los viejos Túpolev Tu-134, auténticas carracas soviéticas, pero Misha añoraba su extraña estampa de morro acristalado rodando por las pistas.

Muchas cosas habían cambiado en Moscú en muy pocas décadas. Ahora, ya no podía decirse que todos los caminos conducían a la Plaza de Dzherzhinski, donde se asentaba el edificio de la temible Lubianka, la policía secreta. Ahora, todos los caminos conducían al centro comercial Passaz o a un restaurante Yolki-Palki. Se había conquistado por fin la vieja aspiración comunista «paz y bienes de consumo».

Los *továrischi*, los camaradas, habían desaparecido como por ensalmo. Sólo quedaban ciudadanos, aparentemente. Antaño se ocuparon las iglesias. Donde decía «iglesia de tal» se colgaba el cartel «lugar para el esparcimiento de los trabajadores metalúrgicos». Ahora, las iglesias se habían restaurado y lucían de nuevo esplendorosas, y ofrecían culto para los fieles.

Sí, Moscú no era el mismo. El tiempo no pasa en vano.

Misha también había cambiado. No era aquel pilluelo de antiguamente, el que se buscaba la vida en las cloacas de Moscú con la avidez de una rata. No pasaba frío, ni hambre. Sus esperanzas de convertirse en un gran ladrón se habían visto cumplidas de sobra. Qué lástima que no quedase nadie de la vieja época para pavonearse delante de ellos. *Brat na pont.* Fanfarronear, eso le hubiera gustado. Sin embargo, sus amigos de la infancia, Otar y Grigori, no llegaron a cumplir treinta años.

Le hubiese gustado quedarse para la fiesta de la Marina, el último domingo de julio, pero no podría retrasar tanto su vuelta a España. Hacía tiempo que se preguntaba si lo que sentía en esas raras ocasiones en que se descubría a sí mismo recordando la celebración de una fiesta, a orillas del Neva, pobre, libre, joven, fiero..., era algo parecido a la nostalgia.

Gorilla y Barbala fueron a recogerlo al aeropuerto. Llevaban meses instalados en Moscú. Ellos no habían cambiado. No todavía.

Se alojó en el hotel Metropol, pese a que disponía

de varios apartamentos de lujo en el barrio del Kremlin. Se sentía más seguro, también más incómodo, en los hoteles. El Metropol le recordaba los viejos tiempos. Cuando merodeaba de niño por los alrededores y ni siquiera sabía qué aspecto tenían las habitaciones. Ahora le gustaban el mobiliario de época, los espacios grandes y la decoración modernista del hotel. Ahora podía pagarlos. Le agradaba el Metropol, pero también era cierto que él habría podido dormir en la acera de haber sido necesario. En esta época no hacía demasiado frío en Moscú.

La visita fue provechosa. Solucionó asuntos que había tenido que posponer cuando surgió el imprevisto con la justicia española. Estaba satisfecho.

Tenía un vuelo de regreso a Madrid por la mañana, al día siguiente. Decidió ir a almorzar al restaurante Schiótchik (Contador), después de tomar unos tragos de vodka en el Vladai, como siempre terminaba haciendo cada vez que viajaba a Moscú.

Gorilla y Barbala lo acompañaron. Lo seguían a todas partes como perros falderos. Los invitó a comer. Buena pitanza rusa. Nutritiva y abundante, bien regada. Vinos Evgueni Kalabin, seguramente fabricados con algún caldo moldavo, ricos al paladar.

La comida se prolongó durante más de tres horas.

—¿Habéis sabido algo de Kakus? —preguntó Misha cuando estaban terminando.

—No. Nunca más.

—No se llevó a la viuda con él, como sabéis.

—Creíamos que sí, nos equivocamos —dijo Gorilla.

Misha entrecerró los ojos; su mirada perversa intimidaba a Barbala.

—Sé que me mentís, perros. Mi memoria es más larga que un viaje en tren. No me cuadran los tiempos.

«Estos dos *nekulturnye*, incultos, son platos demasiado picantes para mi gusto —pensó cerrando y abriendo los fuertes puños con el afán de que circulara por ellos la sangre que le tamborileaba en la cabeza—, y, como los caracoles, conocen el arte de arrastrarse.»

—¡No, Misha! Seríamos incapaces de mentirte.

Misha desestimó sus quejas con un gesto de la mano.

—Vámonos, quiero descansar un rato en el hotel.

Misha y el judío desconocido

Un par de semanas más tarde, el juez Marcos Drabina recibió a través de la Interpol una copia de la cinta de la cámara de seguridad del restaurante Schiótchik en la que estaban grabados con total precisión los últimos minutos de la vida de Misha.

La cámara enfocaba, desde su ubicación cenital, todo el recibidor del establecimiento. Las puertas, de blanco y limpio cristal, permitían que se transparentase cualquier cosa que sucediera delante de ellas, en la calle, y que por tanto quedase también memorizada.

La grabación duraba 7:57:32 minutos.

Dos camareras jóvenes, altas, que parecían modelos, charlaban animadamente junto a la puerta del local. Eran las encargadas de saludar y acompañar a los clientes que entraban o salían. Una iba vestida con una especie de sari dorado con mangas que se suponía a juego con la decoración de toques orientales. Era morena, con una larga trenza que acariciaba morosamente. La otra, rubia y con el pelo por los hombros, vestía un sobrio conjunto de pantalón y camisa de seda negra.

Otra chica cruzaba la pantalla, salía y volvía a

entrar, con una bandeja en la mano, de cuando en cuando. Una pareja de clientes penetraron en la estancia, una mujer y un hombre jóvenes, con aspecto de turistas, a los que precedió una de las muchachas guiándolos al interior del restaurante.

En el minuto 2:39, la recia espalda de Misha se veía en la película. Salía el primero, con paso firme, en dirección a la calle. Llevaba puesta una camisa clara y un pantalón marrón, sujetaba un suéter en la mano izquierda. Lo seguían Gorilla y Barbala, uno detrás de otro.

Misha inclinaba la cabeza, saludando con deferencia a la camarera, que ahora sostenía una hoja de la puerta de cristal abierta, franqueándo amablemente la salida a los clientes.

Los acompañaba hasta la calle, y esperaba a que siguieran su camino. Un instante después se podía apreciar cómo el cuerpo de Misha caía al suelo. Barbala y Gorilla se agachaban. La camarera volvía a entrar corriendo, con una mano tapándose la boca. Seguramente gritaba porque, un segundo después, aparecían dos compañeras más. Las tres miraban cómo Barbala y Gorilla introducían el cuerpo de Misha de nuevo en el recibidor. Las chicas salían corriendo a refugiarse en el interior del restaurante.

Agarrándolo por ambos brazos, los dos guardaespaldas lo arrastraban dentro. Misha tenía la cabeza gacha. En su camisa blanca —o beis, o amarilla, no se distinguía bien— se había dibujado una enorme mancha roja a la altura de la barriga.

Gorilla y Barbala lo tumbaban en el butacón de espera del vestíbulo. Le estiraban las piernas. Gorilla miraba a uno y otro lado, como si no supiera qué hacer. Barbala, finalmente, optaba por sacar un teléfono móvil y hacer una llamada. Quizás a emergencias.

Dos nuevas camareras hacían acto de presencia. Una de ellas, rubia con un elegante moño, se echaba las manos a la cabeza y se desvanecía por un ángulo de la pantalla. Pero la otra se acercaba a Misha, lo tocaba. Parecía que lo estaba acomodando bien. Le puso una servilleta en un costado. Se dio la vuelta, nerviosa. Le tanteó un bolsillo del pantalón. Hablaba con Barbala, que ni siquiera la miraba.

Misha movía con mucha dificultad su mano y sacaba algo de ese mismo bolsillo: un papel, un pañuelo, algo blanco y pequeño... Lo llevaba cerca de sus ojos entretanto Barbala lo observaba impasible. Dejaba caer el brazo y volvía a guardar el papel en el bolsillo de su pantalón. Perdía el conocimiento.

Entraban dos hombres más. Misha continuaba desangrándose, aparentemente desmayado. Llamadas de teléfono, pasos nerviosos. Gorilla permanecía todo el tiempo al lado de la cabeza de Misha, que continuaba tumbado cuan largo era. Pero no se acercaba a él. No hablaba con él. Permanecía impasible mientras los demás entraban y salían. Alguien, un hombre, quizás un trabajador del restaurante, acudió con un rollo de papel higiénico que desenrolló y colocó bajo el cuerpo de Misha, tal vez pensando más en la tapicería del pequeño sofá que en contener una hemorragia a todas luces mortal.

La cinta acababa en el minuto en que Misha había expirado.

El informe de la policía rusa decía que en sus bolsillos sólo se encontró dinero, un teléfono móvil y una nota manuscrita que llevaba escritas las palabras:

Привет от Леонида
(«Recuerdos de Leonid»)

Estaban seguros de que la había puesto allí una de las camareras, como podía apreciarse en la grabación de la cámara de seguridad.

Interrogaron a la chica y confesó enseguida que, aproximadamente dos horas antes del asesinato, un individuo al que no conocía le había dado dos mil dólares a cambio de meterle a Misha ese papel en el bolsillo. El tipo le explicó lo que tenía que hacer y le señaló a Misha, que en ese momento estaba comiendo con sus dos amigos. Le advirtió que estuviera atenta. Ella creía que no había hecho daño a nadie, y que dos mil dólares eran mucho dinero.

Cuando le preguntaron si no intuyó que Misha podía encontrarse en peligro y que debía avisarle, la muchacha respondió que nunca habría imaginado que iba a morir tiroteado: presumía que era una nota inofensiva, la leyó y no decía nada raro, estaba segura de que bastaría con entregarle el papelito en mano cuando acabara de comer, antes de que saliera a la calle. Si bien, se despistó un momento atendiendo una mesa, y cuando se dio cuenta el cliente ya se había largado y además estaba muerto, de modo que le puso el papel en el bolsillo de todos modos. Ella siempre cumplía en el trabajo.

Habían revisado todas las grabaciones del día y

localizado al sujeto en cuestión, pero evidentemente el hombre conocía la disposición de la cámara de vigilancia, porque en ningún momento se le veía el rostro. Podía ser cualquiera. No tenían ninguna pista. Aquello, seguramente, era una guerra entre bandas. Desafortunadamente, estaban acostumbrados a ese tipo de incidentes en Moscú que, por otra parte, y gracias al extraordinario trabajo y esfuerzo de las autoridades, cada día eran menos frecuentes.

El juez Marcos Drabina Flox se quedó mirando aquellas palabras:

«Recuerdos de Leonid.»

—¿Y quién será el tal Leonid? —arrugó el ceño, hablando a solas—. Debe de haber millones con ese nombre por toda Rusia...

Le hubiera gustado preguntarle a Misha.

—Oye, Astrov —dijo Marcos en voz alta, hablándole con mal disimulada impotencia al aire, a la nada—, ¡dime quién es Leonid! No te lo mereces, pero yo lo buscaré y te haré justicia.

Misha

Mientras agonizaba, Misha lo veía todo blanco.

Apenas oía las voces a su alrededor, y sólo alcanzaba a distinguir a ratos la cabeza de Barbala, muy quieta, junto a él, con los contornos difuminados igual que la imagen de un televisor estropeado.

Se preguntó si aquello era el fin.

Qué más daba. No tenía miedo. Quien no tiene miedo de matar no puede tener miedo a morir. Misha había sabido matar, y estaba obligado a saber morir. En vida, había sido el perro más fuerte. Ahora roería el hueso de la muerte sin dudar.

Recordó las palabras de José Castro de Luz: «Si la compasión se enseñara en las escuelas, la guerra y la violencia desaparecerían de la faz de la Tierra».

¿Sería verdad? No estaba muy seguro. Tampoco sabía qué cosa era la verdad; nunca se la había echado a la cara, en toda su vida. En caso de que existiera estaba bien escondida, o él la hubiera encontrado, a la muy puta.

«Qué extraño —pensó—, no siento dolor, no siento nada.»

Una cara se dibujó ante él. Un rostro oscuro de mujer. El óvalo perfecto, suave. Le habría gustado acariciarle la mejilla, pero no podía volver a levantar la mano, no tenía fuerzas. La mujer era bella, de ojos claros. Le resultaba conocida, pero no conseguía recordar...

«Misha, Misha —lo llamaba dulcemente—, Misha...»

Ah, sí, era aquella chica. La que coincidía con él en el *dojo* de su pueblo español. O tal vez la que lo deslumbró desde la portada de una revista americana hacía mil años, cuando todavía era joven, o la zorra de la calle Ballesta de Madrid. Una o la otra, no podía ver muy bien: los ojos le ardían, el corazón le ardía, tenía ojos y corazón de fuego.

«Misha»...

Le hubiese gustado responder, pero la voz no le salía de la garganta.

«Misha: Leonid... ¿Te acuerdas de Leonid?»

No, no recordaba a ningún Leonid.

«Te manda recuerdos.»

Sí, eso ponía en el papel. ¿Quién sería Leonid?

Ella le hablaba íntimamente, como si lo conociera desde hacía mucho tiempo, tan *po dusham*, de alma a alma, que Misha sentía tanto placer como extrañeza. Le daban ganas de dirigirse a ella como a una amante, de decirle «*moyá golubka*, mi paloma, no te vayas de mi lado».

¿Cuánto se tarda en morir? ¿Cinco minutos, una hora, una semana, más de sesenta años?... ¿Cuánto había tardado él? En Siberia decían que cien kilómetros no es distancia, cien rublos no es dinero y cien gramos de vodka no es bebida. Así, cinco minutos, una hora, una semana, más de sesenta años de agonía, tampoco eran la vida aunque todavía no fuesen la muerte.

Se preguntó si la mujer sentía compasión por él. Si él era digno de compasión.

Ahora, ella le sonreía.

Misha le devolvió la sonrisa, pero sus labios no se movieron.

«Misha, vuelves a la tierra. Has vuelto a la gran tierra rusa. A las quebradas tranquilas, a las cimas de las montañas escarpadas, a los peñascos de piedra, a las inmensas praderas que ni el viento es capaz de medir. Volverás junto a las serpientes y los gansos, dormirás donde moran las águilas. Entre los ríos verdes como el cielo y las heladas llanuras del mar. Allí donde existen las cosas salvajes y libres. Ésa será tu nueva casa, Misha.»

—*Spasibo*... Gracias.

Misha no opuso resistencia, se dejó llevar por la voz delicada de la joven a pesar de que ni siquiera podía ver su rostro.

Ya no sentía otra cosa más que la oscuridad.

«¡Oh, víctimas de sueños insensatos!
Esperabais tal vez
Que la sangre que habéis esparcido
Bastaría para derretir el helado polo.
Durante un instante la sangre ardió y se apagó
Sobre la nieve eterna.
El férreo invierno sopló,
Ya nada queda.»*

FIÓDOR IVÁNOVICH TIÚTCHEV

* Traducción libre de la autora.

Ésta es una obra de ficción; aunque hace referencia a algunos hechos reales, todos sus personajes son imaginarios.